RECLAM-BIBLIOTHEK

Victor Klemperer (1881–1960) lehrte von 1920 bis 1933 an der Technischen Hochschule Dresden, nach dem Krieg in Greifswald, Halle und Berlin. Er schrieb über Corneille, Montesquieu sowie eine Geschichte der französischen Literatur. „LTI“ – Lingua Tertii Imperii – nannte Klemperer sein schwierigstes Buch. Es hat den Autor, gleich gelehrt in der Romanistik, Germanistik und vergleichenden Literaturwissenschaft, über die Grenzen Europas hinaus auch bei einem ungelehrten Publikum bekannt gemacht. Nicht nur, weil es die erste profunde Kritik der „Sprache des Dritten Reiches“ ist, nicht nur, weil es Klemperers glückliche Gabe, schwierige Gegenstände interessant, ja spannend darzustellen, offenbart. Vor allem ist es ein erschütterndes document humain aus grauenvollen Jahren seines Lebens, die er ohne die unbeirrbare Besinnung auf die nüchtern-distanzierte, oft sogar heiter wirkende Haltung des Wissenschaftlers kaum überstanden hätte.
Heute gilt „LTI“ als eines der lebendigsten Lehrbücher zur Ideologie totalitärer Regime.

Victor Klemperer

LTI

Notizbuch eines Philologen

RECLAM VERLAG LEIPZIG

ISBN 3-379-00125-2

Text nach: Victor Klemperer, LTI. 3. Auflage
Max Niemeyer Verlag, Halle (Saale) 1957
Das Porträt des Autors stellte uns freundlicherweise
Frau Hadwig Klemperer zur Verfügung

Reclam-Bibliothek Band 278
12. Auflage, 1993
Reihengestaltung: Hans Peter Willberg
Umschlaggestaltung: Friederike Pondelik
Printed in Germany
Druck und Binden: Ebner Ulm
Gesetzt aus Garamond-Antiqua

Meiner Frau Eva Klemperer

Schon vor zwanzig Jahren schrieb ich Dir, liebe Eva, vor die Widmung einer Studiensammlung, von einer Widmung im üblichen Sinn eines Geschenkes könne von mir zu Dir keine Rede sein, da Du an sich schon Miteigentümerin meiner Bücher seiest, die durchweg das Ergebnis einer geistigen Gütergemeinschaft darstellten. Das ist nun bis heute so geblieben.
Aber diesmal liegen die Dinge noch etwas anders als bei all meinen früheren Veröffentlichungen, diesmal bin ich noch viel weniger zu einer Widmung an Dich berechtigt und unvergleichlich mehr zu ihr verpflichtet als damals, da wir in friedlichen Zeiten Philologie trieben. Denn ohne Dich wäre heute dieses Buch nicht vorhanden und auch längst nicht mehr sein Schreiber. Es würde vieler und intimer Seiten bedürfen, wollte ich das im einzelnen erklären. Nimm statt dessen die allgemeine Reflexion des Philologen und Pädagogen am Eingang dieser Skizzen. Du weißt es, und ein Blinder muß es mit dem Stock fühlen, an wen ich denke, wenn ich vor meinen Hörern über Heroismus spreche.

Dresden, Weihnachten 1946

VICTOR KLEMPERER

SPRACHE IST MEHR ALS BLUT

Franz Rosenzweig

Heroismus

Statt eines Vorwortes

Die Sprache des Dritten Reiches hat aus neuen Bedürfnissen heraus der distanzierenden Vorsilbe ent einigen Zuwachs zuteil werden lassen (wobei es jedesmal dahingestellt bleibt, ob es sich um völlige Neuschöpfung handelt oder um die Übernahme in Fachkreisen bereits bekannter Ausdrücke in die Sprache der Allgemeinheit). Fenster mußten vor der Fliegergefahr verdunkelt werden, und so ergab sich die tägliche Arbeit des Entdunkelns. Hausböden durften bei Dachbränden den Löschenden kein Gerümpel in den Weg stellen, sie wurden entrümpelt. Neue Nahrungsquellen mußten erschlossen werden: die bittere Roßkastanie wurde entbittert...
Zur umfassenden Bezeichnung der notwendigsten Gegenwartsaufgabe hat man eine analog gebildete Wortform allgemein eingeführt: am Nazismus ist Deutschland fast zugrunde gegangen; das Bemühen, es von dieser tödlichen Krankheit zu heilen, nennt sich heute Entnazifizierung. Ich wünsche nicht und glaube auch nicht, daß das scheußliche Wort ein dauerndes Leben behält; es wird versinken und nur noch ein geschichtliches Dasein führen, sobald seine Gegenwartspflicht erfüllt ist.
Der zweite Weltkrieg hat uns mehrfach diesen Vorgang gezeigt, wie ein eben noch überlebendiger und scheinbar zu nie mehr ausrottbarer Existenz bestimmter Ausdruck plötzlich verstummt: er ist versunken mit der Lage, die ihn erzeugte, er wird später einmal Zeugnis von ihr ablegen wie eine Versteinerung. So ist es dem Blitzkrieg ergangen und dem ihm zugeordneten Adjektiv schlagartig, so den Vernichtungsschlachten und den dazugehörigen Einkesselungen, so auch dem „wandernden Kessel" — er bedarf schon heute der Kommentierung, daß es sich um den verzweifelten Rückzugsversuch eingekesselter Divisionen handelte —, so dem Nervenkrieg, so schließlich gar dem Endsieg. Der Landekopf lebte vom Frühjahr bis zum Sommer 1944, er lebte noch, als er schon zu unförmlicher Größe angeschwollen war; aber dann, als Paris gefallen, als ganz Frankreich zum Landekopf geworden, dann war es plötzlich durchaus vorbei mit ihm, und erst im Geschichtsunterricht späterer Zeiten wird seine Versteinerung wieder auftauchen.

Und so wird es auch mit dem schwerstwiegenden Entscheidungswort unserer Übergangsepoche gehen: eines Tages wird das Wort Entnazifizierung versunken sein, weil der Zustand, den es beenden sollte, nicht mehr vorhanden ist.
Aber eine ganze Weile wird es bis dahin noch dauern, denn zu verschwinden hat ja nicht nur das nazistische Tun, sondern auch die nazistische Gesinnung, die nazistische Denkgewöhnung und ihr Nährboden: die Sprache des Nazismus.
Wie viele Begriffe und Gefühle hat sie geschändet und vergiftet! Am sogenannten Abendgymnasium der Dresdener Volkshochschule und in den Diskussionen, die der Kulturbund mit der Freien Deutschen Jugend veranstaltete, ist mir oft und oft aufgefallen, wie die jungen Leute in aller Unschuld und bei aufrichtigem Bemühen, die Lücken und Irrtümer ihrer vernachlässigten Bildung auszufüllen, an den Gedankengängen des Nazismus festhalten. Sie wissen es gar nicht; der beibehaltene Sprachgebrauch der abgelaufenen Epoche verwirrt und verführt sie. Wir redeten über den Sinn der Kultur, der Humanität, der Demokratie, und ich hatte den Eindruck, es werde schon Licht, es kläre sich schon manches in den gutwilligen Köpfen — und dann, das lag ja so unvermeidlich nah, sprach irgend jemand von irgendeinem heldischen Verhalten oder einem heroischen Widerstand oder von Heroismus überhaupt. Im selben Augenblick, wo dieser Begriff im geringsten ins Spiel kam, war alle Klarheit verschwunden, und wir staken wieder tief im Gewölk des Nazismus. Und nicht nur die jungen Menschen, die eben aus dem Felde und der Gefangenschaft zurückgekehrt waren und sich nicht genug berücksichtigt, geschweige denn gefeiert sahen, nein, auch Mädchen, die keinen Heeresdienst getan hatten, waren völlig befangen in der fragwürdigsten Auffassung des Heldentums. Außer Frage stand dabei nur, daß man nun doch unmöglich ein wirklich richtiges Verhältnis zum Wesen der Humanität, der Kultur und der Demokratie haben konnte, wenn man derart über Heldentum dachte oder, genauer gesagt, an ihm vorbeidachte.
Aber in welchen Zusammenhängen war denn dieser Generation, die 1933 noch kaum über das Abc hinaus gewesen, das Wort heroisch mit seinem ganzen Sippenzubehör ausschließlich entgegengetreten? Darauf war vor allem zu antworten, daß es immer in Uniform gesteckt hatte, in drei verschiedenen Uniformen, aber nie in Zivil.
Wo Hitlers Kampfbuch allgemeine Richtlinien der Erziehung aufstellt, da steht das Körperliche weitaus im Vordergrund. Er liebt

den Ausdruck „körperliche Ertüchtigung", den er dem Lexikon der Weimarischen Konservativen entnommen hat, er preist die Wilhelminische Armee als die einzige gesunde und lebenspendende Einrichtung eines im übrigen verfaulenden Volkskörpers, und er sieht im Heeresdienst vor allem oder ausschließlich eine Erziehung zu körperlicher Leistungsfähigkeit. Die Ausbildung des Charakters nimmt für Hitler ausdrücklich nur die zweite Stelle ein; nach seiner Meinung ergibt sie sich mehr oder minder von selber, wenn eben das Körperliche die Erziehung beherrscht und das Geistige zurückdrängt. An letzter Stelle aber, und nur widerwillig zugelassen und verdächtigt und geschmäht, steht in diesem pädagogischen Programm die Ausbildung des Intellekts und seine Versorgung mit Wissensstoff. In immer neuen Wendungen gibt sich die Angst vor dem denkenden Menschen, der Haß auf das Denken zu erkennen. Wenn Hitler von seinem Aufstieg, seinen ersten großen Versammlungserfolgen berichtet, dann rühmt er nicht weniger als die eigene Rednergabe die Kampftüchtigkeit seiner Ordnungsmänner, aus deren kleiner Gruppe sich bald die SA entwickelt. Die „braunen Sturmabteilungen", deren Aufgabe eine rein brachiale ist, die über politische Gegner innerhalb der Versammlung herzufallen und sie aus dem Saal zu treiben haben: das sind seine eigentlichen Helfer im Ringen um das Herz des Volkes, das sind seine ersten Helden, die er als blutüberströmte Besieger feindlicher Übermacht, als die vorbildlichen Heroen historischer Saalschlachten schildert. Und ähnliche Schilderungen und gleiche Gesinnung und gleiches Vokabular finden sich, wo Goebbels seinen Kampf um Berlin erzählt. Nicht der Geist ist Sieger, es geht nicht ums Überzeugen, nicht einmal die Übertölpelung mit den Mitteln der Rhetorik bringt die letzte Entscheidung zugunsten der neuen Lehre, sondern das Heldentum der frühesten SA-Männer, der „alten Kämpfer". Wobei sich mir Hitlers und Goebbels' Berichte ergänzen durch die fachliche Unterscheidung unserer Freundin, die damals Assistenzärztin im Krankenhaus eines sächsischen Industrienestes war. „Wenn wir am Abend nach den Versammlungen die Verletzten hereinbekamen", erzählte sie oft, „dann wußte ich sofort, welcher Partei jeder angehörte, auch wenn er schon ausgekleidet im Bett lag: die mit der Kopfwunde vom Bierseidel oder Stuhlbein waren Nazis, und die mit dem Stilettstich in der Lunge waren Kommunisten." Im Punkte des Ruhms verhält es sich mit der SA wie mit der italienischen Literatur, beide Male fällt der höchste, nie wieder zu gleicher Intensität erstarkte Glanz auf die Anfänge.

Die zeitlich zweite Uniform, in der nazistisches Heldentum auftritt, ist die Vermummung des Rennfahrers, sind sein Sturzhelm, seine Brillenmaske, seine dicken Handschuhe. Der Nazismus hat alle Sportarten gepflegt, und rein sprachlich ist er von allen andern zusammen nicht derart beeinflußt wie vom Boxen; aber das einprägsamste und häufigste Bild des Heldentums liefert in der Mitte der dreißiger Jahre der Autorennfahrer: nach seinem Todessturz steht Bernd Rosemeyer eine Zeitlang fast gleichwertig mit Horst Wessel vor den Augen der Volksphantasie. (Anmerkung für meine Hochschulkollegen: über wechselseitige Beziehungen zwischen Goebbels' Stil und dem Erinnerungsbuch der Fliegerin Elly Beinhorn: „Mein Mann, der Rennfahrer" lassen sich die interessantesten Seminaruntersuchungen anstellen.) Eine Zeitlang sind die Sieger im internationalen Autorennen, hinter dem Lenkrad ihres Kampfwagens oder an ihn gelehnt oder auch unter ihm begraben, die meistphotographierten Tageshelden. Wenn der junge Mensch sein Heldenbild nicht von den muskelbeladenen nackten oder in SA-Uniform steckenden Kriegergestalten der Plakate und Denkmünzen dieser Tage abnimmt, dann gewiß von den Rennfahrern; gemeinsam ist beiden Heldenverkörperungen der starre Blick, in dem sich vorwärtsgerichtete harte Entschlossenheit und Eroberungswille ausdrücken.

An die Stelle des Rennkampfwagens tritt von 1939 an der Tank, an die Stelle des Rennfahrers der Panzerfahrer. (So nannte der Landser nicht nur den Mann am Steuer, sondern auch die Panzergrenadiere.) Seit dem ersten Kriegstag und nun bis zum Untergang des Dritten Reichs trägt alles Heldentum zu Wasser, zu Lande und in der Luft militärische Uniform. Im ersten Weltkrieg gab es noch ein ziviles Heldentum hinter der Front. Wie lange gibt es jetzt noch ein Hinter-der-Front? Wie lange noch ein ziviles Dasein? Die Lehre vom totalen Krieg wendet sich fürchterlich gegen ihre Urheber: alles ist Kriegsschauplatz, in jeder Fabrik, in jedem Keller bewahrt man militärisches Heldentum, sterben Kinder und Frauen und Greise genau den gleichen heroischen Schlachtentod, oft genug sogar in genau der gleichen Uniform, wie sich das sonst nur für junge Soldaten des Feldheeres schickte oder zustande bringen ließ.

Durch zwölf Jahre ist der Begriff und ist der Wortschatz des Heroischen in steigendem Maße und immer ausschließlicher auf kriegerischen Mut, auf verwegene todverachtende Haltung in irgendeiner Kampfhandlung angewandt worden. Nicht umsonst hat die Sprache des Nazismus das neue und seltene Adjektiv neuromantischer Ästheten: „kämpferisch“ in allgemeinen Umlauf gesetzt und zu einem ihrer Lieblingsworte gemacht. Kriegerisch war zu eng, ließ nur an die Dinge des Krieges denken, war wohl auch zu offenherzig, verriet Streitlust und Eroberungssucht. Dagegen kämpferisch! Es bezeichnet in einer allgemeineren Weise die angespannte, in jeder Lebenslage auf Selbstbehauptung durch Abwehr und Angriff gerichtete, zu keinem Verzicht geneigte Haltung des Gemütes, des Willens. Der Mißbrauch, den man mit dem Kämpferischen getrieben hat, paßt genau zu dem übermäßigen Verschleiß an Heroismus bei schiefer und falscher Verwendung des Begriffes.

„Aber Sie tun uns wirklich unrecht, Herr Professor! Uns — damit meine ich nicht die Nazis, ich bin keiner. Doch im Feld war ich, mit ein paar Unterbrechungen, die ganzen Jahre über. Ist es nicht natürlich, daß in Kriegszeiten besonders viel von Heldentum gesprochen wird? Und wieso muß es ein falsches Heldentum sein, das da an den Tag gelegt wird?“

„Zum Heldentum gehört nicht nur Mut und Aufsspielsetzen des eigenen Lebens. So etwas bringt jeder Raufbold und jeder Verbrecher auf. Der Heros ist ursprünglich ein Vollbringer menschheitsfördernder Taten. Ein Eroberungskrieg, und nun gar ein mit so viel Grausamkeiten geführter wie der Hitlerische, hat nichts mit Heroismus zu tun.“

„Aber es hat doch unter meinen Kameraden so viele gegeben, die nicht an Grausamkeit beteiligt und die der festen Überzeugung waren — man hatte es uns ja nie anders dargestellt —, daß wir, auch im Angreifen und Erobern, nur einen Verteidigungskrieg führten und daß es auch zum Heil der Welt sein würde, wenn wir siegten. Die wahre Sachlage haben wir erst viel später und allzu spät erkannt... Und glauben Sie nicht, daß auch im Sport wirkliches Heldentum entwickelt werden kann, daß eine Sportleistung in ihrer Vorbildlichkeit menschheitsfördernd zu wirken vermag?“ — „Gewiß ist das möglich, und sicherlich hat es auch in Nazideutschland unter den Sportlern und den Soldaten gelegentlich wirkliche Helden gegeben. Nur im ganzen stehe ich dem Heldentum gerade dieser beiden Berufsgruppen skeptisch gegenüber. Es ist beides zu lautes, zu gewinnbringendes, die Eitelkeit zu sehr befriedigendes Heldentum, als daß es häufig echt sein könnte. Gewiß, diese Rennfahrer waren buchstäbliche Industrieritter, ihre halsbrecherischen Fahrten sollten den deutschen Fabriken und damit dem Vaterland zugute kommen, und vielleicht sollten sie sogar der Allgemeinheit Nutzen tragen, indem sie zur Vervollkommnung des Autobaus Erfahrungen beisteuerten. Aber es war doch so viel Eitelkeit, so viel Gladiatorengewinn im Spiel! Und was bei den Rennfahrern die Kränze und Preise, das sind bei den Soldaten die Orden und Beförderungen. Nein, ich glaube in den seltensten Fällen an Heroismus, wo er sich in aller Öffentlichkeit laut betätigt und wo er sich im Fall des Erfolges gar zu gut bezahlt macht. Heroismus ist um so reiner und bedeutender, je stiller er ist, je weniger Publikum er hat, je weniger rentabel er für den Helden selber, je weniger dekorativ er ist. Was ich dem Heldenbegriff des Nazismus vorwerfe, ist gerade sein ständiges Gekettetsein an das Dekorative, ist das Prahlerische seines Auftretens. Ein anständiges, echtes Heldentum hat der Nazismus offiziell überhaupt nicht gekannt. Und dadurch hat er den ganzen Begriff verfälscht und in Mißkredit gebracht."

„Sprechen Sie stilles und echtes Heldentum den Hitlerjahren überhaupt ab?"

„Den Hitlerjahren nicht — im Gegenteil, die haben reinsten Heroismus gezeitigt, aber auf der Gegenseite sozusagen. Ich denke an die vielen Tapferen in den KZ, an die vielen verwegenen Illegalen. Da waren die Todesgefahren, waren die Leiden noch ungleich größer als an den Fronten, und aller Glanz des Dekorativen fehlte so gänzlich! Es war nicht der vielgerühmte Tod auf dem ‚Felde der Ehre', den man vor Augen hatte, sondern günstigstenfalls der Tod durch die Guillotine. Und doch — wenn auch das Dekorative fehlte und dieses Heldentum fraglos echt war, eine innere Stütze und Erleichterung haben diese Helden doch auch besessen: auch sie wußten sich die Angehörigen einer Armee, sie hatten den festen und wohlbegründeten Glauben an den schließlichen Sieg ihrer Sache, sie konnten den stolzen Glauben mit ins Grab nehmen, daß ihr Name irgendwann einmal um so ruhmreicher auferstehen werde, je schmachvoller man sie jetzt hinmordete.

Aber ich weiß von einem noch viel trostloseren, noch viel stilleren Heldentum, von einem Heroismus, dem jede Stütze der Gemeinsamkeit mit einem Heer, einer politischen Gruppe, dem jede Hoffnung auf künftigen Glanz durchaus abging, der ganz und gar auf sich allein gestellt war. Das waren die paar arischen Ehefrauen (allzu viele sind es nicht gewesen), die jedem Druck, sich von ihren jüdischen Ehemännern zu trennen, standgehalten hatten. Wie hat der Alltag dieser Frauen ausgesehen! Welche Beschimpfungen, Drohungen, Schläge, Bespuckungen haben sie erlitten, welche

Entbehrungen, wenn sie die normale Knappheit ihrer Lebensmittelkarten mit ihren Männern teilten, die auf die unternormale Judenkarte gestellt waren, wo ihre arischen Fabrikkameraden die Zulagen der Schwerarbeiter erhielten. Welchen Lebenswillen mußten sie aufbringen, wenn sie krank lagen von all der Schmach und qualvollen Jämmerlichkeit, wenn die vielen Selbstmorde in ihrer Umgebung verlockend auf die ewige Ruhe vor der Gestapo hinwiesen! Sie wußten, ihr Tod werde den Mann unweigerlich hinter sich herzerren, denn der jüdische Ehegatte wurde von der noch warmen Leiche der arischen Frau weg ins mörderische Exil transportiert. Welcher Stoizismus, welch ein Aufwand an Selbstdisziplin waren nötig, den Übermüdeten, Geschundenen, Verzweifelten immer wieder und wieder aufzurichten. Im Granatfeuer des Schlachtfeldes, im Schuttgeriesel des nachgebenden Bombenkellers, selbst im Anblick des Galgens gibt es noch die Wirkung eines pathetischen Moments, das stützend wirkt — aber in dem zermürbenden Ekel des schmutzigen Alltags, dem unabsehbar viele gleich schmutzige Alltage folgen werden, was hält da aufrecht? Und hier stark zu bleiben, so stark, daß man es dem andern immerfort predigen und es ihm immer wieder aufzwingen kann, die Stunde werde kommen, es sei Pflicht, sie zu erwarten, so stark zu bleiben, wo man ganz auf sich allein angewiesen ist in gruppenloser Vereinzelung, denn das Judenhaus bildet keine Gruppe trotz seines gemeinsamen Feindes und Schicksals und trotz seiner Gruppensprache: das ist Heroismus über jeglichem Heldentum.
Nein: den Hitlerjahren hat es wahrhaftig nicht an Heldentum gefehlt, aber im eigentlichen Hitlerismus, in der Gemeinschaft der Hitlerianer hat es nur einen veräußerlichten, einen verzerrten und vergifteten Heroismus gegeben, man denkt an protzige Pokale und Ordensgeklingel, man denkt an geschwollene Worte der Beweihräucherung, man denkt an erbarmungsloses Morden ..."
Gehörte die Sippe der Heldentumsworte in die LTI? Eigentlich ja, denn sie ist dicht gesät und charakterisiert überall spezifische Verlogenheit und Roheit des Nazistischen. Auch ist sie eng verknotet worden mit den Lobpreisungen der germanischen Auserwähltheit: alles Heroische war einzig der germanischen Rasse zugehörig. Und eigentlich nein; denn alle Verzerrungen und Veräußerlichungen haben dieser tönenden Wortsippe schon oft genug vor dem Dritten Reich angehaftet. So mag sie hier im Randgebiet des Vorworts erwähnt sein.
Eine Wendung freilich muß als spezifisch nazistisch gebucht

werden. Schon um des Trostes willen, der von ihr ausging. Im Dezember 1941 kam Paul K. einmal strahlend von der Arbeit. Er hatte unterwegs den Heeresbericht gelesen. „Es geht ihnen miserabel in Afrika“, sagte er. Ob sie das wirklich zugäben, fragte ich — sie berichteten doch sonst immer nur von Siegen. „Sie schreiben: ‚Unsere heldenhaft kämpfenden Truppen.‘ Heldenhaft klingt wie Nachruf, verlassen Sie sich darauf.“

Seitdem hat heldenhaft in den Bulletins noch viele, viele Male wie Nachruf geklungen und niemals getäuscht.

I

LTI

Es gab den BDM und die HJ und die DAF und ungezählte andere solcher abkürzenden Bezeichnungen.
Als parodierende Spielerei zuerst, gleich darauf als ein flüchtiger Notbehelf des Erinnerns, als eine Art Knoten im Taschentuch, und sehr bald und nun für all die Elendsjahre als eine Notwehr, als ein an mich selbst gerichteter SOS-Ruf steht das Zeichen LTI in meinem Tagebuch. Ein schön gelehrtes Signum, wie ja das Dritte Reich von Zeit zu Zeit den volltönenden Fremdausdruck liebte: Garant klingt bedeutsamer als Bürge und diffamieren imposanter als schlechtmachen. (Vielleicht versteht es auch nicht jeder, und auf den wirkt es dann erst recht.)
LTI: Lingua Tertii Imperii, Sprache des Dritten Reichs. Ich habe so oft an eine Alt-Berliner Anekdote gedacht, wahrscheinlich stand sie in meinem schön illustrierten Glaßbrenner, dem Humoristen der Märzrevolution — aber wo ist meine Bibliothek geblieben, in der ich nachsehen könnte? Ob es Zweck hätte, sich bei der Gestapo nach ihrem Verbleib zu erkundigen? ... „Vater", fragt also ein Junge im Zirkus, „was macht denn der Mann auf dem Seil mit der Stange?" — „Dummer Junge, das ist eine Balancierstange, an der hält er sich fest." — „Au, Vater, wenn er sie aber fallen läßt?" — „Dummer Junge, er hält ihr ja fest!"
Mein Tagebuch war in diesen Jahren immer wieder meine Balancierstange, ohne die ich hundertmal abgestürzt wäre. In den Stunden des Ekels und der Hoffnungslosigkeit, in der endlosen Öde mechanischster Fabrikarbeit, an Kranken- und Sterbebetten, an Gräbern, in eigener Bedrängnis, in Momenten äußerster Schmach, bei physisch versagendem Herzen — immer half mir diese Forderung an mich selber: beobachte, studiere, präge dir ein, was geschieht — morgen sieht es schon anders aus, morgen fühlst du es schon anders; halte fest, wie es eben jetzt sich kundgibt und wirkt. Und sehr bald verdichtete sich dann dieser Anruf, mich über die Situation zu

stellen und die innere Freiheit zu bewahren, zu der immer wirksamen Geheimformel: LTI, LTI!
Selbst wenn ich, was nicht der Fall ist, die Absicht hätte, das ganze Tagebuch dieser Zeit mit all seinen Alltagserlebnissen zu veröffentlichen, würde ich ihm dieses Signum zum Titel geben. Man könnte das metaphorisch nehmen. Denn ebenso wie es üblich ist, vom Gesicht einer Zeit, eines Landes zu reden, genauso wird der Ausdruck einer Epoche als ihre Sprache bezeichnet. Das Dritte Reich spricht mit einer schrecklichen Einheitlichkeit aus all seinen Lebensäußerungen und Hinterlassenschaften: aus der maßlosen Prahlerei seiner Prunkbauten und aus ihren Trümmern, aus dem Typ der Soldaten, der SA- und SS-Männer, die es als Idealgestalten auf immer andern und immer gleichen Plakaten fixierte, aus seinen Autobahnen und Massengräbern. Das alles ist Sprache des Dritten Reichs, und von alledem ist natürlich auch in diesen Blättern die Rede. Aber wenn man einen Beruf durch Jahrzehnte ausgeübt und sehr gern ausgeübt hat, dann ist man schließlich stärker durch ihn geprägt als durch alles andere, und so war es denn buchstäblich und im unübertragen philologischen Sinn die Sprache des Dritten Reichs, woran ich mich aufs engste klammerte und was meine Balancierstange ausmachte über die Öde der zehn Fabrikstunden, die Greuel der Haussuchungen, Verhaftungen, Mißhandlungen usw. usw. hinweg.
Man zitiert immer wieder Talleyrands Satz, die Sprache sei dazu da, die Gedanken des Diplomaten (oder eines schlauen und fragwürdigen Menschen überhaupt) zu verbergen. Aber genau das Gegenteil hiervon ist richtig. Was jemand willentlich verbergen will, sei es nur vor andern, sei es vor sich selber, auch was er unbewußt in sich trägt: die Sprache bringt es an den Tag. Das ist wohl auch der Sinn der Sentenz: *Le style c'est l'homme;* die Aussagen eines Menschen mögen verlogen sein — im Stil seiner Sprache liegt sein Wesen hüllenlos offen.
Es ist mir merkwürdig ergangen mit dieser eigentlichen (philologisch eigentlichen) Sprache des Dritten Reichs.
Ganz im Anfang, solange ich noch keine oder doch nur sehr gelinde Verfolgung erfuhr, wollte ich sowenig als möglich von ihr hören. Ich hatte übergenug an der Sprache der Schaufenster, der Plakate, der braunen Uniformen, der Fahnen, der zum Hitlergruß gereckten Arme, der zurechtgestutzten Hitlerbärt-

chen. Ich flüchtete, ich vergrub mich in meinen Beruf, ich hielt meine Vorlesungen und übersah krampfhaft das Immer-leerer-Werden der Bänke vor mir, ich arbeitete mit aller Anspannung an meinem Achtzehnten Jahrhundert der französischen Literatur. Warum mir durch das Lesen nazistischer Schriften das Leben noch weiter vergällen, als es mir ohnehin durch die allgemeine Situation vergällt war? Kam mir durch Zufall oder Irrtum ein nazistisches Buch in die Hände, so warf ich es nach dem ersten Abschnitt beiseite. Grölte irgendwo auf der Straße die Stimme des Führers oder seines Propagandaministers, so machte ich einen weiten Bogen um den Lautsprecher, und bei Zeitungslektüre war ich ängstlich bemüht, die nackten Tatsachen — sie waren in ihrer Nacktheit schon trostlos genug — aus der ekelhaften Brühe der Reden, Kommentare und Artikel herauszufischen. Als dann die Beamtenschaft gereinigt wurde und ich mein Katheder verlor, suchte ich mich erst recht von der Gegenwart abzuschließen. Die so unmodernen und längst von jedem, der etwas auf sich hielt, geschmähten Aufklärer, die Voltaire, Montesquieu und Diderot, waren immer meine Lieblinge gewesen. Nun konnte ich meine gesamte Zeit und Arbeitskraft an mein weit fortgeschrittenes Opus wenden; was das achtzehnte Jahrhundert anlangt, saß ich ja im Dresdener Japanischen Palais wie die Made im Speck; keine deutsche, kaum die Pariser Nationalbibliothek selber hätte mich besser versorgen können.

Aber dann traf mich das Verbot der Bibliotheksbenutzung, und damit war mir die Lebensarbeit aus der Hand geschlagen. Und dann kam die Austreibung aus meinem Haus, und dann kam alles übrige, jeden Tag ein weiteres Übriges. Jetzt wurde die Balancierstange mein notwendigstes Gerät, die Sprache der Zeit mein vorzüglichstes Interesse.

Ich beobachtete immer genauer, wie die Arbeiter in der Fabrik redeten und wie die Gestapobestien sprachen und wie man sich bei uns im Zoologischen Garten der Judenkäfige ausdrückte. Es waren keine großen Unterschiede zu merken; nein, eigentlich überhaupt keine. Fraglos waren alle, Anhänger und Gegner, Nutznießer und Opfer, von denselben Vorbildern geleitet.

Ich suchte dieser Vorbilder habhaft zu werden, und das war in gewisser Hinsicht über alle Maßen einfach, denn alles, was in Deutschland gedruckt und geredet wurde, war ja durchaus

parteiamtlich genormt; was irgendwie von der einen zugelassenen Form abwich, drang nicht an die Öffentlichkeit; Buch und Zeitung und Behördenzuschrift und Formulare einer Dienststelle — alles schwamm in derselben braunen Soße, und aus dieser absoluten Einheitlichkeit der Schriftsprache erklärte sich denn auch die Gleichheit der Redeform.
Aber wenn das Heranziehen der Vorbilder für tausend andere ein Kinderspiel bedeutet hätte, so war es doch für mich ungemein schwer und immer gefährlich und manchmal ganz und gar unmöglich. Kaufen, auch Ausleihen jeder Art von Buch, Zeitschrift und Zeitung war dem Sternträger verboten.
Was man heimlich im Haus hatte, bedeutete Gefahr und wurde unter Schränken und Teppichen, auf Öfen und Gardinenhaltern versteckt oder beim Kohlenvorrat als Anheizmaterial aufbewahrt. Derartiges half natürlich nur, wenn man Glück hatte.
Nie, in meinem ganzen Leben nie, hat mir der Kopf so von einem Buche gedröhnt wie von Rosenbergs Mythus. Nicht etwa, weil er eine ausnehmend tiefsinnige, schwer zu begreifende oder seelisch erschütternde Lektüre bedeutete, sondern weil mir Clemens den Band minutenlang auf den Kopf hämmerte. (Clemens und Weser waren die besonderen Folterknechte der Dresdener Juden, man unterschied sie allgemein als den Schläger und den Spucker.) „Wie kannst du Judenschwein dich unterstehen, ein solches Buch zu lesen?" brüllte Clemens. Ihm schien das eine Art Hostienentweihung. „Wie kannst du es überhaupt wagen, ein Werk aus der Leihbibliothek hier zu haben?" Nur daß der Band nachweislich auf den Namen der arischen Ehefrau ausgeliehen war, und freilich auch, daß das dazugehörige Notizblatt unentziffert zerrissen wurde, rettete mich damals vor dem KZ.
Alles Material mußte auf Schleichwegen herangeschafft, mußte heimlich ausgebeutet werden. Und wie vieles konnte ich mir auf keine Weise beschaffen! Denn wo ich ins Wurzelwerk einer Frage einzudringen suchte, wo ich, kurz gesagt, fachwissenschaftliches Arbeitsmaterial brauchte, da ließen mich die Leihbüchereien im Stich, und die öffentlichen Bibliotheken waren mir ja verschlossen.
Vielleicht denkt mancher, Fachkollegen oder ältere Schüler, die inzwischen zu Ämtern gekommen waren, hätten mir aus dieser Not helfen, sie hätten sich für mich als Mittelsmänner in den

Leihverkehr einschalten können. Du lieber Gott! Das wäre ja eine Tat persönlichen Mutes, persönlicher Gefährdung gewesen. Es gibt einen hübschen altfranzösischen Vers, den ich oft vom Katheder herab zitiert, aber erst später, in der katederlosen Zeit, wirklich nachgefühlt habe. Ein ins Unglück geratener Dichter gedenkt wehmütig der zahlreichen *amis que vent emporte, et il ventait devant ma porte,* „der Freunde, die der Wind davonjagt, und windig war's vor meiner Tür". Doch ich will nicht ungerecht sein: ich habe treue und tapfere Freunde gefunden, nur waren eben nicht gerade engere Fachkollegen oder Berufsnachbarn darunter.
So stehen denn in meinen Notizen und Exzerpten immer wieder Bemerkungen wie: Später feststellen! ... Später ergänzen! ... Später beantworten! ... Und dann, als die Hoffnung auf das Erleben dieses Später sinkt: das müßte später ausgeführt werden...
Heute, wo dies Später noch nicht völlige Gegenwart ist, aber es doch in dem Augenblick sein wird, da wieder Bücher aus dem Schutt und der Verkehrsnot auftauchen (und da man mit gutem Gewissen aus der Vita activa des Mitbauenden in die Studierstube zurückkehren darf), heute weiß ich, daß ich nun doch nicht imstande sein werde, meine Beobachtungen, meine Reflexionen und Fragen zur Sprache des Dritten Reichs aus dem Zustand des Skizzenhaften in den eines geschlossenen wissenschaftlichen Werkes hinüberzuführen.
Dazu würde mehr Wissen und wohl auch mehr Lebenszeit gehören, als mir, als (vorderhand) irgendeinem einzelnen zur Verfügung stehen. Denn es wird sehr viel Facharbeit auf verschiedensten Gebieten zu leisten sein, Germanisten und Romanisten, Anglisten und Slawisten, Historiker und Nationalökonomen, Juristen und Theologen, Techniker und Naturwissenschaftler werden in Exkursen und ganzen Dissertationen sehr viele Einzelprobleme zu lösen haben, ehe ein mutiger und umfassender Kopf es wagen darf, die Lingua Tertii Imperii in ihrer Gesamtheit, der allerarmseligsten und allerreichhaltigsten Gesamtheit, darzustellen. Aber ein erstes Herumtasten und Herumfragen an Dingen, die sich noch nicht fixieren lassen, weil sie noch im Fließen sind, die Arbeit der ersten Stunde, wie die Franzosen so etwas nennen, wird doch für die danach kommenden eigentlichen Forscher immer seinen Wert haben, und ich glaube, es wird ihnen auch von Wert sein,

ihr Objekt im Zustand einer halb vollzogenen Metamorphose zu sehen, halb als konkreten Erlebnisbericht und halb schon in die Begrifflichkeit der wissenschaftlichen Betrachtung eingegangen.

Doch wenn dies die Absicht meiner Veröffentlichung ist, warum gebe ich dann das Notizbuch des Philologen nicht ganz so wieder, wie es sich aus dem privateren und allgemeineren Tagebuch der schweren Jahre herausschälen läßt? Warum ist dies und jenes in einem Überblick zusammengefaßt, warum hat sich zum Gesichtspunkt des Damals so häufig der Gesichtspunkt des Heute, der ersten Nachhitlerzeit gesellt?

Ich will das genau beantworten. Weil eine Tendenz im Spiel ist, weil ich mit dem wissenschaftlichen Zweck zugleich einen erzieherischen verfolge.

Es wird jetzt soviel davon geredet, die Gesinnung des Faschismus auszurotten, es wird auch soviel dafür getan. Kriegsverbrecher werden gerichtet, „kleine Pgs" (Sprache des Vierten Reichs!) aus ihren Ämtern entfernt, nationalistische Bücher aus dem Verkehr gezogen, Hitlerplätze und Göringstraßen umbenannt. Hitler-Eichen gefällt. Aber die Sprache des Dritten Reichs scheint in manchen charakteristischen Ausdrücken überleben zu sollen; sie haben sich so tief eingefressen, daß sie ein dauernder Besitz der deutschen Sprache zu werden scheinen. Wie viele Male zum Exempel habe ich seit dem Mai 1945 in Funkreden, in leidenschaftlich antifaschistischen Kundgebungen etwa von „charakterlichen" Eigenschaften oder vom „kämpferischen" Wesen der Demokratie sprechen hören! Das sind Ausdrücke aus dem Zentrum — das Dritte Reich würde sagen: „aus der Wesensmitte" — der LTI. Ist es Pedanterie, wenn ich mich hieran stoße, kommt hier der Schulmeister ans Licht, der in jedem Philologen verborgen kauern soll?

Ich will die Frage durch eine zweite Frage bereinigen.

Was war das stärkste Propagandamittel der Hitlerei? Waren es Hitlers und Goebbels' Einzelreden, ihre Ausführungen zu dem und jenem Gegenstand, ihre Hetze gegen das Judentum, gegen den Bolschewismus?

Fraglos nicht, denn vieles blieb von der Masse unverstanden oder langweilte sie in seinen ewigen Wiederholungen. Wie oft in Gasthäusern, als ich noch sternlos ein Gasthaus betreten durfte, wie oft später in der Fabrik während der Luftwache, wo die Arier ihr Zimmer für sich hatten und die Juden ihr Zimmer für sich, und im arischen Raum befand sich das Radio (und die Heizung und das Essen) — wie oft habe ich die Spielkarten auf den Tisch klatschen und laute Gespräche über Fleisch- und Tabakrationen und über das Kino führen hören, während der Führer oder einer seiner Paladine langatmig sprachen, und nachher hieß es in den Zeitungen, das ganze Volk habe ihnen gelauscht.

Nein, die stärkste Wirkung wurde nicht durch Einzelreden ausgeübt, auch nicht durch Artikel oder Flugblätter, durch Plakate oder Fahnen, sie wurde durch nichts erzielt, was man mit bewußtem Denken oder bewußtem Fühlen in sich aufnehmen mußte.

Sondern der Nazismus glitt in Fleisch und Blut der Menge über durch die Einzelworte, die Redewendungen, die Satzformen, die er ihr in millionenfachen Wiederholungen aufzwang und die mechanisch und unbewußt übernommen wurden. Man pflegt das Schiller-Distichon von der „gebildeten Sprache, die für dich dichtet und denkt", rein ästhetisch und sozusagen harmlos aufzufassen. Ein gelungener Vers in einer „gebildeten Sprache" beweist noch nichts für die dichterische Kraft seines Finders; es ist nicht allzu schwer, sich in einer hochkultivierten Sprache das Air eines Dichters und Denkers zu geben.

Aber Sprache dichtet und denkt nicht nur für mich, sie lenkt auch mein Gefühl, sie steuert mein ganzes seelisches Wesen, je selbstverständlicher, je unbewußter ich mich ihr überlasse. Und wenn nun die gebildete Sprache aus giftigen Elementen gebildet oder zur Trägerin von Giftstoffen gemacht worden ist? Worte können sein wie winzige Arsendosen: sie werden unbemerkt verschluckt, sie scheinen keine Wirkung zu tun, und nach einiger Zeit ist die Giftwirkung doch da. Wenn einer lange genug für heldisch und tugendhaft: fanatisch sagt, glaubt er schließlich wirklich, ein Fanatiker sei ein tugendhafter Held, und ohne Fanatismus könne man kein Held sein. Die Worte fanatisch und Fanatismus sind nicht vom Dritten Reich erfunden, es hat sie nur in ihrem Wert verändert und hat sie an einem Tage häufiger gebraucht als andere Zeiten in Jahren. Das Dritte Reich hat die wenigsten Worte seiner Sprache selbstschöpferisch geprägt, vielleicht, wahrscheinlich sogar, überhaupt keines. Die nazistische Sprache weist in vielem auf das Ausland zurück, übernimmt das meiste andere

von vorhitlerischen Deutschen. Aber sie ändert Wortwerte und Worthäufigkeiten, sie macht zum Allgemeingut, was früher einem einzelnen oder einer winzigen Gruppe gehörte, sie beschlagnahmt für die Partei, was früher Allgemeingut war, und in alledem durchtränkt sie Worte und Wortgruppen und Satzformen mit ihrem Gift, macht sie die Sprache ihrem fürchterlichen System dienstbar, gewinnt sie an der Sprache ihr stärkstes, ihr öffentlichstes und geheimstes Werbemittel.
Das Gift der LTI deutlich zu machen und vor ihm zu warnen — ich glaube, das ist mehr als bloße Schulmeisterei. Wenn den rechtgläubigen Juden ein Eßgerät kultisch unrein geworden ist, dann reinigen sie es, indem sie es in der Erde vergraben. Man sollte viele Worte des nazistischen Sprachgebrauchs für lange Zeit, und einige für immer, ins Massengrab legen.

II

Vorspiel

Am 8. Juni 1932 sahen wir den (wie es in meinem Tagebuch heißt) „fast schon klassischen“ Tonfilm „Der blaue Engel“. Was episch konzipiert und ausgeführt ist, wird in der Form des Dramas, und nun gar als Film, immer ins Sensationelle vergröbert auftreten, und so ist Heinrich Manns „Professor Unrat“ gewiß eine größere Dichtung als „Der blaue Engel“; aber als künstlerische Leistung der Schauspieler war dieser Film wirklich ein Meisterwerk. Da spielten in den Hauptrollen Jannings, Marlene Dietrich und Rosa Valetti, und auch die Nebenpersonen führten das eindringlichste Leben. Trotzdem war ich nur in wenigen Augenblicken wirklich von dem Geschehen auf der Leinwand festgehalten oder gar mitgerissen; immer wieder tauchte eine Szene der vorangegangenen Wochenschau in mir auf, tanzte — und es kommt mir buchstäblich auf das Tanzen an — der Tambour vor oder zwischen den Darstellern des „Blauen Engels“.

Die Szene spielte nach dem Antritt der Regierung Papen; sie hieß: „Tag der Skagerrakschlacht, Marinewache für das Präsidentenpalais zieht durch das Brandenburger Tor.“

Ich habe in meinem Leben viele Paraden gesehen, in der Wirklichkeit und im Film; ich weiß, was es mit dem preußischen Paradeschritt auf sich hat — wenn wir auf dem Oberwiesenfeld in München gedrillt wurden, hieß es: So gut wie in Berlin müßt ihr ihn hier mindestens machen! Aber nie zuvor, und was mehr sagt, auch niemals hinterher, trotz aller Paraden vor dem Führer und aller Nürnberger Vorbeimärsche, habe ich etwas Ähnliches gesehen wie an diesem Abend. Die Leute warfen die Beine, daß die Stiefelspitzen über die Nasenspitzen hinauszuschwingen schienen, und es war wie ein einziger Schwung, wie ein einziges Bein, und es war in der Haltung all dieser Körper, nein: dieses einen Körpers eine so krampfhafte Anspannung, daß die Bewegung zu erstarren schien, wie die Gesichter schon erstarrt waren, daß die ganze Truppe ebensosehr den Eindruck der Leblosigkeit wie der

äußersten Belebtheit machte. Doch ich hatte nicht Zeit, genauer: ich hatte keinen freien Seelenraum in mir, das Rätsel dieser Truppe zu lösen, denn sie bildete nur den Hintergrund für die eine Gestalt, von der sie, von der ich beherrscht wurde, für den Tambour.
Der Voranmarschierende hatte mit weit abgespreizten Fingern die Linke in die Hüfte gepreßt, vielmehr er hatte den Körper gleichgewichtsuchend in die stützende Linke gebogen, während der rechte Arm mit dem Tambourstab hoch in die Luft stieß und die Stiefelspitze des geschwungenen Beines dem Stab nachzulangen schien. So schwebte der Mann schräg im Leeren, ein Monument ohne Sockel, geheimnisvoll aufrecht gehalten durch einen vom Fuß bis zum Haupt, in Fingern und Füßen wirkenden Krampf. Was er da vorführte, war kein bloßes Exerzieren, es war ein archaischer Tanz so gut wie ein Parademarsch, der Mann war Fakir und Grenadier in einem. Annähernd ähnliche Angespanntheit und krampfverzerrte Verrenktheit gab es in expressionistischen Bildwerken jener Jahre zu sehen, in expressionistischen Dichtungen der Zeit zu hören, aber im Leben selber, im nüchternen Leben der nüchternsten Stadt, wirkte sie mit der Gewalt einer absoluten Neuheit. Und es ging eine Ansteckung von ihr aus. Brüllende Menschen drängten sich bis dicht an die Truppe, die wild ausgestreckten Arme schienen hineingreifen zu wollen, die aufgerissenen Augen eines jungen Menschen in der vordersten Reihe trugen den Ausdruck religiöser Ekstase.

Der Tambour war meine erste erschütternde Begegnung mit dem Nationalsozialismus, der mir bis dahin trotz seines Umsichgreifens für eine nichtige und vorübergehende Verirrung unmündiger Unzufriedener gegolten hatte. Hier sah ich zum erstenmal Fanatismus in seiner spezifisch nationalsozialistischen Form; aus dieser stummen Gestalt schlug mir zum erstenmal die Sprache des Dritten Reichs entgegen.

III

Grundeigenschaft: Armut

Die LTI ist bettelarm. Ihre Armut ist eine grundsätzliche; es ist, als habe sie ein Armutsgelübde abgelegt.

„Mein Kampf", die Bibel des Nationalsozialismus, begann 1925 zu erscheinen, und damit war seine Sprache in allen Grundzügen buchstäblich fixiert. Durch die „Machtübernahme" der Partei wurde sie 1933 aus einer Gruppen- zu einer Volkssprache, d. h., sie bemächtigte sich aller öffentlichen und privaten Lebensgebiete: der Politik, der Rechtsprechung, der Wirtschaft, der Kunst, der Wissenschaft, der Schule, des Sportes, der Familie, der Kindergärten und der Kinderstuben. (Eine Gruppensprache wird immer nur diejenigen Gebiete umfassen, für die der Zusammenhang der Gruppe gilt, und nicht die Ganzheit des Lebens.) Natürlich bemächtigte die LTI sich auch, und sogar mit besonderer Energie, des Heeres; aber zwischen Heeressprache und LTI liegt eine Wechselwirkung vor, genauer: erst hat die Heeressprache auf die LTI gewirkt, und dann ist die Heeressprache von der LTI korrumpiert worden. Deshalb erwähne ich diese Ausstrahlung besonders. Bis in das Jahr 1945 hinein, fast bis zum letzten Tag — das „Reich" erschien noch, als Deutschland schon ein Trümmerhaufen und Berlin umklammert war — wurde eine Unmenge Literatur jeder Art gedruckt. Flugblätter, Zeitungen, Zeitschriften, Schulbücher, wissenschaftliche und schöngeistige Werke.

In all dieser Dauer und Ausbreitung blieb die LTI arm und eintönig, und man nehme das „eintönig" genauso buchstäblich wie vorhin das „fixiert". Ich habe, wie sich mir gerade die Möglichkeit des Lesens ergab — wiederholt verglich ich meine Lektüre einer Fahrt im Freiballon, der sich irgendeinem Winde anvertrauen und auf eigentliche Steuerung verzichten muß —, bald den „Mythus des zwanzigsten Jahrhunderts" und bald ein „Taschenjahrbuch für den Einzelhandelskaufmann" studiert, jetzt eine juristische und jetzt eine pharmazeutische Zeitschrift durchstöbert, ich habe Romane und Gedichte gelesen, die in diesen Jahren erscheinen durften, ich habe beim Straßenkehren und im Maschinensaal die Arbeiter sprechen hören: es war immer, gedruckt und gesprochen, bei Gebildeten und Ungebildeten, dasselbe Klischee und dieselbe Tonart. Und sogar bei denen, die die schlimmst verfolgten Opfer und mit Notwendigkeit die Todfeinde des Nationalsozialismus waren, sogar bei den Juden herrschte überall, in ihren Gesprächen und Briefen, auch in ihren Büchern, solange sie noch publizieren durften, ebenso allmächtig wie armselig, und gerade durch ihre Armut allmächtig, die LTI.

Drei Epochen deutscher Geschichte habe ich durchlebt, die Wilhelminische, die der Weimarer Republik und die Hitlerzeit.

Die Republik gab Wort und Schrift geradezu selbstmörderisch frei; die Nationalsozialisten spotteten offen, sie nähmen nur die von der Verfassung gewährten Rechte für sich in Anspruch, wenn sie in ihren Büchern und Zeitungen den Staat in all seinen Einrichtungen und leitenden Gedanken mit allen Mitteln der Satire und der eifernden Predigt zügellos angriffen. Auf den Gebieten der Kunst und Wissenschaft, der Ästhetik und der Philosophie gab es keinerlei Beschränkung. Niemand war an ein bestimmtes Dogma des Sittlichen oder des Schönen gebunden, jeder konnte frei wählen. Man rühmte diese vieltönige geistige Freiheit gern als einen ungemeinen und entscheidenden Fortschritt der kaiserlichen Epoche gegenüber.

Aber war die Wilhelminische Ära wirklich soviel unfreier gewesen?

Bei meinen Studien zur französischen Aufklärungszeit ist mir oft eine entschiedene Verwandtschaft zwischen den letzten Jahrzehnten des *ancien régime* und der Epoche Wilhelms II. aufgefallen. Gewiß, es gab unter dem XV. und XVI. Ludwig eine Zensur, es gab für Königsfeinde und Gottesleugner die Bastille und sogar den Henker, es wurde eine Reihe sehr harter Urteile gefällt — aber auf die Dauer der Epoche verteilt, sind es nicht allzu viele. Und immer wieder, und oft fast unbehindert, gelang es doch den Aufklärern, ihre Schriften zu veröffentlichen und zu verbreiten, und jede an einem der Ihrigen vollzogene Strafe hatte nur eine Verstärkung und Ausbreitung des rebellischen Schrifttums zur Folge.

Sehr ähnlich herrschte unter Wilhelm II. offiziell noch absolutistische und moralische Strenge, es gab gelegentliche

Prozesse wegen Majestätsbeleidigung oder Gotteslästerung oder Verletzung der Sittlichkeit. Aber der wahre Beherrscher der öffentlichen Meinung war der „Simplizissimus". Durch kaiserlichen Einspruch kam Ludwig Fulda um den Schiller-Preis, der ihm für seinen „Talisman" verliehen worden war; aber Theater, Presse und Witzblatt leisteten sich hundertmal schärfere Kritiken des Bestehenden als der zahme „Talisman". Und in der unbefangenen Hingabe an jede aus dem Ausland stammende geistige Strömung, und ebenso im Experimentieren auf literarischem, philosophischem, künstlerischem Gebiet, war man auch unter Wilhelm II. unbehindert. Nur in den allerletzten Jahren des Kaisertums zwang die Notwendigkeit des Krieges zur Zensur. Ich selber habe nach meiner Entlassung aus dem Lazarett lange Zeit als Gutachter für das Buchprüfungsamt Ober-Ost gearbeitet, wo die gesamte für Zivil und Militär des großen Verwaltungsgebietes bestimmte Literatur nach den Bestimmungen der Sonderzensur durchgesehen wurde, wo es also um einiges strenger zuging als in den Inlandzensurstellen. Mit welcher Weitherzigkeit wurde hier verfahren, wie selten wurde selbst hier ein Verbot ausgesprochen!

Nein, in den beiden Epochen, die ich aus persönlicher Erfahrung übersehe, hat es eine so weitgehende literarische Freiheit gegeben, daß die ganz wenigen Fälle des Mundtotmachens als Ausnahmen gelten müssen.

Die Folge davon war, daß sich nicht nur die generellen Sparten der Sprache, als Rede und Schrift, als journalistische, wissenschaftliche, dichterische Form, frei entfalteten, daß es nicht nur allgemeine literarische Strömungen gab wie Naturalismus und Neuromantik und Impressionismus und Expressionismus, sondern daß sich auf allen Gebieten auch völlig individuelle Sprachstile entwickeln konnten.

Man muß sich diesen bis 1933 blühenden und dann jäh absterbenden Reichtum vor Augen halten, um ganz die Armseligkeit der uniformierten Sklaverei zu begreifen, die ein Hauptcharakteristikum der LTI ausmacht.

Der Grund dieser Armut scheint am Tage zu liegen. Man wacht mit einer bis ins letzte durchorganisierten Tyrannei darüber, daß die Lehre des Nationalsozialismus in jedem Punkt und so auch in ihrer Sprache unverfälscht bleibe. Nach dem Beispiel päpstlicher Zensur heißt es auf der Titelseite parteibetreffender Bücher: „Gegen die Herausgabe dieser Schrift bestehen seitens der NSDAP keine Bedenken. Der Vorsitzende der parteiamtlichen Prüfungskommission zum Schutze des NS." Zu Wort kommt nur, wer der Reichsschrifttumskammer angehört, und die gesamte Presse darf nur veröffentlichen, was ihr von einer Zentralstelle aufgegeben wird, höchstens, daß sie den für alle verbindlichen Text in bescheidenstem Maße variieren darf — aber dieses Variieren beschränkt sich auf die Umkleidung der für alle festgelegten Klischees. In den späteren Jahren des Dritten Reichs bildete sich die Gewohnheit heraus, daß am Freitagabend im Berliner Rundfunk Goebbels' neuester „Reich"-Artikel einen Tag vor Erscheinen des Blattes verlesen wurde, und damit war jedesmal bis zur nächsten Woche geistig fixiert, was in sämtlichen Blättern des nazistischen Machtbereichs zu stehen hatte. So waren es nur ganz wenige einzelne, die der Gesamtheit das alleingültige Sprachmodell lieferten. Ja, im letzten war es vielleicht der einzige Goebbels, der die erlaubte Sprache bestimmte, denn er hatte vor Hitler nicht nur die Klarheit voraus, sondern auch die Regelmäßigkeit der Äußerung, zumal der Führer immer mehr verstummte, teils um zu schweigen wie die stumme Gottheit, teils weil er nichts Entscheidendes mehr zu sagen hatte; und was etwa Göring und Rosenberg noch an eigenen Nuancen fanden, das wurde von dem Propagandaminister in sein Sprachgewebe eingewirkt.

Die absolute Herrschaft, die das Sprachgesetz der winzigen Gruppe, ja des einen Mannes ausübte, erstreckte sich über den gesamten deutschen Sprachraum mit um so entschiedenerer Wirksamkeit, als die LTI keinen Unterschied zwischen gesprochener und geschriebener Sprache kannte. Vielmehr: alles in ihr war Rede, mußte Anrede, Anruf, Aufpeitschung sein. Zwischen den Reden und den Aufsätzen des Propagandaministers gab es keinerlei stilistischen Unterschied, weswegen sich denn auch seine Aufsätze so bequem deklamieren ließen. Deklamieren heißt wörtlich: mit lauter Stimme, tönend daherreden, noch wörtlicher: herausschreien. Der für alle Welt verbindliche Stil war also der des marktschreierischen Agitators.

Und hier tut sich unter dem offen zutage liegenden Grund ein tieferer für die Armut der LTI auf. Sie war nicht nur deshalb arm, weil sich jedermann zwangsweise nach dem gleichen

Vorbild zu richten hatte, sondern vor allem deshalb, weil sie in selbstgewählter Beschränkung durchweg nur eine Seite des menschlichen Wesens zum Ausdruck brachte.
Jede Sprache, die sich frei betätigen darf, dient allen menschlichen Bedürfnissen, sie dient der Vernunft wie dem Gefühl, sie ist Mitteilung und Gespräch, Selbstgespräch und Gebet, Bitte, Befehl und Beschwörung. Die LTI dient einzig der Beschwörung. In welches private oder öffentliche Gebiet auch immer das Thema gehört — nein, das ist falsch, die LTI kennt sowenig ein privates Gebiet im Unterschied vom öffentlichen, wie sie geschriebene und gesprochene Sprache unterscheidet —, alles ist Rede, und alles ist Öffentlichkeit. „Du bist nichts, dein Volk ist alles", heißt eines ihrer Spruchbänder. Das bedeutet: du bist nie mit dir selbst, nie mit den Deinen allein, du stehst immer im Angesicht deines Volkes.
Es wäre deshalb auch irreführend, wollte ich sagen, die LTI wende sich auf allen Gebieten ausschließlich an den Willen. Denn wer den Willen anruft, ruft immer den einzelnen, auch wenn er sich an die aus einzelnen zusammengesetzte Allgemeinheit wendet. Die LTI ist ganz darauf gerichtet, den einzelnen um sein individuelles Wesen zu bringen, ihn als Persönlichkeit zu betäuben, ihn zum gedanken- und willenlosen Stück einer in bestimmter Richtung getriebenen und gehetzten Herde, ihn zum Atom eines rollenden Steinblocks zu machen. Die LTI ist die Sprache des Massenfanatismus. Wo sie sich an den einzelnen wendet, und nicht nur an seinen Willen, sondern auch an sein Denken, wo sie Lehre ist, da lehrt sie die Mittel des Fanatisierens und der Massensuggestion.
Die französische Aufklärung des achtzehnten Jahrhunderts hat zwei Lieblingsausdrücke, -themen und -sündenböcke: Priestertrug und Fanatismus. Sie glaubt nicht an die Echtheit priesterlicher Gesinnung, sie sieht in allem Kult einen Betrug, der zur Fanatisierung einer Gemeinschaft und zur Ausbeutung der Fanatisierten erfunden ist.
Nie ist ein Lehrbuch des Priestertrugs — nur sagt die LTI statt Priestertrug: Propaganda — mit schamloserer Offenheit geschrieben worden als Hitlers „Mein Kampf". Es wird mir immer das größte Rätsel des Dritten Reichs bleiben, wie dieses Buch in voller Öffentlichkeit verbreitet werden durfte, ja mußte, und wie es dennoch zur Herrschaft Hitlers und zu zwölfjähriger Dauer dieser Herrschaft kommen konnte, ob-

wohl die Bibel des Nationalsozialismus schon Jahre vor der Machtübernahme kursierte. Und nie, im ganzen achtzehnten Jahrhundert Frankreichs nie, ist das Wort Fanatismus (mit dem ihm zugehörigen Adjektiv) so zentral gestellt und bei völliger Wertumkehrung so häufig angewandt worden wie in den zwölf Jahren des Dritten Reichs.

IV

Partenau

In der zweiten Hälfte der zwanziger Jahre lernte ich einen jungen Menschen kennen, der sich soeben als Offiziersaspirant zur Reichswehr gemeldet hatte. Seine angeheiratete Tante, Witwe eines Kollegen von der Hochschule, sehr weit links stehend und leidenschaftliche Verehrerin Sowjetrußlands, führte ihn mit einer Art Entschuldigung bei uns ein. Er sei ein wirklich guter und gutmütiger Junge und habe seinen Beruf in aller Herzensreinheit ohne Chauvinismus und Blutgier gewählt. In seiner Familie würden die Söhne seit Generationen Pfarrer oder Offizier, der verstorbene Vater sei Pfarrer gewesen, Theologie studierte schon der ältere Bruder, also betrachtete er, der Georg, zumal er ein ausgezeichneter Turner und schlechter Lateiner sei, die Reichswehr als den für ihn gegebenen Ort; und sicher würden es seine Leute einmal gut bei ihm haben.
Wir waren dann des öfteren mit Georg M. zusammen und fanden das Urteil seiner Tante durchaus zutreffend.
Ja, er legte noch eine harmlose und selbstverständliche Grundanständigkeit an den Tag, als es um ihn herum schon nicht mehr so grundanständig zuging. Von seiner Stettiner Garnison aus, wo er auf die Beförderung zum Leutnant wartete, besuchte er uns mehrmals in Heringsdorf, obwohl damals die Ideen des Nationalsozialismus schon stark um sich griffen und vorsichtige Akademiker und Offiziere es bereits vermieden, in linksgerichteten, und nun gar jüdischen Kreisen zu verkehren.
Bald danach wurde M. als Leutnant in ein Königsberger Regiment versetzt, und wir hörten jahrelang nichts mehr von ihm. Nur einmal erzählte seine Tante, er werde jetzt zum Flieger ausgebildet und fühle sich als Sportler glücklich. — —
Im ersten Jahr des Hitlerregimes — ich war noch im Amt und suchte mir noch alle nazistische Lektüre fernzuhalten — fiel mir ein 1929 erschienenes Erstlingswerk in die Hand, Max René Hesses „Partenau“. Ich weiß nicht, ob es im Titel selber

oder nur auf dem Waschzettel „Der Roman der Reichswehr" hieß; jedenfalls prägte sich mir die generelle Bezeichnung ein. Künstlerisch war es ein schwaches Buch: Novelle im noch unbewältigten Romanrahmen, zu viel schattenhaft bleibende Leute neben den zwei Hauptgestalten, zu viel ausgesponnene strategische Pläne, die nur den Fachmann, den angehenden Generalstäbler interessieren, eine unausbalancierte Leistung. Aber der Inhalt, der nun doch die Reichswehr charakterisieren sollte, frappierte mich sofort und ist später wieder und wieder in meinem Gedächtnis aufgetaucht. Die Freundschaft des Oberleutnants Partenau und des Junkers Kiebold. Der Oberleutnant ist ein militärisches Genie, ein verbohrter Patriot und ein Homosexueller. Der Junker möchte nur sein Jünger sein, aber nicht sein Geliebter, und der Oberleutnant erschießt sich. Er ist durchaus als tragische Gestalt gedacht: die Sexualverirrung wird einigermaßen ins Heroische eigentlicher Männerfreundschaft glorifiziert, und der unbefriedigte Patriotismus soll wohl an Heinrich von Kleist erinnern. Das Ganze ist im expressionistischen, bisweilen pretiös geheimnisvollen Stil der Kriegs- und ersten Weimarer Jahre geschrieben, etwa in Fritz von Unruhs Sprache. Aber Unruh und die deutschen Expressionisten jener Zeit waren Friedensfreunde, waren humanitär und bei aller Heimatliebe weltbürgerlich gesinnt. Partenau dagegen ist erfüllt von Revanchegedanken, und seine Pläne sind keineswegs bloße Hirngespinste; er spricht von schon vorhandenen „unterirdischen Provinzen", von dem unterirdischen Bau „organisierter Zellen". Was noch fehle, sei einzig ein überragender Führer. „Nur ein Mann, mehr als ein Kriegsmann und Bauherr, vermöchte ihre geheime schlafende Kraft zu einem gewaltigen und geschmeidigen Werkzeug lebendig zu machen." Findet sich dieses Führergenie, dann wird es Raum schaffen für die Deutschen. Fünfunddreißig Millionen Tschechen und andere nichtgermanische Völker wird der Führer nach Sibirien verpflanzen, und ihr jetziger europäischer Raum wird dem deutschen Volke zugute kommen. Das hat ein Anrecht darauf durch seine menschliche Überlegenheit, wenn auch sein Blut seit zweitausend Jahren „mit Christentum durchseucht ist"... Der Junker Kiebold ist von den Ideen seines Oberleutnants enthusiasmiert. „Für Partenaus Träume und Gedanken würde ich morgen schon sterben", erklärt er; und zu Partenau selbst sagt er später: „Du warst der erste Mensch, den ich ruhig fragen konnte, was eigentlich Gewissen, Reue, Moral neben Volk und Land bedeuten, worüber wir dann gemeinschaftlich in tiefstem Unverständnis den Kopf geschüttelt haben."

Wie gesagt: schon 1929 war das erschienen. Welch eine Vorwegnahme der Sprache, der Gesinnungen des Dritten Reichs! Damals, als ich mir die entscheidenden Sätze im Tagebuch notierte, konnte ich es nur ahnen. Und daß sich diese Gesinnung einmal in Taten umsetzen, daß „Gewissen, Reue, Moral" eines ganzen Heeres, eines ganzen Volkes wirklich einmal ausgeschaltet werden könnten, hielt ich damals noch für unmöglich. Das Ganze schien mir die wilde Phantasie eines aus dem Gleichgewicht gebrachten einzelnen. Und so mußte es wohl auch allgemein aufgefaßt worden sein; denn sonst wäre es unbegreiflich, daß eine so hetzerische Schrift unter der Republik veröffentlicht werden konnte...

Ich gab das Buch unserer Sowjetfreundin zu lesen; sie war gerade von einem Ferienaufenthalt im ländlichen Elternhause ihres Neffen zurückgekehrt. Nach ein paar Tagen brachte sie es ganz unverwundert zurück: das sei ihr alles längst geläufig, Stil wie Inhalt; der Autor müsse aufs genaueste beobachtet haben. „Georg, der ganz harmlose, ganz unliterarische Junge, schreibt längst in gleicher Sprache, spielt längst mit gleichen Gedanken."

Wie sich harmlos mittlere Naturen ihrer Umgebung angleichen! Uns fiel nachträglich ein, wie der gutmütige Junge schon in Heringsdorf vom „frischen, fröhlichen Krieg" gesprochen hatte. Wir hielten das damals noch für die gedankenlose Übernahme eines Klischees. Aber Klischees bekommen eben Gewalt über uns. „Sprache, die für dich dichtet und denkt..."

Wir hörten danach noch mehrmals die Tante über die Entwicklung des Neffen berichten. Er war als Fliegeroffizier ein großer Herr geworden. Verschwenderisch und skrupellos, von seinem Herren- und Heldenrecht durchdrungen. Er trieb Luxus mit Stiefeln und Kleidung und Weinen. Er hatte Aufträge für ein Kasino zu vergeben, dabei fiel manches für ihn ab, was man in tieferen Regionen Schmiergelder nannte. „Wir haben ein Recht auf gutes Leben", schrieb er, „wir setzen ja das eigene Leben täglich ein."

Nicht nur das eigene: der gutmütige Junge spielte nun auch

mit dem Leben seiner Leute. Er spielte so gewissenlos damit, daß es selbst seinen Lehrern und Vorbildern zuviel wurde. Als Chef eines Geschwaders ließ er bei ungünstigstem Wetter einen so strapaziösen und gefährlichen Übungsflug durchführen, daß ihn drei Leute mit ihrem Leben bezahlen mußten. Da der Unglücksfall auch zwei kostbare Flugzeuge vernichtete, endete die Sache mit einem Prozeß gegen den nunmehrigen Hauptmann. Das Urteil lautete auf Entfernung aus dem Heer. — Kurz danach brach der Krieg aus; ich weiß nicht, was aus M. geworden ist, man wird ihn wohl zur Truppe zurückgeholt haben. —

Der „Partenau“ wird in der künftigen Dichtungsgeschichte kaum genannt werden; eine um so größere Rolle sollte ihm in der Geistesgeschichte zufallen. In Rankünе und Ehrgeiz enttäuschter Landsknechte, zu denen eine jüngere Generation aufblickte wie zu tragischen Helden, steckt eine tiefe Pfahlwurzel der LTI.

Und zwar sind es spezifisch deutsche Landsknechte. Es gab vor dem ersten Weltkrieg einen verbreiteten völkerpsychologischen Witz: Angehörigen verschiedener Nationen wird zu freier Behandlung das Thema „Der Elefant“ gestellt. Der Amerikaner schreibt einen Aufsatz: „Wie ich meinen tausendsten Elefanten schoß“, der Deutsche berichtet „Von der Verwendung der Elefanten im Zweiten Punischen Kriege“. In der LTI gibt es sehr viele Amerikanismen und andere fremdländische Bestandteile, so viele, daß man gelegentlich fast den deutschen Kern übersehen könnte. Aber er ist vorhanden, fürchterlich entscheidend vorhanden — niemand kann entschuldigend sagen, daß es sich nur um eine von außen her angeflogene Infektion gehandelt habe. Der Landsknecht Partenau, kein Phantasiegeschöpf, sondern das klassisch typisierende Porträt vieler Zeit- und Berufsgenossen, ist ein gelehrter Mann, auch nicht nur zu Hause in den Werken des deutschen Generalstabs: er hat auch seinen Chamberlain gelesen und seinen Nietzsche und Burkhardts „Renaissance“ usw. usw.

V

Aus dem Tagebuch des ersten Jahres

Ein paar Seiten, wie das so allmählich, aber unaufhörlich auf mich eindringt. Bisher ist die Politik, ist die vita publica zumeist außerhalb des Tagebuchs geblieben. Seit ich die Dresdener Professur innehabe, habe ich mich manchmal gewarnt: du hast jetzt deine Aufgabe gefunden, du gehörst jetzt deiner Wissenschaft — laß dich nicht ablenken, konzentriere dich! Und nun:
21. März 1933. Heute findet der „Staatsakt" in Potsdam statt. Wie soll ich darüber hinweg arbeiten? Es geht mir wie dem Franz im „Götz": „Die ganze Welt, ich weiß nicht wie, weist immer mich zurück auf sie." Doch, ich weiß schon wie. In Leipzig haben sie eine Kommission zur Nationalisierung der Universität eingesetzt. — Am Schwarzen Brett unserer Hochschule hängt ein langer Anschlag (er soll in allen andern deutschen Hochschulen ebenso aushängen): „Wenn der Jude deutsch schreibt, lügt er"; er solle künftig gezwungen sein, Bücher, die er in deutscher Sprache veröffentliche, als „Übersetzungen aus dem Hebräischen" zu bezeichnen. — Für den April war hier in Dresden der Psychologenkongreß angesagt. Der „Freiheitskampf" brachte einen Brandartikel: „Was ist aus Wilhelm Wundts Wissenschaft geworden? ... Welche Verjudung ... Aufräumen!" Daraufhin ist der Kongreß abgesagt worden ... „um Belästigungen einzelner Teilnehmer zu vermeiden".
27. März. Neue Worte tauchen auf, oder alte Worte gewinnen neuen Spezialsinn, oder es bilden sich neue Zusammenstellungen, die rasch stereotyp erstarren. Die SA heißt jetzt in gehobener Sprache — und gehobene Sprache ist ständig *de rigueur*, denn es schickt sich, begeistert zu sein — „das braune Heer". Die Auslandsjuden, besonders die französischen, englischen und amerikanischen, heißen heute immer wieder die „Weltjuden". Ebenso häufig wird der Ausdruck „Internationales Judentum" angewandt, und davon sollen wohl Weltjude und Weltjudentum die Verdeutschung bilden. Es ist eine ominöse Verdeutschung: in oder auf der Welt befinden sich die

Juden also nur noch außerhalb Deutschlands? Und wo befinden sie sich innerhalb Deutschlands? — Die Weltjuden treiben „Greuelpropaganda“ und verbreiten „Greuelmärchen“, und wenn wir hier im geringsten etwas von dem erzählen, was Tag für Tag geschieht, dann treiben eben wir Greuelpropaganda und werden dafür bestraft. Inzwischen bereitet sich der Boykott jüdischer Geschäfte und Ärzte vor. Die Unterscheidung zwischen „arisch“ und „nichtarisch“ beherrscht alles. Man könnte ein Lexikon der neuen Sprache anlegen.

In einem Spielzeugladen sah ich einen Kinderball, der mit dem Hakenkreuz bedruckt war. Ob solch ein Ball in dies Lexikon hineingehört?

(Bald danach kam ein Gesetz „zum Schutz der nationalen Symbole“ heraus, das solchen Spielzeugschmuck und ähnlichen Unfug verbot, aber die Frage nach der Abgrenzung der LTI hat mich dauernd beschäftigt.)

10. April. Man ist „artfremd“ bei fünfundzwanzig Prozent nichtarischen Blutes. „Im Zweifelsfalle entscheidet der Sachverständige für Rassenforschung.“ *Limpieza de la sangre* wie im Spanien des sechzehnten Jahrhunderts. Aber damals ging es um den Glauben, und heute ist es Zoologie + Geschäft. Übrigens Spanien. Es kommt mir vor wie ein Witz der Weltgeschichte, daß „der Jude Einstein“ ostentativ von einer spanischen Universität berufen wird und den Ruf auch annimmt.

20. April. Wieder eine neue Festgelegenheit, ein neuer Volksfeiertag: Hitlers Geburtstag. „Volk“ wird jetzt beim Reden und Schreiben so oft verwandt wie Salz beim Essen, an alles gibt man eine Prise Volk: Volksfest, Volksgenosse, Volksgemeinschaft, volksnah, volksfremd, volksentstammt...

Jämmerlich der Ärztekongreß in Wiesbaden! Sie danken Hitler feierlich und wiederholt als dem „Retter Deutschlands“ — wenn auch die Rassenfrage noch nicht ganz geklärt sei, wenn auch die „Fremden“ Wassermann, Ehrlich, Neißer Großes geleistet hätten. Es gibt unter meinen „Rassegenossen“ in meiner nächsten Umgebung Leute, die dieses doppelte „Wenn“ schon für eine tapfere Tat erklären, und das ist das Jämmerlichste an der Sache. Nein, das Allerjämmerlichste daran ist, daß ich mich ständig mit diesem Irrsinn des Rassenunterschiedes zwischen Ariern und Semiten beschäftigen muß, daß ich die ganze grauenhafte Verfinsterung und Versklavung Deutschlands immer wieder unter dem einen Gesichtspunkt des Jüdischen betrachten muß. Mir erscheint das wie ein über mich persönlich errungener Sieg der Hitlerei. Ich will ihn ihr nicht zugestehen.

17. Juni. Was ist Jan Kiepura eigentlich für ein Landsmann? Neulich wurde ihm ein Konzert in Berlin verboten. Da war er der Jude Kiepura. Dann trat er in einem Film des Hugenbergkonzerns auf. Da war er „der berühmte Tenor der Mailänder Scala". Dann pfiff man in Prag sein deutsch gesungenes Lied „Heute nacht oder nie!" aus. Da war er der deutsche Sänger Kiepura.

(Daß er Pole war, erfuhr ich erst viel später.)

9. Juli. Vor ein paar Wochen ist Hugenberg zurückgetreten, und seine deutschnationale Partei hat „sich selbst aufgelöst". Seitdem beobachte ich, daß an die Stelle der „nationalen Erhebung" die „nationalsozialistische Revolution" gerückt ist und daß man Hitler häufiger als zuvor den „Volkskanzler" nennt und daß man vom „totalen Staat" spricht.

28. Juli. Es hat eine Feier stattgefunden am Grabe der „Rathenaubeseitiger". Wieviel Mißachtung, wieviel Amoral oder betonte Herrenmoral steckt in dieser Substantivbildung, diesem Zum-Beruf-Erheben des Mordes. Und wie sicher muß man sich fühlen, wenn man solche Sprache führt!

Aber fühlt man sich sicher? Es ist doch auch viel Hysterie in den Taten und Worten der Regierung. Die Hysterie der Sprache müßte einmal besonders studiert werden. Dies ewige Androhen der Todesstrafe! Und neulich die Unterbrechung allen Reiseverkehrs von 12 bis 12.40 Uhr zur „Fahndung auf staatsfeindliche Kuriere und Druckschriften in ganz Deutschland". Das ist doch halb unmittelbare Angst und halb mittelbare. Ich will damit sagen, daß dieser Spannungstrick, dem Film und Sensationsroman amerikanischer Art nachgeahmt, natürlich ebensosehr erwogenes Propagandamittel ist wie unmittelbares Angsterzeugnis, daß aber andrerseits zu solcher Propaganda nur greift, wer es nötig, wer eben Angst hat.

Und was sollen die dauernd wiederholten Artikel — dauerndes Wiederholen scheint freilich ein Hauptstilmittel ihrer Sprache — über die siegreiche Arbeitsschlacht in Ostpreußen? Daß sie der *battaglia del grano* der Faschisten nachgebildet ist, brauchen die wenigsten zu wissen; aber daß es in agrarischen Bezirken während der Ernte wenig Arbeitslose gibt und daß man also

von diesem momentanen Rückgang der Arbeitslosigkeit in Ostpreußen nicht auf das allgemeine und ständige Absinken der Arbeitslosenzahl schließen darf, muß sich schließlich auch der Dümmste sagen.
Aber das stärkste Symptom ihrer inneren Unsicherheit sehe ich im Auftreten Hitlers selber. Gestern in der Wochenschau eine Tonfilmaufnahme; der Führer spricht einige Sätze vor großer Versammlung. Er ballt die Faust, er verzerrt das Gesicht, es ist weniger ein Reden als ein wildes Schreien, ein Wutausbruch: „Am 30. Januar haben sie (er meint natürlich die Juden) über mich gelacht — es soll ihnen vergehen, das Lachen...!" Er scheint jetzt allmächtig, er ist es vielleicht; aber aus dieser Aufnahme spricht in Ton und Gebärde geradezu ohnmächtige Wut. Und redet man denn immerfort, wie er das tut, von Jahrtausenddauer und vernichteten Gegnern, wenn man dieser Dauer und Vernichtung sicher ist? — Beinahe mit einem Hoffnungsschimmer bin ich aus dem Kino fortgegangen.
22. *August.* Aus den verschiedensten Gesellschaftsschichten kommen Anzeichen der Hitlermüdigkeit. Der Referendar Fl., kein Geisteslicht, aber ein braver Junge, spricht mich in Zivil auf der Straße an: „Wundern Sie sich nicht, wenn Sie mich einmal in Stahlhelmuniform treffen mit der Hakenkreuzbinde am Arm. Ich muß — aber der Zwang ändert gar nichts an uns. Stahlhelm bleibt Stahlhelm und ist etwas Besseres als die SA. Und von uns, von den Deutschnationalen, wird die Rettung kommen!" — Frau Krappmann, die stellvertretende Aufwartefrau, mit einem Postschaffner verheiratet: „Herr Professor, zum 1. Oktober wird der Verein ‚Geselligkeit' der Postbeamten von A 19 gleichgeschaltet. Aber die Nazis sollen nichts von seinem Vermögen erhalten; ein Bratwurstessen der Herren wird veranstaltet, mit anschließender Kaffeetafel für die Damen." — Annemarie, ärztlich unverblümt wie immer, erzählt den Ausspruch eines Kollegen mit der Hakenkreuzbinde: „Was soll man tun? Das ist wie die Cameliabinde der Damen." — Und Kuske, der Gemüsehändler, berichtet das neueste Abendgebet: „Lieber Gott, mach mich stumm, daß ich nicht nach Hohnstein kumm." ... Mach' ich mir etwas vor, wenn ich aus alledem Hoffnung schöpfe? Der absolute Wahnsinn kann sich doch nicht halten, wenn einmal die Betrunkenheit des Volkes aufhört, wenn der Katzenjammer anfängt.

25. *August.* Was nutzen die Symptome der Müdigkeit? Alles hat Angst. Mein „Deutsches Frankreichbild“ war mit Quelle & Meyer verabredet und sollte zuerst in der „Neuphilologischen Monatsschrift“ erscheinen, die der Rektor oder Professor Hübner redigiert, ein durchaus maßvoller und braver Schulmann. Vor ein paar Wochen schrieb er mir in bedrücktem Ton, ob ich nicht von der Veröffentlichung der Studie wenigstens bis auf weiteres absehen wollte; es gebe im Verlag „Betriebszellen“ (merkwürdiges Wort, koppelt Mechanisches und Organisches — diese neue Sprache!), und man möchte doch gern die gute Fachzeitschrift erhalten, und den politischen Leitern liege das eigentliche Fachinteresse ferner ... Darauf wandte ich mich an den Verlag Diesterweg, für den meine ganz sachliche und stark materialhaltige Arbeit gefundenes Fressen sein mußte. Rascheste Ablehnung; als Grund wurde angegeben, die Studie sei „rein rückwärts gerichtet“ und lasse „die völkischen Gesichtspunkte vermissen“. Die Publikationsmöglichkeiten sind abgeschnitten — wann wird man mir das Maul verbinden? Im Sommersemester hat mich der „Frontsoldat“ geschützt — wie lange noch wird der Schutz vorhalten?
28. *August.* Ich darf und darf den Mut nicht sinken lassen, das Volk macht das nicht lange mit. Man sagt, Hitler habe sich besonders auf das Kleinbürgertum gestützt, und das war ja auch ganz offensichtlich der Fall.
Wir nahmen an einer „Fahrt ins Blaue“ teil. Zwei volle Autobusse, etwa achtzig Leute, das denkbarst kleinbürgerliche Publikum, ganz unter sich, ganz homogen, kein bißchen Arbeiterschaft oder gehobenes, freier denkendes Bürgertum. In Lübau Kaffeerast mit Kabarettvorträgen der Wagenbegleiter oder -ordner; das ist bei diesen Ausflügen das Übliche. Der Conférencier beginnt mit einem pathetischen Gedicht auf den Führer und Retter Deutschlands, auf die neue Volksgemeinschaft usw. usw., den ganzen Nazirosenkranz herunter. Die Leute sind still und apathisch, am Schluß merkt man am Klatschen eines einzelnen, an diesem ganz isolierten Klatschen, daß aller Beifall fehlt. Danach erzählt der Mann eine Geschichte, die er bei seinem Friseur erlebt habe. Eine jüdische Dame will ihr Haar ondulieren lassen. „Bedauere vielmals, gnädige Frau, aber das darf ich nicht.“ — „Sie dürfen nicht?“ „Unmöglich! Der Führer hat beim Judenboykott feierlich

versichert, und das gilt noch heute allen Greuelmärchen zum Trotz, es dürfe keinem Juden in Deutschland ein Haar gekrümmt werden." Minutenlanges Lachen und Klatschen. — Darf ich daraus keinen Schluß ziehen? Ist nicht der Witz und seine Aufnahme für jede soziologische und politische Untersuchung wichtig?

19. September. Im Kino Szenen vom Nürnberger Parteitag. Hitler weiht durch Berührung mit der Blutfahne von 1923 neue SA-Standarten. Bei jeder Berührung der Fahnentücher fällt ein Kanonenschuß. Wenn das nicht eine Mischung aus Theater- und Kirchenregie ist! Und ganz abgesehen von der Bühnenszene — schon allein der Name „Blutfahne". „Würdige Brüder, schauet hier: Das blutige Märtyrtum erleiden wir!" Die gesamte nationalsozialistische Angelegenheit wird durch das eine Wort aus der politischen in die religiöse Sphäre gehoben. Und die Szene und das Wort wirken fraglos, die Leute sitzen andächtig hingegeben da — niemand niest oder hustet, nirgends knistert ein Brotpapier, nirgends hört man das Schmatzen beim Bonbonlutschen. Der Parteitag eine kultische Handlung, der Nationalsozialismus eine Religion — und ich will mir weismachen, er wurzele nur flach und locker?

10. Oktober. Kollege Robert Wilbrandt kam zu uns. Ob wir einen staatsgefährlichen Gast aufnehmen wollten? Er ist plötzlich entlassen worden. Die Würgeformel heißt „politisch unzuverlässig". Man hat die Affäre des Pazifisten Gumbel ausgegraben, für den er in Marburg eingetreten ist. Und dann: er hat ein kleines Buch über Marx geschrieben. Er will nach Süddeutschland, will sich in einem abgelegenen Nest in seine Arbeit vergraben ... Wenn ich das auch könnte! Tyrannei und Unsicherheit wachsen mit jedem Tage. Entlassungen im verjudeten Kreis der Fachkollegen. Olschki in Heidelberg, Friedmann in Leipzig, Spitzer in Marburg, Lerch, der ganz arische Lerch, in Münster, weil er „mit einer Jüdin im Konkubinat" lebe. Der blonde und blauäugige Hatzfeld, der fromme Katholik, fragte mich ängstlich an, ob ich noch im Amt sei. In meiner Antwort wollte ich wissen, wieso er für seine, doch gänzlich unsemitische Person Befürchtungen hege. Er schickte mir den Sonderdruck einer Studie; unter seinem Namen stand mit Tinte: „Herzliche Grüße — 25 %."

Die philologischen Fachzeitschriften und die Zeitschrift des Hochschulverbandes bewegen sich derart im Jargon des

Dritten Reichs, daß jede Seite buchstäblich Brechreiz verursacht. „Hitlers eiserner Besen" — „die Wissenschaft auf nationalsozialistischer Basis" — „der jüdische Geist" — „die Novemberlinge" (das sind die Revolutionäre von 1918).
23. *Oktober.* Mir ist vom Gehalt eine „Freiwillige Winterhilfe" abgezogen worden; niemand hat mich deswegen vorher gefragt. Es soll sich um eine neue Steuer handeln, von der man sich ebensowenig ausschließen darf wie von irgendeiner anderen Steuer; die Freiwilligkeit bestehe nur darin, daß man über den festgesetzten Betrag hinaus zahlen dürfe, und auch hinter dieses Dürfen stelle sich für viele schon ein kaum verhüllter Zwang. Aber ganz abgesehen von dem verlogenen Beiwort, ist nicht das Hauptwort selber schon eine Verschleierung des Zwanges, schon eine Bitte, ein Appell an das Gefühl? Hilfe statt Steuer: das gehört zur Volksgemeinschaft. Der Jargon des Dritten Reichs sentimentalisiert; das ist immer verdächtig.
29. *Oktober.* Plötzlicher Ukas, sehr einschneidend in den Lehrplan der Hochschule: der Dienstagnachmittag ist frei zu halten von Vorlesungen, die Studenten in ihrer Gesamtheit werden in diesen Stunden zu Wehrsportübungen herangezogen. Fast gleichzeitig begegnete ich dem Wort auf einer Zigarettenschachtel: Marke Wehrsport. Eine halbe Maske, eine halbe Demaskierung. Allgemeine Wehrpflicht ist durch den Versailler Vertrag verboten; Sport ist erlaubt — wir tun offiziell nichts Unerlaubtes, aber ein bißchen tun wir es doch, und machen eine kleine Drohung daraus, wir deuten immerhin die Faust an, die sich — vorläufig noch — in der Tasche ballt. Wann werde ich in der Sprache dieses Regimes einmal ein wirklich ehrliches Wort entdecken?
— — Gestern abend war Gusti W. bei uns, nach vier Monaten zurück aus Turö, wo sie mit ihrer Schwester Maria Strindberg zusammen bei Karin Michaelis gelebt hat. Dort hat sich offenbar eine kleine Gruppe kommunistischer Emigranten zusammengefunden. Gusti erzählte scheußliche Einzelheiten. Natürlich „Greuelmärchen", die man sich nur ganz geheim zuflüstern darf. Besonders von dem Elend, das der jetzt sechzigjährige Erich Mühsam in einem besonders bösen Konzentrationslager erduldet. Man könnte das Sprichwort variieren und sagen: das Schlechtere ist der Freund des Schlechten; ich fange wahrhaftig an, die Regierung Mussolini für eine beinahe menschliche und europäische zu halten.

Ich frage mich, ob man die Worte Emigranten und Konzentrationslager in ein Lexikon der Hitlersprache aufzunehmen hätte. Emigranten: das ist eine internationale Bezeichnung für die vor der Großen Französischen Revolution Geflohenen. Brandes nennt einen Band seiner europäischen Literaturgeschichte die Emigrantenliteratur. Dann hat man von den Emigranten der russischen Revolution gesprochen. Und jetzt eben gibt es eine deutsche Emigrantengruppe — in ihrem Lager ist Deutschland! —, und „Emigrantenmentalität" ist ein beliebtes *mot savant*. So wird also diesem Wort in Zukunft nicht unbedingt der Aasgeruch des Dritten Reichs anhaften. Dagegen Konzentrationslager. Ich habe das Wort nur als Junge gehört, und damals hatte es einen durchaus exotisch-kolonialen und ganz undeutschen Klang für mich: während des Burenkrieges war viel die Rede von den Compounds oder Konzentrationslagern, in denen die gefangenen Buren von den Engländern überwacht wurden. Das Wort verschwand dann gänzlich aus dem deutschen Sprachgebrauch. Und jetzt bezeichnet es, plötzlich neu auftauchend, eine deutsche Institution, eine Friedenseinrichtung, die sich auf europäischem Boden gegen Deutsche richtet, eine dauernde Einrichtung und keine vorübergehende Kriegsmaßnahme gegen Feinde. Ich glaube, wo künftig das Wort Konzentrationslager fallen wird, da wird man an Hitlerdeutschland denken und nur an Hitlerdeutschland ... Ist es Kaltherzigkeit von mir und enge Schulmeisterei, daß ich mich immer wieder und immer mehr an die Philologie dieses Elends halte? Ich prüfe wirklich mein Gewissen. Nein; es ist Selbstbewahrung.

9. November. Heute in meinem Corneilleseminar ganze zwei Teilnehmer: Lore Isakowitz mit der gelben Judenkarte; Studiosus Hirschowicz, Nichtarier, Vater Türke, mit der blauen Karte der Staatenlosen — die echten deutschen Studenten haben braune Karten. (Wieder die Umgrenzungsfrage: gehört das zur Sprache des Dritten Reichs?) ... Warum ich so beängstigend wenig Hörer habe? Französisch ist kein beliebtes Wahlfach der Lehrerstudenten mehr; es gilt als unpatriotisch, und nun gar französische Literatur vom Juden vorgetragen! Man braucht schon beinahe ein bißchen Mut dazu, bei mir zu hören. Aber es kommt hinzu, daß jetzt alle Fächer schwach besucht werden: die Studenten sind vom „Wehrsport" und einem Dutzend ähnlicher Veranstaltungen übermäßig in

Anspruch genommen. Und endlich: gerade in diesen Tagen müssen sie buchstäblich alle fast ununterbrochen bei der Wahlpropaganda mithelfen, sich an Umzügen beteiligen, an Versammlungen usw. usw.
Dies ist nun die größte Barnumiade, die ich bisher von Goebbels erlebt habe, und ich kann mir kaum denken, daß es eine Steigerung darüber hinaus gibt. Das Plebiszit für die Führerpolitik und die „Einheitsliste" für den Reichstag. Für meinen Teil finde ich ja die ganze Sache so plump und so ungeschickt wie möglich. Plebiszit — wer das Wort kennt (und wer es nicht kennt, wird es sich erklären lassen), Plebiszit ist doch unweigerlich mit Napoleon III. verknüpft, und Hitler sollte sich lieber nicht mit ihm in Verbindung bringen. Und „Einheitsliste" zeigt gar zu deutlich, daß der Reichstag als Parlament ein Ende hat. Und die Propaganda als Ganzes ist wirklich eine so vollkommene Barnumiade — man trägt Schildchen mit einem „Ja" am Mantelaufschlag, man darf den Verkäufern dieser Plaketten nicht nein sagen, ohne sich anrüchig zu machen —, eine solche Vergewaltigung des Publikums, daß sie eigentlich das Gegenteil der beabsichtigten Wirkung hervorbringen müßte...
Eigentlich — aber ich habe mich bisher noch immer getäuscht. Ich urteile wie ein Intellektueller, und Herr Goebbels rechnet mit einer betrunken gemachten Masse. Und außerdem noch mit der Angst der Gebildeten. Zumal ja niemand an die Wahrung des Wahlgeheimnisses glaubt.
Einen gewaltigen Sieg hat er jetzt schon über die Juden errungen. Es gab am Sonntag eine abscheuliche Szene mit dem Ehepaar K., das wir zum Kaffee hatten laden müssen. Müssen, denn der Snobismus der Frau, die kritiklos jede neueste oder zuletzt gehörte Meinung nachschwätzt, geht uns schon lange auf die Nerven; aber der Mann, obwohl er gern die Rolle des weisen Nathan spielt, schien mir immer leidlich vernünftig. Am Sonntag also erklärte er, er habe sich „schweren Herzens", genau wie der Zentralverein jüdischer Staatsbürger, entschlossen, beim Plebiszit mit Ja zu stimmen, und seine Frau setzte hinzu, das Weimarer System habe sich nun einmal als unmöglich erwiesen, und man müsse sich „auf den Boden der Tatsachen" stellen. Ich verlor alle Fassung, schlug mit der Faust auf den Tisch, daß die Tassen klirrten, und schrie dem Mann wiederholt die Frage zu, ob er die Politik dieser Regie-

rung für verbrecherisch halte oder nicht. Er antwortete voller Würde, ich sei zu dieser Frage nicht berechtigt, und fragte seinerseits höhnisch, warum ich denn im Amt bliebe. Ich sagte, ich sei nicht von der Regierung Hitler eingesetzt und diente nicht ihr und hoffte sie zu überleben. Frau K. betonte noch, man müsse doch anerkennen, daß der Führer — sie sagte wirklich „der Führer" — eine geniale Persönlichkeit sei, deren ungemeine Wirkung man nicht leugnen und der man sich nicht entziehen könne ... Heute möchte ich den K.s beinahe etwas von meiner Heftigkeit abbitten. Ich habe inzwischen von allerhand jüdischen Leuten unseres Kreises ganz ähnliche Meinungen gehört. Von Leuten, die fraglos zur intellektuellen Schicht gerechnet werden müssen und die fraglos im allgemeinen zu den ruhig und selbständig denkenden Menschen zählen ... Irgendeine Umnebelung ist vorhanden, die geradezu auf alle einwirkt.

10. November, abends. Den Höhepunkt der Werbung habe ich heute mittag an Dembers Radio miterlebt. (Unser jüdischer Physiker, schon entlassen, aber auch schon in Verhandlung um eine türkische Professur). Diesmal war die Anordnung durch Goebbels, der dann den Ansager der eigenen Regie machte, wirklich ein Meisterstück. Alles auf Arbeit und Frieden für friedliche Arbeit gestellt. Erst das allgemeine Sirenengeheul in ganz Deutschland und die Minute des Stillschweigens in ganz Deutschland — das haben sie natürlich von Amerika gelernt und von den Friedensfeiern am Ende des Weltkriegs. Hierauf aber, vielleicht nicht sehr viel origineller (cf. Italien), doch in absoluter Vollendung durchgeführt, die Rahmung um Hitlers Rede. Maschinenhalle in Siemensstadt. Minutenlang der volle Betriebslärm, das Hämmern, Rasseln, Dröhnen, Pfeifen, Knirschen. Dann die Sirene und das Singen und allmähliche Verstummen der abgestoppten Räder. Dann aus der Stille heraus, ruhig mit Goebbels' tiefer Stimme der Botenbericht. Und nun erst Hitler, dreiviertel Stunden ER. Zum erstenmal hörte ich eine ganze Rede von ihm, und mein Eindruck war im wesentlichen der gleiche wie vorher. Meist eine übermäßig erregte, überschriene, oft heisere Stimme. Nur daß diesmal viele Passagen im weinerlichen Ton eines predigenden Sektierers gehalten waren. ER predigt Frieden, ER wirbt für Frieden, ER will das Ja Deutschlands nicht aus persönlichem Ehrgeiz, sondern nur um den Frieden schützen zu können

gegen den Anschlag einer wurzellos internationalen Clique von Geschäftemachern, die um ihres Profites willen skrupellos Millionenvölker aneinanderhetzen...
Das alles, und die gut einstudierten Zwischenrufe („Die Juden!“) dazu, war mir natürlich längst bekannt. Aber in all seiner Abgedroschenheit, in all seiner dem Taubsten vernehmbar zum Himmel schreienden Verlogenheit bekam es doch eine besondere und neue Wirkungskraft durch einen Zug der vorbereitenden Propaganda, den ich unter ihren gelungenen Einzelheiten für den hervorragendsten und den eigentlich entscheidenden halte. Es hieß in der Voranzeige und Voransage: „Feierstunde von 13.00 bis 14.00 Uhr. In der dreizehnten Stunde kommt Adolf Hitler zu den Arbeitern.“ Das ist, jedem verständlich, die Sprache des Evangeliums. Der Herr, der Erlöser kommt zu den Armen und Verlorenen. Raffiniert bis in die Zeitangabe hinein. Dreizehn Uhr — nein, „dreizehnte Stunde“ — das klingt nach Zuspät, aber ER wird ein Wunder vollbringen, für ihn gibt es kein Zuspät. Die Blutfahne auf dem Parteitag, das war schon dieselbe Sparte. Aber diesmal ist die Enge der kirchlichen Zeremonie durchbrochen, ist das zeitferne Kostüm abgestreift, ist die Christuslegende in unmittelbare Gegenwart transponiert: Adolf Hitler, der Heiland, kommt zu den Arbeitern nach Siemensstadt.
14. November. Warum mache ich K. S. und den anderen Vorwürfe? Als gestern der Triumph der Regierung verkündet wurde: 93% der Stimmen für Hitler, 40 Millionen Ja, 2 Millionen Nein; 39 Millionen für den Reichstag (die famose Einheitsliste), 3 Millionen „ungültig“, da war ich genauso überwältigt wie die anderen auch. Ich konnte mir immer wieder sagen, erstens sei das Resultat erzwungen, und zweitens bei dem Fehlen jeder Kontrolle sicherlich auch frisiert, genauso wie doch ein Gemisch aus Fälschung und Erpressung hinter der Nachricht aus London stecken muß, man bewundere dort besonders, daß sogar in den Konzentrationslagern überwiegend mit Ja gestimmt wurde —, und doch war und bleibe ich der Wirkung dieses Hitlertriumphes ausgeliefert.
Ich muß an die Überfahrt denken, die wir vor fünfundzwanzig Jahren von Bornholm nach Kopenhagen machten. In der Nacht hatten Sturm und Seekrankheit gewütet; nun saß man im Küstenschutz bei ruhiger See in der schönen Morgensonne an Deck und freute sich dem Frühstück entgegen. Da stand

am Ende der langen Bank ein kleines Mädchen auf, lief an die Reling und übergab sich. Eine Sekunde später erhob sich die neben ihm sitzende Mutter und tat ebenso. Gleich darauf folgte der Herr neben der Dame. Und dann ein Junge, und dann ... die Bewegung lief gleichmäßig und rasch weiter, die Bank entlang. Niemand schloß sich aus. An unserem Ende war man noch weit vom Schuß: Es wurde interessiert zugesehen, es wurde gelacht, es wurden spöttische Gesichter gemacht. Und dann kam das Speien näher, und dann verstummte das Lachen, und dann lief man auch auf unserem Flügel an die Reling. Ich sah aufmerksam zu und aufmerksam in mich hinein. Ich sagte mir, es gebe doch so etwas wie ein objektives Beobachten, und darauf sei ich geschult, und es gebe einen festen Willen, und ich freute mich auf das Frühstück — und indem war die Reihe an mir, und da zwang es mich genauso an die Reling wie all die anderen.

*

Ich habe für die ersten Monate des Nazismus im Rohstoff zusammengeschrieben, was in meinem Tagebuch Bezug hat auf den neuen Zustand und die neue Sprache. Damals ging es mir noch ungleich besser als später; ich war ja noch im Amt und im eigenen Haus, ich war ja noch der fast unbehelligt Beobachtende. Wiederum: ich war noch nicht ein bißchen abgestumpft, ich war noch so ganz gewohnt, in einem Rechtsstaat zu leben, daß ich damals vieles für die tiefste Hölle hielt, was ich später höchstens für ihren Vorhof, für den Danteschen Limbo nahm. Immerhin: soviel schlimmer es auch kommen sollte, alles, was sich noch später an Gesinnung, an Tat und Sprache des Nazismus hinzufand, das zeichnet sich in seinen Ansätzen schon in diesen ersten Monaten ab.

56

VI

Die drei ersten Wörter nazistisch

Das allererste Wort, das sich mir als spezifisch nazistisch, nicht seiner Formung, aber seiner neuen Anwendung nach, aufdrängte, verbindet sich für mich mit der Bitterkeit des ersten durch das Dritte Reich verursachten Freundesverlustes. Dreizehn Jahre zuvor waren wir und T. gleichzeitig nach Dresden und an die Technische Hochschule gekommen, ich als Professor, er als beginnender Student. Er war fast so etwas wie ein Wunderkind. Wunderkinder enttäuschen häufig, er aber schien über das gefährliche Alter der Wunderkindschaft bereits unversehrt hinaus zu sein. Kleinstbürgerlicher Herkunft und sehr arm, war er während des Krieges romanartig entdeckt worden. Ein berühmter auswärtiger Professor wollte sich im Prüffeld einer Leipziger Fabrik eine neue Maschine vorführen lassen; durch Einziehungen zum Heeresdienst herrschte Mangel an Ingenieuren, der gerade allein anwesende Monteur wußte nicht Bescheid, der Professor ärgerte sich — da kroch ein verschmierter Lehrjunge unter der Maschine hervor und gab die nötigen Auskünfte. Er hatte sich durch Aufmerksamkeit auf Dinge, die ihn nichts angingen, und durch eigenes nächtliches Studium die nötigen Kenntnisse verschafft. Nun griff der Professor helfend ein, die ungemeine Energie des Jungen wurde durch den Erfolg noch gesteigert, und sehr kurze Zeit danach bestand der Volksschüler fast am selben Tage seine Prüfung als Schlossergeselle und als Abiturient. Danach bot sich ihm die Möglichkeit, seinen Unterhalt im technischen Beruf zu erwerben und gleichzeitig zu studieren. Seine mathematisch-technische Begabung bewährte sich weiter: in ganz jungen Jahren und ohne die übliche Abschlußprüfung des Diplomingenieurs erhielt er einen hohen Posten.
Aber was ihn mir nahebrachte, mir, dem leider alles Mathematisch-Technische so unergründlich fernliegt, das war die Allseitigkeit seines Bildungsstrebens und Nachdenkens. Er kam in unser Haus, er wurde aus dem Hausgenossen einigermaßen zum Pflegesohn, er nannte uns, halb im Scherz,

aber doch auch sehr im Ernst, Vater und Mutter, wir hatten wohl einigen Anteil an seiner Bildung. Er heiratete frühzeitig, und das herzlich nahe Verhältnis zwischen uns blieb unverändert. Daß es durch politische Meinungsverschiedenheiten je gestört werden könnte, kam keinem von uns vier Beteiligten je in den Sinn.

Und dann drang der Nationalsozialismus nach Sachsen. Ich bemerkte bei T. erste Anzeichen der veränderten Gesinnung. Ich fragte ihn, wie er mit diesen Leuten sympathisieren könne. „Sie wollen doch nichts anderes als die Sozialisten", sagte er, „sie sind doch auch eine Arbeiterpartei." — „Siehst du denn nicht, daß sie auf Krieg zielen?" — „Höchstens auf einen Befreiungskrieg, der der gesamten Volksgemeinschaft und so auch den Arbeitern und kleinen Leuten zugute kommen muß..."

Ich begann an der Weite und Stärke seiner Vernunft zu zweifeln. Ich suchte ihn von einer anderen Seite her stutzig zu machen. „Du hast jahrelang in meinem Hause gelebt, du weißt doch, wie ich denke, du meintest doch oft, einiges von uns gelernt zu haben und in deinen sittlichen Wertungen mit uns übereinzustimmen — wie kannst du nach alledem zu einer Partei halten, die mir um meiner Abstammung willen das Deutschtum und das Menschentum abspricht?" — „Du nimmst das viel zu ernst, Babba." — (Das Sächsische sollte wohl dem Satz, der Diskussion überhaupt, eine leichte Note geben.) — „Der Judenrummel dient nur Propagandazwecken. Du wirst sehen, wenn Hitler erst am Ruder ist, dann hat er anderes zu tun als auf die Juden zu schimpfen..."

Aber der Rummel tat doch seine Wirkung — auch auf unseren Pflegesohn. Ich fragte ihn einige Zeit später nach einem jungen Mann, den er kannte. Er zuckte die Achseln: „Bei der AEG, du weißt ja, was das bedeutet? ... Nicht? ... ‚Alles echte Germanen?'" Und er lachte und war verwundert, daß ich nicht mitlachte.

Und dann, nachdem wir uns eine Weile nicht gesehen, lud er uns telefonisch zum Essen ein, es war kurz nach Hitlers Regierungsantritt. „Wie geht es bei euch im Betrieb?" fragte ich. „Sehr schön!" antwortete er. „Gestern hatten wir einen ganz großen Tag. In Okrilla saßen ein paar freche Kommunisten, da haben wir eine Strafexpedition veranstaltet." — „Was habt ihr?" — „Na, Spießruten laufen lassen durch

Gummiknüppel, und ein bißchen Rizinus, nichts Blutiges, aber immerhin ganz wirksam, eine Strafexpedition eben."
Strafexpedition ist das erste Wort, das ich als spezifisch nazistisch empfand, ist das allererste meiner LTI, und ist das allerletzte, das ich von T. gehört habe; ich hing den Hörer hin, ohne die Einladung nur erst abzulehnen.
Was ich mir irgend an brutaler Überheblichkeit und an Verachtung fremder Menschenart denken konnte, drängte sich in diesem Wort Strafexpedition zusammen, es klang so kolonial, man sah ein umstelltes Negerdorf, man hörte das Klatschen der Nilpferdpeitsche. Später, nur leider nicht dauernd, hatte diese Erinnerung bei aller Bitterkeit doch auch etwas Tröstliches für mich. „Ein bißchen Rizinus": Es war so ganz deutlich, daß diese Unternehmung faschistische Gepflogenheiten der Italiener nachahmte; der ganze Nazismus schien mir nichts als italienische Infektion. Der Trost verging vor der sich entschleiernden Wahrheit, wie Frühnebel vergehen; die Kern- und Todsünde des Nazismus war deutsch und nicht italienisch.
Aber auch die Erinnerung an das nazistische (oder faschistische) Wort Strafexpedition wäre ohne die Verbindung mit dem persönlichen Erlebnis bestimmt für mich wie für Millionen anderer verflogen, denn es gehört nur den Anfangszeiten des Dritten Reichs an, ja es ist durch die bloße Gründung dieses Regimes überholt und unnütz geworden wie der Fliegerpfeil durch die Fliegerbombe. An die Stelle der halb privaten und sonntagssportlichen Strafexpeditionen trat sofort die reguläre und amtliche Polizeiaktion, und an die Stelle des Rizinus das Konzentrationslager. Und sechs Jahre nach dem Beginn des Dritten Reichs wurde die zur Polizeiaktion gewordene innerdeutsche Strafexpedition überlärmt vom Toben des Weltkrieges, den sich seine Entfeßler auch als eine Art Strafexpedition gegen allerhand mißachtete Völker gedacht hatten.
So verklingen Worte. — Dagegen die beiden anderen, die den Gegenpol bezeichneten — Du bist nichts, und ich bin alles! —, sie bedürfen keiner persönlichen Erinnerung, um im Gedächtnis zu haften, sie blieben bis zuletzt und werden in keiner Geschichte der LTI vergessen werden. Die nächste Sprachnotiz meines Tagebuches heißt: Staatsakt. Goebbels inszeniert ihn, den ersten einer kaum noch übersehbaren Reihe, am 21. März 1933 in der Potsdamer Garnisonkirche. (Merkwürdige Fühllosigkeit der Nazis gegen satirische Komik, der sie sich selbst

aussetzen; man möchte bisweilen wirklich an ihre subjektive Unschuld glauben! Das Glockenspiel der Garnisonkirche: „Üb immer Treu und Redlichkeit!“ haben sie zu ihrem Berliner Rundfunkzeichen gemacht, und die Posse ihrer fiktiven Reichstagssitzungen haben sie in einem Theatersaal, in der Krolloper, angesiedelt.)

Wenn das LTI-Verbum „aufziehen“ irgendwo mit Recht angewendet wird, dann sicherlich hier; das Gewebe der Staatsakte wurde immer nach dem gleichen Muster aufgezogen, in zwei Ausführungen freilich, mit oder ohne Sarg im Mittelpunkt. Die Pracht der Banner, Aufmärsche, Girlanden, Fanfaren und Chöre, der Redeumkörperungen, blieb sich durchweg gleich, lehnte sich durchweg an das Mussolinische Vorbild. Im Kriege schob sich der Sarg immer häufiger ins Zentrum, und die schon etwas erschlaffte Anziehungskraft dieses Werbemittels straffte sich wieder durch Anrüchigkeit. Sooft ein gefallener oder tödlich verunglückter General sein Staatsbegräbnis erhielt, ging das Gerücht, er sei beim Führer in Ungnade geraten und auf dessen Befehl beseitigt worden. Daß solche Gerüchte entstehen konnten, legt — einerlei ob sie der Wahrheit entsprachen oder nicht — gültiges Zeugnis ab für den Wahrheitsgehalt, den man der LTI beimaß, für den Lügengehalt, den man ihr zutraute. Die größte Lüge aber, die ein Staatsakt je ausdrückte, und eine inzwischen erwiesene Lüge, war die Leichenfeier für die sechste Armee und ihren Marschall. Hier sollte aus der Niederlage Kapital für künftigen Heroismus geschlagen werden, indem man treues Aushalten bis in den Tod denen nachsagte, die sich gefangen gegeben hatten, um sich nicht wie aber Tausende ihrer Kameraden für eine sinnlose und verbrecherische Sache schlachten zu lassen. Diesem Staatsakt hat Plievier in seinem Stalingradbuch erschütternd satirische Wirkung abgewonnen.

Rein sprachlich ist das Wort doppelt aufgeblasen. Einmal sagt es aus und bestätigt damit eine wirkliche Gegebenheit, daß Ehrungen, die der Nationalsozialismus vergibt, staatliche Anerkennungen sind. Es enthält also das *L'Etat c'est moi* des Absolutismus. Sodann aber fügt es zur Aussage den Anspruch. Ein Staatsakt ist etwas zur Staatsgeschichte Gehöriges, also etwas, was dauernd im Gedächtnis eines Volkes bewahrt werden soll. Ein Staatsakt hat besonders feierliche historische Bedeutung.

Und hier ist nun das Wort, mit dem der Nationalsozialismus vom Anfang bis zum Ende übermäßige Verschwendung getrieben hat. Er nimmt sich so wichtig, er ist von der Dauer seiner Institutionen so überzeugt, oder will so sehr davon überzeugen, daß jede Bagatelle, die ihn angeht, daß alles, was er anrührt, historische Bedeutung hat. Historisch ist ihm jede Rede, die der Führer hält, und wenn er hundertmal dasselbe sagt, historisch ist jede Zusammenkunft des Führers mit dem Duce, auch wenn sie gar nichts an den bestehenden Verhältnissen ändert; historisch ist der Sieg eines deutschen Rennwagens, historisch die Einweihung einer Autostraße, und jede einzelne Straße und jede einzelne Strecke jeder einzelnen Straße wird eingeweiht; historisch ist jedes Erntedankfest, historisch jeder Parteitag, historisch jeder Feiertag jeglicher Art; und da das Dritte Reich nur Feiertage kennt — man könnte sagen, es habe am Alltagsmangel gekrankt, tödlich gekrankt, ganz wie der Körper tödlich krank sein kann an Salzmangel —, so hält es eben alle seine Tage für historisch.
In wieviel Schlagzeilen, in wie vielen Leitartikeln und Reden ist das Wort gebraucht und um seinen ehrwürdigen Klang gebracht worden! Man kann ihm gar nicht Schonung genug angedeihen lassen, wenn es sich erholen soll.
Vor dem häufigen Gebrauch von Staatsakt ebenso zu warnen ist überflüssig, da wir ja keinen Staat mehr haben.

VII

Aufziehen

Ich ziehe eine Uhr auf, ich ziehe die Kette eines Gewebes am Webstuhl auf, ich ziehe ein automatisches Spielzeug auf: überall handelt es sich um mechanische Tätigkeit, die an einem widerstandslosen, leblosen Ding ausgeübt wird.
Vom automatischen Spielzeug, dem drehenden Brummkreisel, dem laufenden und nickenden Tier, führt der Weg zur metaphorischen Anwendung des Ausdrucks: ich ziehe einen Menschen auf. Das heißt: ich necke ihn, ich mache ihn zur komischen Person, zum Hampelmann; Bergsons Erklärung des Komischen, es bestehe in der Automatisierung des Lebendigen, findet sich hier durch den Sprachgebrauch bestätigt.
Gewiß ist „Aufziehen" in diesem Sinn ein zwar harmloses, aber doch ein Pejorativ. (So nennt der Philologe jede „verschlechterte" oder verringerte Wortbedeutung; der Kaisername Augustus, der Erhabene, ergibt als Pejorativ den dummen August, den Zirkusclown.)
In der Moderne bekam „aufziehen" eine zugleich lobende und doch entschieden pejorative Sonderbedeutung. Man sagte von einer Reklame, sie sei gut oder groß aufgezogen. Das bedeutete die Anerkennung geschäftlicher, werbungstechnischer Tüchtigkeit, war aber zugleich ein Hinweis auf das Übertreibende, das Marktschreierische, das nicht ganz dem tatsächlichen Wert der angepriesenen Sache Entsprechende eines Angebots. Vollkommen deutlich und eindeutig als Pejorativ trat das Verbum auf, wenn ein Theaterkritiker urteilte, der Autor habe die und jene Szene groß aufgezogen. Das hieß, der Mann sei mehr skrupelloser Techniker (und Publikumsverführer) als ehrlicher Dichter.
Ganz im Anfang des Dritten Reichs sah es einen Augenblick so aus, als übernähme die LTI diese metaphorische Tadelsbedeutung. Die nazistischen Zeitungen rühmten als patriotische Tat, daß brave Studenten „das wissenschaftlich aufgezogene Institut für Sexualforschung des Professors Magnus Hirschfeld zerstört" hatten. Hirschfeld war Jude, und also war

sein Institut „wissenschaftlich aufgezogen“ und nicht wahrhaft wissenschaftlich.
Aber wenige Tage später zeigte es sich, daß dem Verbum an sich nichts Pejoratives mehr anhaftete. Am 30. Juni 1933 erklärte Goebbels in der Hochschule für Politik, die NSDAP habe eine „Riesenorganisation von mehreren Millionen aufgezogen, in der ist alles zusammengefaßt, Volkstheater, Volksspiele, Sporttouristik, Wandern, Singen, und wird vom Staat mit allen Mitteln unterstützt“. Jetzt ist „aufziehen“ vollkommen ehrlich, und wenn die Regierung triumphierend Rechenschaft ablegt von der Propaganda, die der Saar-Abstimmung voraufgegangen ist, dann spricht sie von der „groß aufgezogenen Aktion“. Keiner Seele fällt es mehr ein, etwas Reklamehaftes in dem Wort zu finden. 1935 erscheint in deutscher Übersetzung aus dem Englischen bei Holle & Co. „Seiji Noma, Autobiographie des japanischen Zeitungskönigs“. Dort heißt es mit voller Anerkennung: „Jetzt entschloß ich mich ..., eine vorbildliche Organisation zur Erziehung studentischer Redner aufzuziehen.“
Die gänzliche Unempfindlichkeit gegen den mechanistischen Sinn des Verbums geht daraus hervor, daß es wiederholt von einer Organisation ausgesagt wird. Hier liegt eine der stärksten Spannungen der LTI offen: Während sie überall das Organische, das naturhaft Gewachsene betont, ist sie gleichzeitig von mechanischen Ausdrücken überschwemmt und ohne Gefühl für den Stilbruch und die Würdelosigkeit solcher Zusammenstellungen wie einer „aufgezogenen Organisation“.
„Fragt sich nur, ob man die Nazis für ‚aufziehen‘ verantwortlich machen darf“, warf mir F. ein. Wir hatten im Sommer 1943 Nachtschicht an derselben Mischtrommel für deutsche Tees, es war eine sehr anstrengende Arbeit, besonders in der Hitze, da wir des furchtbaren Staubes halber Kopf und Gesicht vermummt halten mußten wie die Chirurgen; in den Pausen nahmen wir Brille, Mundtuch und Mützen ab — F. trug ein altes Richterbarett, er war Landgerichtsrat gewesen —, saßen auf einer Kiste und unterhielten uns über Völkerpsychologie, wenn wir nicht die Kriegslage erörterten. Wie alle, die das Judenhaus in der engen Sporergasse bewohnten, ist er in der Nacht vom 13. zum 14. Februar 1945 zugrunde gegangen.
Von „aufziehen“ also behauptete er, es schon um 1920 in ganz neutraler Bedeutung gehört und gelesen zu haben. „Gleich-

zeitig mit, und ähnlich wie plakatieren“, sagte er. Ich erwiderte ihm, daß mir „aufziehen“ im neutralen Sinn von damals her nicht bekannt sei und daß mich die gedächtnismäßige Zusammenstellung mit „plakatieren“ doch auf pejorative Tönung schließen lasse. Vor allem aber, und dies ist nun eine Meinung, der ich prinzipiell in allen einschlägigen Reflexionen folge, vor allem komme es mir nie darauf an, die Erstmaligkeit eines Ausdrucks oder einer bestimmten Wortwertung festzustellen, denn das sei doch in den allermeisten Fällen unmöglich, und wenn man den ersten gefunden zu haben meine, der das betreffende Wort gebrauche, so finde sich immer noch ein Vorgänger hinzu. F. möge nur im Büchmann unter „Übermensch“ nachsehen: bis auf die Antike werde das Wort zurückgeführt.
Und ich selbst habe neulich im alten Fontane, im „Stechlin“, einen „Untermenschen“ entdeckt, wo doch die Nazis so stolz auf ihre jüdischen und kommunistischen Untermenschen und das dazugehörige Untermenschentum sind.
Mögen sie ruhig darauf stolz sein, genauso wie Nietzsche trotz berühmter Vorgänger auf seinen Übermenschen stolz sein darf. Denn ein Wort oder eine bestimmte Wortfärbung oder -wertung gewinnen erst da innerhalb einer Sprache Leben, sind erst da wirklich existent, wo sie in den Sprachgebrauch einer Gruppe oder Allgemeinheit eingehen und sich eine Zeitlang darin behaupten. In diesem Sinn ist der „Übermensch“ fraglos Nietzsches Schöpfung, und der „Untermensch“ und das unspöttisch neutrale „aufziehen“ kommen bestimmt auf das Konto des Dritten Reichs. — —
Wird ihre Zeit mit der des Nazismus abgelaufen sein?
Ich bemühe mich darum, bin aber skeptisch.
Diese Notiz arbeitete ich im Januar 1946 aus. Am Tage nach der Fertigstellung hatten wir eine Sitzung des Dresdner Kulturbundes. Ein Dutzend derer, denen durch ihre Wahl besondere Kultiviertheit bezeugt worden ist und die nun also vorbildlich wirken sollen. Es ging um die Veranstaltung einer der jetzt ringsum üblichen Kulturwochen, u. a. um eine Kunstausstellung. Einer der Herren sagte, etliche der für die „Volkssolidarität“ gestifteten und nun in die Ausstellung einzubeziehenden Bilder seien Schinken. Sofort wurde ihm erwidert: „Unmöglich! Wenn wir hier in Dresden eine Kunstausstellung veranstalten, dann müssen wir sie auch groß und unantastbar aufziehen.“

VIII

Zehn Jahre Faschismus

Einladung des italienischen Konsulats in Dresden für Sonntagvormittag, den 23. Oktober 1932, zur Vorführung des Films — *film sonoro* ausdrücklich, denn noch gibt es auch den stummen — „Zehn Jahre Faschismus".
(Hierbei ist in Parenthese zu bemerken, daß man Faschismus schon mit sch statt sc schreibt, daß das Wort also schon eingebürgert ist. Aber vierzehn Jahr später frage ich als Staatskommissar den Abiturienten eines humanistischen Gymnasiums nach der Bedeutung des Wortes, und er antwortet mir ohne Zögern: „Das kommt von fax, die Fackel, her." Er ist nicht unintelligent, er ist bestimmt Pimpf und Hitlerjunge gewesen, er ist bestimmt Markensammler und kennt das Liktorenbündel auf den italienischen Marken der Mussolinizeit, zudem kennt er es natürlich aus der Lateinlektüre vieler Jahre, und trotzdem weiß er nicht, was das Wort Faschismus bedeutet. Mitschüler verbessern ihn: „Von fascis." Aber wie viele andere werden über die Grundbedeutung des Wortes und Begriffes im unklaren sein, wenn ein nazistisch erzogener Gymnasiast nicht darum weiß? ... Immer und von überallher dringt der gleiche Zweifel auf mich ein: Was läßt sich mit Sicherheit aussagen über Wissen und Denken, über den Geistes- und Seelenzustand eines Volkes?)
Zum erstenmal höre und sehe ich den Duce reden. Der Film ist eine große Kunstleistung. Mussolini spricht vom Balkon des Schlosses in Neapel herunter auf die Menge ein; Aufnahmen der Masse und Großaufnahmen des Redners, Worte Mussolinis und Antworttöne der Angesprochenen wechseln miteinander. Man sieht, wie sich der Duce zu jedem Satz buchstäblich aufpumpt, wie er immer wieder, dazwischen absinkend, den Gesichts- und Körperausdruck höchster Energie und Anspannung herstellt, man hört den leidenschaftlich predigenden, ritualen, kirchlichen Tonfall, in dem er immer nur kurze Sätze herausschleudert, wie Bruchstücke einer Liturgie, auf die jeder ohne gedankliche Anstrengung gefühlsmäßig reagiert, auch

wenn er nicht, ja gerade wenn er nicht den Sinn versteht. Riesenhaft der Mund. Gelegentlich typisch italienische Fingerbewegungen. Und Geheul aus der Masse, Zwischenrufe der Begeisterung oder, bei Nennung eines Gegners, gellende Pfiffe. Dazu immer wieder die Haltung des Faschistengrußes, der vorgereckte Arm.
All das haben wir seitdem so aber tausendmal gesehen und gehört, mit so geringen Variationen nur immer wiederholt, als Aufnahme vom Nürnberger Parteitag oder aus dem Berliner Lustgarten oder vor der Münchener Feldherrnhalle usw. usw., daß uns der Mussolinifilm eine sehr alltägliche und nicht im geringsten außergewöhnliche Leistung zu sein scheint. Aber so wie der Titel Führer nur eine Verdeutschung von Duce ist und das Braunhemd nur eine Variation des italienischen Schwarzhemds und der Deutsche Gruß nur eine Nachahmung des Faschistengrußes, so ist die gesamte Filmaufnahme solcher Szenen als Propagandamittel, so ist die Szene selber, die Führerrede vor dem versammelten Volk, in Deutschland dem italienischen Vorbild nachgeformt worden. In beiden Fällen handelt es sich darum, den führenden Mann in unmittelbaren Kontakt mit dem Volk selber, dem ganzen Volk und nicht nur seinen Vertretern, zu bringen.
Verfolgt man diesen Gedanken zurück, so stößt man unweigerlich auf Rousseau, insbesondere auf seinen *Contrat social.* Indem Rousseau als Genfer Bürger schreibt, also die Verhältnisse eines Stadtstaates vor Augen hat, ist es seiner Phantasie fast etwas zwangsläufig Selbstverständliches, der Politik antike Form zu geben, sie in städtischen Grenzen zu halten — Politik ist ja die Kunst, eine Polis, eine Stadt, zu leiten. Bei Rousseau ist der Staatsmann der Redner zum Volk, dem auf dem Markt versammelten, bei Rousseau bedeuten sportliche und künstlerische Veranstaltungen, an denen die Volksgemeinschaft teilnimmt, politische Institutionen und Werbemittel. Es war die große Idee Sowjetrußlands, durch Anwendung der neuen technischen Erfindungen, durch Film und Radio die raumbegrenzte Methode der Alten und Rousseaus ins Unbegrenzte auszudehnen, den führenden Staatsmann sich wirklich und persönlich „an alle" wenden zu lassen, auch wenn diese „Alle" nach Millionen zählten, auch wenn Tausende von Kilometern zwischen ihren einzelnen Gruppen lagen. Damit wurde der Rede unter den Mitteln und Pflichten des Staats-

mannes die Wichtigkeit zurückgegeben, die sie in Athen besessen hatte, ja eine erhöhte Wichtigkeit, weil ja nun eben an die Stelle Athens ein ganzes Land und mehr als nur ein Land trat.

Aber nicht nur wichtiger als vordem war die Rede jetzt geworden, sondern mit Notwendigkeit auch ihrem Wesen nach etwas anderes als zuvor. Indem sie sich an alle wandte und nicht mehr an ausgewählte Volksvertreter, mußte sie sich auch allen verständlich machen und somit volkstümlicher werden. Volkstümlich ist das Konkrete; je sinnlicher eine Rede ist, je weniger sie sich an den Intellekt wendet, um so volkstümlicher ist sie. Von der Volkstümlichkeit zur Demagogie oder Volksverführung überschreitet sie die Grenze, sobald sie von der Entlastung des Intellekts zu seiner gewollten Ausschaltung und Betäubung übergeht.

In gewissem Sinn kann man den festlich geschmückten Markt oder die mit Bannern und Spruchbändern hergerichtete Halle oder Arena, in der zur Menge gesprochen wird, als einen Bestandteil der Rede selber, als ihren Körper ansehen; die Rede ist in solchem Rahmen inkrustiert und inszeniert, sie ist ein Gesamtkunstwerk, das sich gleichzeitig an Ohr und Augen wendet, und doppelt an das Ohr, denn das Brausen der Menge, ihr Applaus, ihr Ablehnen wirkt auf den Einzelhörer gleich stark, mindestens gleich stark wie die Rede an sich. Wiederum ist auch die Tonart der Rede selber fraglos beeinflußt, fraglos sinnlicher gefärbt durch solche Inszenierung. Der Tonfilm überträgt dies Gesamtkunstwerk in seiner Ganzheit; das Radio ersetzt das dem Auge gebotene Schauspiel durch Ansage, die dem antiken Botenbericht entspricht, gibt aber die aufreizende auditive Doppelwirkung, das spontane Responsorium der Masse, getreu wieder. („Spontan" gehört zu den Lieblingswörtern der LTI, und davon wird noch zu reden sein.)

Das Deutsche bildet zu Rede und reden nur das eine Adjektiv rednerisch, und dies Adjektiv hat keinen sehr guten Klang, eine rednerische Leistung steht immer einigermaßen im Verdacht der Schaumschlägerei. Man könnte hier fast von einem dem deutschen Volkscharakter eingeborenen Mißtrauen gegen den Redner sprechen.

Die Romanen dagegen, denen solches Mißtrauen fernliegt und die den Redner schätzen, unterscheiden scharf zwischen dem

Oratorischen und dem Rhetorischen. Orator ist ihnen der ehrliche Mann, der durch sein Wort zu überzeugen sucht, der sich, redlich um Klarheit bemüht, an beides, an Herz und Vernunft seiner Hörer wendet. Oratorisch ist ein Lob, das die Franzosen großen Klassikern der Kanzel und des Theaters, einem Bossuet, einem Corneille schenken. Solche großen Oratoren sind auch der deutschen Sprache gegeben, so Luther und Schiller. Für das anrüchig Rednerische hat man im Westen den Sonderausdruck rhetorisch; der Rhetor — das geht auf die Sophistik der Griechen und auf ihre Verfallszeit zurück — ist der Sprüchemacher, der Umnebler des Verstandes. Gehört Mussolini zu den Oratoren oder den Rhetoren seines Volkes? Sicherlich hat er dem Rhetor nähergestanden als dem Orator, und im Lauf seiner unseligen Entwicklung ist er schließlich dem Rhetorischen ganz und gar verfallen. Aber manches, was dem deutschen Ohr bei ihm rednerisch klingt, ist es nicht eigentlich, weil es sich kaum über das hinaushebt, was dem Italienischen an Redefärbung der Sprache durchaus natürlich ist. *Popolo di Napoli!* Volk von Neapel! hieß die Anrede bei jener Jubiläumsfeier. Dem deutschen Hörer klingt das etwas bombastisch antikisierend. Aber mir fiel der Reklamezettel ein, den mir kurz vor dem ersten Weltkrieg ein Verteiler in Scanno in die Hand drückte. Scanno ist ein kleines Städtchen in den Abruzzen, und die Abruzzensen sind stolz auf ihre physische Kraft und Kühnheit. Ein neueröffnetes Warenhaus pries sich dort an, und die Anrede lautete: *Forte e gentile Popolazione di Scanno!* Starke und edle Bevölkerung! Wie einfach nahm sich hiergegen Mussolinis „Volk von Neapel!" aus.

Vier Monate nach Mussolini hörte ich zum erstenmal Hitlers Stimme. (Ich habe ihn nie gesehen, nie unmittelbar sprechen hören, das war ja Juden verboten; im Anfang trat er mir manchmal im Tonfilm entgegen, später, als mir das Kino verboten war und ebenso der Besitz eines Radioapparates, hörte ich seine Reden oder Bruchstücke daraus aus Straßenlautsprechern und in der Fabrik.) Am 30. Januar 1933 war er Kanzler geworden, am 5. März sollte die Wahl stattfinden, die ihn bestätigte und ihm den willigen Reichstag schuf. Die Vorbereitungen für die Wahl, zu denen — auch ein Stück LTI! — der Reichstagsbrand gehörte, waren im größten Maßstab durchgeführt, Zweifel an seinem Erfolg konnten dem Mann unmöglich kommen; von Königsberg aus sprach er im

Gefühl des sichersten Triumphes. Der Rahmenvergleich mit Mussolinis Neapeler Rede war für mich gegeben trotz der Unsichtbarkeit und Entferntheit des Führers. Denn vor der angestrahlten Hotelfront am Dresdener Hauptbahnhof, von der aus ein Lautsprecher die Rede übermittelte, drängte sich eine leidenschaftliche Menschenmenge, auf den Balkons standen SA-Leute mit großen Hakenkreuzfahnen, und vom Bismarckplatz her näherte sich ein Fackelzug. Von der Rede selbst vernahm ich nur Bruchstücke, eigentlich mehr Klänge als Sätze. Und doch hatte ich damals schon genau den gleichen Eindruck, der sich mir bis zuletzt immer wiederholt hat. Welch ein Unterschied dem Vorbild Mussolinis gegenüber!
Der Duce, sosehr man die körperliche Anstrengung spürte, mit der er Energien in seine Sätze preßte, mit der er Beherrschung der Menge zu seinen Füßen anstrebte, der Duce schwamm doch immer im klingenden Strom seiner Muttersprache, überließ sich ihr bei allem Herrschaftsanspruch, war, auch wo er vom Oratorischen zum Rhetorischen abglitt, Redner ohne Verzerrtheit, ohne Krampf. Hitler dagegen, er mochte salbungsvoll oder höhnisch daherkommen — die beiden Tonarten, zwischen denen er immer zu wechseln liebte —, Hitler sprach, vielmehr schrie immer krampfhaft. Man kann auch in stärkster Erregung eine gewisse Würde und innere Ruhe bewahren, eine Selbstgewißheit, ein Gefühl der Einigkeit mit sich und seiner Gemeinde. Das hat Hitler, dem bewußten, dem ausschließlichen, dem prinzipiellen Rhetor, von Anfang an gefehlt. Selbst im Triumph war er ungewiß, überbrüllte er Gegner und gegnerische Ideen. Nie war Gleichmut, nie Musikalität in seiner Stimme, in der Rhythmik seiner Sätze, immer nur ein rohes Aufpeitschen der anderen und seiner selbst. Die Entwicklung, die er durchgemacht hat, ging nur, besonders in den Kriegsjahren, vom Hetzer zum Gehetzten, vom krampfhaften Eifern über Wut und ohnmächtige Wut zur Verzweiflung. Nie habe ich von mir aus verstanden, wie er mit seiner unmelodischen und überschrienen Stimme, mit seinen grob, oft undeutsch gefügten Sätzen, mit der offenkundigen, dem deutschen Sprachcharakter völlig konträren Rhetorik seiner Reden die Masse gewinnen und auf entsetzlich lange Dauer fesseln und in Unterjochung halten konnte. Denn man schreibe noch so vieles aufs Konto des Weiterwirkens einer einmal vorhandenen Suggestion, und noch so vieles auf das Wirken

skrupelloser Tyrannei und zitternder Angst — („Eh ick mir hängen lasse, jloob ick an den Sieg", war ein später Berliner Witz) —, so bleibt doch die ungeheure Tatsache, daß sich die Suggestion bilden und bei Millionen durch alle Schrecken bis zum letzten Augenblick andauern konnte.

Weihnachten 1944, als die letzte deutsche Westoffensive schon gescheitert war, als am Ausgang des Krieges nicht der geringste Zweifel mehr herrschen konnte, als mir auf dem Weg zur Fabrik und nach Hause immer wieder entgegenkommende Arbeiter zuflüsterten, und manchmal gar nicht sehr leise flüsterten: „Kopf hoch, Kamerad! Es dauert nicht mehr lange...", sprach ich mit einem Schicksalsgefährten über die mutmaßliche Stimmung im Lande. Es war ein Münchener Kaufmann, dem Wesen nach viel mehr Münchener als Jude, ein überlegender, skeptischer, ganz unromantischer Mensch. Ich erzählte von den häufigen Trostworten, denen ich begegnete. Er sagte, ihm gehe es genauso, aber darauf gebe er gar nichts. Die Menge schwöre nach wie vor auf den Führer. „Und wenn bei uns auch ein paar Prozent gegen ihn sein mögen: Lassen Sie ihn hier eine einzige Rede halten, und alle gehören ihm wieder, alle! Ich habe ihn im Anfang, als ihn in Norddeutschland überhaupt noch niemand kannte, wiederholt in München sprechen hören. Niemand hat ihm widerstanden. Ich auch nicht. Man kann ihm nicht widerstehen." Ich fragte Stühler, worin denn diese Unwiderstehlichkeit wurzele. — „Das weiß ich nicht, aber man kann ihm nicht widerstehen", war die sofortige und verbohrte Antwort.

Und im April 1945, als für den Blindesten alles zu Ende war, als in dem bayrischen Dorf, in das wir geflohen waren, alles dem Führer fluchte, als die Kette der flüchtenden Soldaten nicht mehr abriß, da fand sich unter diesen Kriegsmüden und Enttäuschten und Verbitterten doch immer noch der eine und andere, der mit starren Augen und gläubigen Lippen versicherte, am 20. April, am Geburtstag des Führers, werde „die Wende", werde die siegreiche deutsche Offensive kommen: der Führer habe es gesagt, und der Führer lüge nicht, ihm müsse man mehr glauben als allen Vernunftgründen.

Wo liegt die Erklärung für dieses Wunder, das sich auf keine Weise abstreiten läßt? Es gibt eine verbreitete psychiatrische Begründung, der ich durchaus zustimme und die ich nur ergänzen möchte durch eine philologische.

An jenem Abend der Königsberger Führerrede sagte mir ein Kollege, der Hitler wiederholt gesehen und gehört hatte, er sei davon überzeugt, daß der Mann in religiösem Irrsinn enden werde. Auch ich glaube, daß er sich wirklich für einen neuen deutschen Heiland zu halten bestrebt war, daß in ihm die Überspannung des Cäsarenwahns in ständigem Zwist mit Wahnideen des Verfolgtseins lag, wobei beide Krankheitszustände sich wechselseitig steigerten, und daß eben von solcher Krankheit her die Infektion auf den vom ersten Weltkrieg geschwächten und seelisch zerrütteten deutschen Volkskörper übergriff.
Doch weiter glaube ich unter dem Gesichtspunkt des Philologen, daß Hitlers schamlos offene Rhetorik gerade deshalb so ungeheure Wirkung tun mußte, weil sie mit der Virulenz einer erstmalig auftretenden Seuche auf eine bisher von ihr verschonte Sprache eindrang, weil sie im Kern so undeutsch war wie der den Faschisten nachgeahmte Gruß, wie die dem Faschismus nachgeahmte Uniform — das Schwarzhemd durch ein Braunhemd zu ersetzen, ist keine sehr originelle Erfindung —, wie der gesamte dekorative Schmuck der Massenveranstaltungen.
Aber soviel auch der Nationalsozialismus von den ihm vorangegangenen zehn Jahren Faschismus gelernt hat, so vieles an ihm Infektion durch fremde Bakterien ist: im letzten war oder wurde er doch eine spezifisch deutsche Krankheit, eine wuchernde Entartung deutschen Fleisches, und durch Rückvergiftung von Deutschland her ist der an sich gewiß verbrecherische, aber doch nicht ganz so bestialische Faschismus gleichzeitig mit dem Nazismus zugrunde gegangen.

IX

Fanatisch

Als Student ärgerte ich mich einmal über einen Anglisten, der nachzählte, wie oft bei Shakespeare getrommelt, gepfiffen und sonstige kriegerische Musik gemacht werde. Ich nannte das in meinem Unverstand trockene Pedanterie ... Und in meinen Tagebüchern der Hitlerzeit heißt es schon 1940: „Seminarthema: feststellen lassen, wie oft fanatisch und Fanatismus an offizieller Stelle gebraucht wird, wie oft auch in Publikationen, die unmittelbar nichts mit Politik zu tun haben, in neuen deutschen Romanen zum Beispiel oder in Übersetzungen aus fremden Sprachen." Drei Jahre später greife ich mit einem Unmöglich! darauf zurück: „Der Gebrauch ist Legion, fanatisch kommt so häufig vor ‚wie Töne im Saitenspiel, wie Sand am Meer'. Wichtiger aber als die Häufigkeit ist der Wertwandel des Wortes. Ich habe schon einmal in meinem *18ième* davon gesprochen, ich zitierte da eine so merkwürdige und wahrscheinlich von den wenigsten beachtete Rousseau-Stelle. Wenn nur das Manuskript überlebte..."
Es hat überlebt.
Fanatique und *fanatisme* sind Wörter, die von den französischen Aufklärern durchweg im äußersten Tadelssinn, und dies aus doppeltem Grund, angewandt werden. Ursprünglich — die Wurzel liegt in fanum, dem Heiligtum, dem Tempel — ist ein Fanatiker ein in religiöser Verzückung, in ekstatischen Krampfzuständen befindlicher Mensch. Da nun die Aufklärer gegen alles kämpfen, was zur Trübung oder Ausschaltung des Denkens führt, und da sie als Kirchenfeinde mit besonderer Erbitterung jeden religiösen Irrwahn befehden, so bedeutet ihrem Rationalismus der Fanatiker den eigentlichen Widerpart. Typus des *fanatique* ist ihnen Ravaillac, der eben aus religiösem Fanatismus den guten König Heinrich IV. ermordet. Wirft man von der Gegenseite her den Aufklärern ihrerseits Fanatismus vor, so bestreiten sie das, weil ja doch ihr eigenes Eifern nur ein mit den Mitteln der Vernunft geführter Kampf gegen die Feinde der Vernunft sei. Wohin das

Gedankengut der Aufklärung auch dringt, da überall wird mit dem Begriff des Fanatischen ein Gefühl der Abneigung, ein Tadel verbunden.
Wie alle anderen Aufklärer, die als „Philosophen" und „Enzyklopädisten" seine Parteigenossen waren, ehe er als Einzelgänger sie zu hassen begann, genauso gebraucht auch Rousseau fanatisch im pejorativen Sinn. Im Glaubensbekenntnis des savoyischen Vikars heißt es vom Auftreten Christi unter den jüdischen Eiferern: „Im Schoße des wütendsten Fanatismus erklang die Stimme der höchsten Weisheit." Aber gleich darauf, wenn der Vikar als Sprachrohr Jean-Jacques' gegen die Unduldsamkeit der Enzyklopädisten fast noch heftiger anrennt als gegen die kirchliche Intoleranz, steht in einer langen Anmerkung: „Bayle hat sehr wohl bewiesen, daß Fanatismus verderblicher wirkt als Gottlosigkeit, und das ist auch unbestreitbar; für sich behalten aber hat er eine nicht geringere Wahrheit: In all seiner Blutgier und Grausamkeit ist nämlich der Fanatismus eine große und starke Leidenschaft, die das Herz des Menschen erhebt, die ihn den Tod verachten läßt, die ihm mächtigen Schwung verleiht und die man nur besser lenken muß, um ihr die erhabensten Tugenden abzugewinnen; während auf der anderen Seite der Unglaube, und ganz allgemein das klügelnde Aufklärertum, zur Anklammerung an das Leben, zur Verweichlichung, zur Erniedrigung der Seelen führt, alle Leidenschaften an gemeine Privatinteressen, an verwerflichen Egoismus wendet und derart die wahren Grundlagen jeder Gesellschaft heimlich untergräbt."
Hier ist die völlige Umwertung des Fanatismus zur Tugend bereits gegeben. Aber bei allem Weltruhm Rousseaus blieb sie doch wirkungslos in dieser Anmerkung verborgen. Was in der Romantik auf Rousseau zurückging, war die Verherrlichung nicht des Fanatismus, sondern der Leidenschaft in jeglicher Form, für jegliche Sache. In Paris, in der Nähe des Louvre, steht ein zierlich-schönes kleines Monument: ein um die Ecke stürmender blutjunger Trommler. Er trommelt Alarm, er trommelt Begeisterung wach, er ist repräsentativ für die Begeisterung der Französischen Revolution und des auf sie folgenden Jahrhunderts. Die Zerrgestalt seines Bruders Fanatismus schritt erst 1932 durchs Brandenburger Tor. Bis dahin blieb das Fanatische trotz jenes heimlichen Lobes eine verpönte Eigenschaft, etwas, das zwischen Krankheit und

Verbrechen mitteninne stand.
Es gibt im Deutschen keinen vollwertigen Ersatz für dieses Wort, auch dann nicht, wenn man es aus der ursprünglichen Anwendung auf das Kultische allein befreit. Eifern ist ein harmloserer Ausdruck, man stellt sich unter einem Eiferer eher einen leidenschaftlichen Prediger vor als einen unmittelbaren Gewalttäter. Besessenheit bezeichnet mehr einen krankhaften und somit entschuldbaren oder bemitleidenswerten Zustand als ein gemeingefährliches Handeln aus diesem Zustand heraus. Schwärmer ist ungleich heller im Ton. Gewiß, dem um Klarheit ringenden Lessing ist schon das Schwärmen anrüchig. ,,Gib ihn nicht (schreibt er im Nathan) den Schwärmern deines Pöbels preis.“ Aber man frage sich einmal, ob in den abgegriffenen Zusammenstellungen ,,düsterer Fanatiker“ und ,,liebenswürdiger Schwärmer“ die Epitheta vertauschbar seien, ob sich also von einem düsteren Schwärmer und einem liebenswürdigen Fanatiker reden lasse. Das Sprachgefühl sträubt sich dagegen. Ein Schwärmer verbohrt sich nicht engstirnig, er löst sich vielmehr vom festen Boden, übersieht dessen reale Bedingungen und schwärmt zu irgendwelchen vorgestellten Himmelshöhen empor. Posa ist für den ergriffenen König Philipp ein ,,sonderbarer Schwärmer“.
So steht das Wort fanatisch im Deutschen unübersetzbar und unersetzbar da, und immer ist es als wertender Ausdruck mit starker Negation geladen, es bezeichnet eine bedrohliche und abstoßende Eigenschaft. Selbst wenn man gelegentlich im Nachruf auf einen Forscher oder Künstler die Floskel zu lesen bekommt, er sei ein Fanatiker seiner Wissenschaft oder Kunst gewesen, so schwingt doch in diesem Lobe immer die Feststellung eines stacheligen Fürsichseins, einer peinlichen Unnahbarkeit mit. Niemals vor dem Dritten Reich wäre es jemandem eingefallen, fanatisch als ein positives Wertwort zu gebrauchen. Und so ganz unauslöschlich haftet der negative Wert an diesem Wort, daß sogar die LTI selber es bisweilen negierend gebraucht. Hitler spricht im Kampfbuch wegwerfend von ,,Objektivitätsfanatikern“. In einem Werk, das in der Glanzzeit des Dritten Reiches erschien und dessen Stil eine unablässige Aneinanderreihung nazistischer Sprachklischees ist, in Erich Gritzbachs hymnischer Monographie: ,,Hermann Göring, Werk und Mensch“, heißt es von dem verhaßten Kommunismus, es habe sich gezeigt, wie diese Irr-

lehre die Menschen zu Fanatikern erziehen könne. Aber hier ist das nun schon eine fast komische Entgleisung, ein ganz unmöglicher Rückfall in den Sprachgebrauch früherer Zeiten, wie er denn freilich in vereinzelten Fällen sogar dem Meister der LTI widerfährt; ist doch bei Goebbels noch im Dezember 1944 (wohl in Anlehnung an die zitierte Hitlerstelle) die Rede von dem „wirrköpfigen Fanatismus einiger unbelehrbarer Deutscher".

Ich nenne derartiges einen komischen Rückfall; denn da der Nationalsozialismus auf Fanatismus gegründet ist und mit allen Mitteln die Erziehung zum Fanatismus betreibt, so ist fanatisch während der gesamten Ära des Dritten Reiches ein superlativisch anerkennendes Beiwort gewesen. Es bedeutet die Übersteigerung der Begriffe tapfer, hingebungsvoll, beharrlich, genauer: eine glorios verschmelzende Gesamtaussage all dieser Tugenden, und selbst der leiseste pejorative Nebensinn fiel im üblichen LTI-Gebrauch des Wortes fort. An Festtagen, an Hitlers Geburtstag etwa oder am Tag der Machtübernahme, gab es keinen Zeitungsartikel, keinen Glückwunsch, keinen Aufruf an irgendeinen Truppenteil oder irgendeine Organisation, die nicht ein „fanatisches Gelöbnis" oder „fanatisches Bekenntnis" enthielten, die nicht den „fanatischen Glauben" an die ewige Dauer des Hitlerreiches bezeugten. Und erst im Kriege, und nun gar als sich die Niederlagen nicht mehr vertuschen ließen! Je dunkler die Lage sich gestaltete, um so häufiger wurde der „fanatische Glaube an den Endsieg", an den Führer, an das Volk oder an den Fanatismus des Volkes als an eine deutsche Grundtugend ausgesagt. Der quantitative Höchstgebrauch in der Tagespresse wurde im Anschluß an das Attentat auf Hitler vom 20. Juli 1944 erreicht: in buchstäblich jedem der übervielen Treuegelöbnisse für den Führer steht das Wort.

Hand in Hand mit dieser Häufigkeit auf politischem Felde ging die Anwendung auf anderen Gebieten, bei Erzählern und im täglichen Gespräch. Wo man früher etwa leidenschaftlich gesagt oder geschrieben hatte, hieß es jetzt fanatisch. Damit trat notwendigerweise eine gewisse Erschlaffung, eine Art Entwürdigung des Begriffes ein. In der erwähnten Göring-Monographie wird der Reichsmarschall unter anderem auch als „fanatischer Tierfreund" gerühmt. (Jener tadelnde Nebensinn des fanatischen Künstlers fällt hier durchaus weg, da ja Göring

immer wieder als der zutunlichste und geselligste Mensch geschildert wird.)
Es fragt sich nur, ob mit der Erschlaffung auch eine Entgiftung des Wortes verbunden war. Man könnte das bejahen mit der Begründung, die Vokabel „fanatisch" sei nunmehr gedankenlos mit einem neuen Sinn erfüllt, sei eben die Bezeichnung eines erfreulichen Gemisches aus Tapferkeit und leidenschaftlicher Hingabe geworden. Aber dem ist nicht so. „Sprache, die für dich dichtet und denkt..." Gift, das du unbewußt eintrinkst und das seine Wirkung tut — man kann gar nicht oft genug darauf hinweisen.
Doch dem sprachlich führenden Kopf des Dritten Reiches, dem es um die volle Wirkung des aufpeitschenden Giftes zu tun war, ihm freilich mußte die Abnutzung des Wortes als eine innere Schwächung erscheinen. Und so wurde Goebbels zu dem Widersinn gedrängt, eine Steigerung über das nicht mehr zu Steigernde hinaus zu versuchen. Im „Reich" vom 13. November 1944 schrieb er, die Lage sei „nur durch einen wilden Fanatismus" zu retten. Als sei die Wildheit nicht der notwendige Zustand des Fanatikers, als könne es einen zahmen Fanatismus geben.
Die Stelle bezeichnet den Verfall des Wortes.
Vier Monate zuvor hatte es seinen höchsten Triumph gefeiert, war es gewissermaßen der höchsten Ehre teilhaftig geworden, die das Dritte Reich zu vergeben hatte, der militärischen. Es ist eine besondere Aufgabe, zu verfolgen, wie die überkommene Sachlichkeit und fast kokette Nüchternheit der offiziellen Heeressprache, vor allem der täglichen Kriegsbulletins, allmählich von den Geschwollenheiten des Goebbelsschen Propagandastils überspült wurde. Am 26. Juli 1944 wurde zum erstenmal im Heeresbericht das Adjektiv „fanatisch" im rühmenden Sinn auf deutsche Regimenter angewendet. Unsere in der Normandie „fanatisch kämpfenden Truppen". Nirgends ist der weltweite Abstand zwischen der militärischen Gesinnung des ersten und der des zweiten Weltkrieges so grausam deutlich wie hier.
Schon ein Jahr nach dem Zusammenbruch des Dritten Reiches läßt sich ein eigentümlich stichhaltiger Beweis dafür beibringen, daß „fanatisch", dieses Schlüsselwort des Nazismus, niemals durch das Übermaß der Anwendung wirklich entgiftet wurde. Denn während sich überall Brocken der LTI in der

Sprache der Gegenwart breitmachen, ist „fanatisch“ verschwunden. Daraus darf man mit Sicherheit schließen, daß eben doch im Volksbewußtsein oder -unterbewußtsein der wahre Sachverhalt all die zwölf Jahre lebendig geblieben ist: dies nämlich, daß ein umnebelter, der Krankheit und dem Verbrechen gleich nahestehender Geisteszustand durch zwölf Jahre als höchste Tugend betrachtet wurde.

X

Autochthone Dichtung

So fern mir auch in den furchtbaren Jahren die Dinge meiner Fachwissenschaft lagen, ein paarmal habe ich doch das geistvoll spöttische Gesicht Joseph Bédiers vor mir gesehen. Es gehört zum Beruf eines Literarhistorikers, den Quellen eines Motivs, einer Fabel, einer Legende nachzugehen, und manchmal wird aus diesem Berufszweig eine Berufskrankheit, eine Manie: Alles muß räumlich und zeitlich weither kommen — je weiter her, um so gelehrter ist der Forscher, der den fernen Ursprung konstatiert —, nichts darf ebendort wurzeln, wo man ihm gerade begegnet. Ich höre noch die Ironie in Bédiers Stimme, wenn er vom Katheder des *Collège de France* herab über den vermeintlich orientalischen oder den vermeintlich „druidischen" Ursprung eines komischen oder frommen Märchens oder irgendeines literarischen Einzelzuges sprach. Bédier wies immer darauf hin, wie gewisse Situationen und Eindrücke in den verschiedensten Zeiten und Zonen die gleichen Äußerungen hervorrufen können, weil sich in manchen Dingen die Gleichheit der menschlichen Natur über Zeit und Raum hinweg erweist.

Das erstemal, aber noch etwas von fern, wurde ich im Dezember 1936 an ihn erinnert. Es war während des Prozesses gegen den Mörder des nazistischen Auslandsagenten Gustloff. Ein vor bald hundert Jahren entstandenes französisches Trauerspiel, das lange Zeit weltberühmt war und in Deutschland häufig als Schullektüre verwandt wurde, dann aber (sehr zu Unrecht) in Mißachtung und Vergessenheit geriet, Ponsards *Charlotte Corday*, hat die Ermordung Marats zum Stoff. Die Attentäterin klingelt an seiner Haustür, sie ist fest entschlossen, den Mann, den sie für einen gewissenlosen Bluthund hält, den sie nur als Unmenschen außerhalb jeder menschlichen Bindung vor sich sieht, zu töten. Eine Frau öffnet ihr, und sie schrickt zurück: Gott im Himmel, er hat eine Frau, jemand liebt ihn — *grand Dieu, sa femme, on l'aime!* Dann aber hört sie ihn einen geliebten Namen als Opfer „für die Guillotine" nennen, und nun sticht sie zu. Als wenn er diese Szene unter genauester Beibehaltung des Wesentlichen und Entscheidenden ins Moderne transponierte, klang die Aussage des jüdischen Angeklagten Frankfurter vor dem Gericht in Chur. Er sei entschlossen gewesen, den Blutmenschen zu töten, Frau Gustloff habe ihm geöffnet, und er sei schwankend geworden — ein verheirateter Mann, *grand Dieu, on l'aime.* Da habe er Gustloff am Telephon sprechen hören: „Diese Schweinejuden!", und nun sei der Schuß gefallen ... Muß ich annehmen, daß Frankfurter die *Charlotte Corday* gelesen hat? Ich will lieber im nächsten Kolleg über Ponsard die Szene aus dem Prozeß in Chur als nachträglichen Beweis für die menschliche Echtheit dieses französischen Dramas anführen. —

Bédiers Betrachtungen bewegten sich weniger auf dem Gebiet der reinen Literatur als in der primitiveren Sphäre des Volkskundlichen, und eben hierhin gehören die anderen Fakta, die mich auf ihn zurückwiesen.

Im Herbst 1941, als von einem raschen Kriegsende keine Rede mehr sein konnte, hörte ich viel von Hitlers Wutanfällen erzählen. Erst waren es Wut-, bald danach Tobsuchtsanfälle, der Führer sollte in ein Taschentuch, in ein Kissen gebissen haben, dann hatte er sich auf den Boden geworfen und in den Teppich gebissen. Und dann — die Erzählungen stammten immer von kleinen Leuten, von Arbeitern, von Hausierern, von unvorsichtig zutraulichen Briefträgern —, dann hatte er „die Fransen seines Teppichs gefressen", pflegte sie zu fressen, trug den Namen „Teppichfresser". Ist es hier nötig, auf biblische Quellen, auf den grasfressenden Nebukadnezar zurückzugehen?

Man könnte das Epitheton „Teppichfresser" als Legendenkeim bezeichnen. Das Dritte Reich hat aber auch echte und völlig ausgewachsene Legenden hervorgebracht. Eine wurde uns kurz vor dem Ausbruch des Krieges, als Hitler auf der Höhe seiner Macht stand, aus sehr nüchternem Munde berichtet.

Noch besaßen wir das kleine Haus hoch über der Stadt, aber wir waren doch schon sehr isoliert und überwacht, es gehörte bereits einiger Mut dazu, sich bei uns sehen zu lassen. Ein Kaufmann von unten, der uns in besseren Zeiten beliefert hatte, hielt uns Treue, brachte allwöchentlich die nötigen Waren herauf und erzählte uns jedesmal, was er an Tröstlichem wußte und was er für geeignet hielt, unseren Mut zu heben. Er war kein Politiker, aber am Nationalsozialismus erbitterte ihn die offenkundige Mißwirtschaft, Ungerechtigkeit und Tyrannei. Dabei sah er alles unter dem Gesichtspunkt des Alltäglichen und des praktischen Verstandes; er war nicht sehr gebildet, er hatte keine weitgespannten Interessen, Philosophie war nicht, Religion schien nicht seine Sache. Weder vor noch nach dem hier zu berichtenden Fall habe ich ihn je von kirchlichen oder jenseitigen Dingen sprechen hören. Alles in allem war er ein kleinbürgerlicher Krämer, der sich von hunderttausend Standesgenossen nur dadurch unterschied, daß er sich von den verlogenen Phrasen der Regierung nicht betrunken machen ließ. Gewöhnlich unterhielt er uns mit irgendeinem aufgedeckten und wieder zugescharrten Skandal in der Partei, von einem betrügerischen Bankrott oder einem Stellenkauf durch Bestechung oder von einer unverschleierten Erpressung. Nach dem Selbstmord unseres unrettbar kompromittierten Ortsbürgermeisters — der Mann war erst zum Selbstmord gezwungen und dann ehrenvoll, fast mit einem Staatsakt *en miniature* beerdigt worden — bekamen wir von V. regelmäßig zu hören: „Warten Sie nur ab, Sie haben den Kalix überlebt. Sie werden auch Mutschmann und Adolf überleben!" Dieser nüchterne Mann also, übrigens ein Protestant, und also nicht etwa in seiner Kindheit mit Heiligen- und Märtyrergeschichten durchtränkt, erzählte uns das Folgende mit genau der gleichen selbstverständlichen Gläubigkeit, mit der er sonst von Kalix' kleinen und Mutschmanns großen Niederträchtigkeiten zu berichten pflegte.

Ein SS-Obersturmführer in Halle oder Jena — er machte genaue Angaben über Ort und Personen, ihm war alles „verbürgt" von „absolut glaubhafter Seite" mitgeteilt worden —, ein höherer SS-Offizier hatte seine Frau zur Entbindung in eine Privatklinik gebracht. Er sah sich ihr Zimmer an; über dem Bett hing ein Christusbild. „Nehmen Sie das Bild da herunter", verlangte er von der Schwester, „ich will nicht, daß mein Sohn als erstes einen Judenjungen sieht." Sie werde es der Frau Oberin sagen, wich die ängstliche Schwester aus, und der SS-Mann ging, nachdem er seinen Befehl wiederholt hatte. Schon am nächsten Morgen telefonierte ihm die Oberin: „Sie haben einen Sohn, Herr Obersturmführer, Ihrer Gattin geht es gut, auch das Kind ist kräftig. Nur ist Ihr Wunsch in

Erfüllung gegangen: das Kind ist blind zur Welt gekommen ..."
Wie oft in den Zeiten des Dritten Reiches ist auf die glaubensunfähige, skeptische Intelligenz des Juden gescholten worden! Aber auch der Jude hat seine Legende produziert und geglaubt. Ende 1943 nach dem ersten schweren Fliegerangriff auf Leipzig hörte ich wiederholt im Judenhaus erzählen: Im Jahre 1938 seien die Juden um 4 Uhr 15 nachts aus den Betten geholt worden, um ins KZ verschleppt zu werden. Und neulich beim Bombenangriff seien alle Stadtuhren genau um 4 Uhr 15 stehengeblieben.
Sieben Monate zuvor hatten sich Arier und Nichtarier gläubig im Legendarischen zusammengefunden. Die Babisnauer Pappel. Sie steht, merkwürdig isoliert, überragend und bedeutend, von merkwürdig vielen Punkten aus sichtbar, auf dem Höhenzug im Südosten der Stadt. Anfang Mai berichtete meine Frau das erstemal, in den Trambahnen habe sie schon wiederholt die Babisnauer Pappel nennen hören; sie wisse nicht, was es mit ihr auf sich habe. Ein paar Tage darauf hieß es auch bei mir in der Fabrik: Die Babisnauer Pappel! Ich fragte, weshalb man sie nenne. Ich bekam zur Antwort: weil sie blühe. Das kommt selten vor; 1918 sei es der Fall gewesen, und 1918 sei dann der Friede geschlossen worden. Sofort verbesserte eine Arbeiterin: Nicht nur 1918, ebenso sei es 1871 eingetreten. „Und in den anderen Kriegen des Jahrhunderts auch", setzte eine Vorarbeiterin hinzu, und der Hausdiener verallgemeinerte: „Immer wenn sie geblüht hat, ist Friede geschlossen worden."
Am nächsten Montag sagte Feder: „Das war gestern eine wahre Völkerwanderung zur Babisnauer Pappel hinaus. Sie blüht wirklich aufs prächtigste. Vielleicht wird doch Friede — ganz von der Hand zu weisen ist Volksglaube nie." Feder, der mit dem Judenstern und mit der Staubschutzkappe, die er aus seinem alten Richterbarett hergestellt hatte.

XI

Grenzverwischung

Daß es zwischen den Naturreichen keine festen Grenzen gibt, lernt seit langem schon der Volksschüler. Weniger allgemein verbreitet und anerkannt ist, daß auch auf dem Gebiet des Ästhetischen die sicheren Grenzen fehlen.

Man benutzt zur Gliederung der modernen Kunst und Literatur — dies ist die Reihenfolge, denn die Malerei hat angefangen, die Dichtung kam hinterher — das Begriffspaar Impressionismus-Expressionismus; die Begriffsschere muß hier ganz einwandfrei schneiden und trennen können, denn es handelt sich um absolute Gegensätze. Der Impressionist ist dem Eindruck der Dinge ausgeliefert, er gibt wieder, was er in sich aufgenommen hat: Er ist passiv, er läßt sich von seinem Erleben in jedem Augenblick beeinflussen, ist in jedem Augenblick ein anderer, er hat keinen festen, einheitlichen, dauernden Seelenkern, kein sich gleichbleibendes Ich. Der Expressionist geht von sich selber aus, er erkennt nicht die Macht der Dinge an, sondern drückt ihnen seinen Stempel, seinen Willen auf, drückt sich an ihnen, in ihnen aus, formt sie nach seinem Wesen: Er ist aktiv, und sein Handeln wird vom sicheren Selbstbewußtsein des unwandelbar dauernden Ichs gelenkt.

Schön und gut. Aber der Eindruckskünstler gibt absichtlich nicht das objektive Bild des Realen wieder, sondern nur das Was und Wie des von ihm Gesehenen; nicht den Baum mit allen seinen Blättern, nicht das einzelne Blatt in seiner bestimmten Form, nicht das an sich vorhandene Grün oder Gelb der Färbung, das an sich vorhandene Licht einer Tages- und Jahreszeit, eines Wetterzustandes, sondern die ineinanderfließende Blättermasse, die sein Auge erfaßt, und die Farbe, das Licht, die seiner augenblicklichen Gemütslage entsprechen, seine Stimmung also, die er von sich aus der Realität der Dinge aufzwingt. Wo steckt da die Passivität seines Verhaltens? Er ist im Ästhetischen genauso aktiv, er ist genauso Ausdruckskünstler wie sein Widerpart, der Expressionist. Der gegensätzliche Unterschied bleibt nur auf ethischem Gebiet bestehen: Der seiner selbst gewisse Expressionist schreibt sich und der Mitwelt feste Gesetze vor, kennt Verantwortlichkeit. Der schwankende, von Stunde zu Stunde sich ändernde Impressionist nimmt amoralisches Verhalten für eigene und fremde Verantwortungslosigkeit in Anspruch.

Doch auch hier ist Grenzverwischung unvermeidlich. Ausgehend vom Gefühl der Hilflosigkeit des einzelnen, gelangt der Impressionist zum sozialen Mitleid und zum aktiven Eintreten für bedrückte, für verirrte Geschöpfe, es ist da kein Unterschied zwischen einem Zola und den Brüdern Goncourt auf der impressionistischen, einem Toller und Unruh und Becher auf der expressionistischen Seite.

Nein, ich habe kein Zutrauen zu rein ästhetischen Betrachtungen auf den Gebieten der Geistes-, der Literatur-, der Kunst-, der Sprachgeschichte. Man muß von menschlichen Grundhaltungen ausgehen; die sinnlichen Ausdrucksmittel können bisweilen bei ganz konträren Zielen die gleichen sein.

Gerade auf den Expressionismus trifft das zu: Toller, den der Nationalsozialismus getötet hat, und Johst, der im Dritten Reich Akademiepräsident wurde, gehören beide zum Expressionismus.

Formen der Willensbetonung und des stürmischen Vorwärtsdrängens erbt die LTI von den Expressionisten oder teilt sie mit ihnen. „Die Aktion" und „Der Sturm" hießen die Zeitschriften der jungen, nur erst um Anerkennung ringenden Expressionisten. In Berlin saßen sie als linkester Flügel, als hungrigste Boheme der Künstlerschaft im Café Austria an der Potsdamer Brücke (auch in dem bekannteren und eleganteren Café des Westens, aber dort war man doch wohl schon arrivierter, dort gab es auch mehr „Richtungen"), in München im Café Stephanie. Das war in den Jahren vor dem ersten Weltkrieg. Im Austria warteten wir in der Wahlnacht 1912 auf die einlaufenden Pressetelegramme und jubelten, als der hundertste sozialdemokratische Sieg gemeldet wurde; wir glaubten, nun sei das Tor zu Freiheit und Frieden ganz weit und für immer offen...

Die Worte Aktion und Sturm wanderten um 1920 aus dem weibischen Café in das männliche Bräuhaus. Aktion gehörte von Anfang bis zum Schluß zu den unverdeutschten und unentbehrlichen Fremdwörtern der LTI, Aktion verband sich

mit den Erinnerungen an die heroische Frühzeit, mit dem Bilde des Stuhlbeinkämpfers; Sturm wurde zur militärisch-hierarchischen Gruppenbezeichnung: der hundertste Sturm, der Reitersturm der SS, wobei allerdings auch die Tendenz der Verteutschung und des Anknüpfens an die Tradition mitspielte.
Der verbreitetste Gebrauch der Bezeichnung Sturm ist zugleich der verborgenste, denn wem ist noch bewußt, oder war es in den Jahren der nazistischen Allmacht, daß SA: Sturmabteilung bedeutete?
SA und SS, die Schutzstaffel, also die Prätorianergarde, sind als Abbreviaturen so selbstherrlich geworden, daß sie nicht mehr abkürzende Vertretungen darstellen, sondern von sich aus eigene Wortbedeutung besitzen und ganz verdrängt haben, was sie vorher vertraten.
Nur notgedrungen schreibe ich hier das SS mit der gleitenden Kurvenlinie des normalen Schriftzeichens. In der Hitlerzeit gab es in den Setzkästen und auf der Tastatur amtlich gebrauchter Schreibmaschinen die besondere scharfeckige SS-Type. Sie entsprach der germanischen Siegrune und war im Erinnern hieran geschaffen worden. Aber darüber hinaus hatte sie auch Beziehungen zum Expressionismus.
Zu den Soldatenausdrücken des ersten Weltkrieges gehörte das Adjektiv zackig. Zackig ist ein straff militärischer Gruß, zackig kann ein Befehl, kann eine Ansprache gehalten sein, zackig ist, was einen zusammengerafften, einen disziplinierten Energieaufwand ausdrückt. Es bezeichnet eine Form, die der expressionistischen Malerei und der expressionistischen Dichtersprache wesentlich ist. Bestimmt war die Vorstellung „zackig" das erste, was in einem philologisch unbelasteten Kopf beim Anblick des nazistischen SS auftauchte. Und noch ein anderes kam hinzu.
Lange bevor es die nazistische SS gab, sah man ihr Zeichen in roter Farbe an Umspannhäuschen, und darunter stand die Warnung: „Achtung, Hochspannung!" Hier war das zackige S offenbar das stilisierte Bild des Blitzes. Des Blitzes, der in seiner Energiespeicherung und Schnelligkeit dem Nazismus ein so liebes Symbol ist! Also dürfte das Schriftzeichen SS auch eine unmittelbare Verkörperung, ein malerischer Ausdruck des Blitzes sein. Wobei die Doppellinie auf verstärkte Kraft deuten mag, denn auf den schwarzen Fähnchen der Kin-

derformationen gab es nur einen Zackenblitz, sozusagen ein halbes SS.
Häufig wirken, dem Formenden unbewußt, mehrere Gründe für eine Formung zusammen, und so scheint es mir auch hier zu sein: SS ist beides, Bild und abstraktes Schriftzeichen, ist Grenzüberschreitung nach der Seite des Malerischen hin, ist Bildschrift, ist Rückkehr zur Sinnlichkeit der Hieroglyphen.
Wer aber solch grenzverwischendes Ausdrucksmittel in der Moderne zuerst anwendet, das sind die entschiedensten Antipoden der selbstgewissen Expressionisten und Nationalsozialisten, das sind die Zweifler, die Zersetzer des Ichs und der Moral, die Dekadenten. Guillaume Apollinaire, in Rom geborener Pole und glühender Wahlfranzose, Dichter und literarischer Experimentator, malt durch Anordnung der Buchstaben: Die Worte des Satzes „eine angezündete Zigarre, deren Rauch aufsteigt" *(un cigare allumé qui fume)* sind so gedruckt, daß sich die Kurve des aufsteigenden Rauches, aus den entsprechenden Buchstaben gebildet, an die gerade Linie des Wortes Zigarre anschließt.
Innerhalb der LTI bedeutet mir die zackige Sonderform des SS das Bindeglied zwischen der Bildsprache des Plakats und der Sprache im engeren Sinn. Es gibt noch ein anderes Bindeglied derselben Art: das ist die ebenfalls zackig gezeichnete aufrechte und zu Boden gekehrte Fackel, die Rune des Blühens und Welkens. Als Sinnbild des Vergehens diente sie nur an Stelle des christlichen Kreuzes bei Todesanzeigen, während sie, aufwärts gerichtet, nicht bloß den Stern der Geburtsanzeige ersetzte, sondern auch im Stempel der Apotheker und der Brotbäcker Verwendung fand. Man sollte annehmen, daß diese zwei Runen sich genauso eingebürgert hätten wie das SS-Zeichen, da sie ja ebenfalls durch die beiden Tendenzen zu Sinnlichkeit und Teutschtum gefördert wurden. Das ist aber durchaus nicht der Fall.
Ich habe mir einige Male, jeweils ein paar Wochen lang, statistische Notizen darüber gemacht, in welchem Verhältnis die Verwendung der Runenzeichen zu der von Stern und Kreuz stand. Ich sah regelmäßig (obwohl wir sie nicht halten und nicht im Zimmer haben durften, aber von irgendwoher drang sie doch immer ins Judenhaus) eine der neutralen Dresdener Zeitungen — neutral, soweit das ein Blatt sein konnte, neutral also nur im Vergleich zu einer ausgesprochenen Partei-

zeitung —, und ich sah ziemlich oft den „Freiheitskampf", das Dresdener Parteiblatt, dazu die „DAZ", die ein etwas höheres Niveau behaupten mußte, da sie, besonders nach dem Verstummen der „Frankfurter Zeitung", vor dem Ausland zu repräsentieren hatte. Es war zu berücksichtigen, daß die Runen in dem eigentlichen Parteiblatt häufiger auftreten würden als in den anderen Zeitungen, es war auch zu berücksichtigen, daß die „DAZ" häufig den spezifisch christlichen Kreisen als Anzeigenblatt diente. Dennoch war das Runenplus des „Freiheitskampfes" den anderen Blättern gegenüber kein sonderlich großes. Das Höchstmaß der Runen wurde wohl nach den ersten schweren Niederlagen, insbesondere nach Stalingrad, erreicht, denn damals übte die Partei einen erhöhten Druck auf die öffentliche Meinung aus. Aber auch damals betrug bei etwa zwei Dutzend täglicher Gefallenenanzeigen die Zahl der mit den Runen beschrifteten höchstens die Hälfte, sehr oft kaum ein Drittel. Dabei fiel es mir immer wieder auf, daß häufig gerade Anzeigen, die sich im übrigen am nazistischsten gebärdeten, an Stern und Kreuz festhielten. Bei den Geburtsanzeigen lag es ähnlich: kaum die Hälfte, oft sehr viel weniger, trugen die Rune, und die nazistischsten — denn es gab für die Familienanzeigen eine ganze LTI-Stilistik —, gerade sie ließen die Runen häufig vermissen. Der Grund für dieses Nichtdurchdringen, Nichtaufgefaßtwerden der positiven und negativen Lebensrune, wo doch das SS-Bild sich restlos durchsetzte, ist ohne weiteres anzugeben. SS war eine durchaus neue Bezeichnung für eine durchaus neue Institution, SS hatte nichts zu verdrängen. Für Geburt und Tod dagegen, für diese ältesten und unwandelbarsten Institutionen der Menschheit, bilden Stern und Kreuz seit bald zwei Jahrtausenden die Zeichen. So waren sie zu tief in die Vorstellung des Volkes eingewachsen, als daß sie völlig hätten entwurzelt werden können. —

Aber wenn sie nun doch durchgedrungen und während der Hitlerzeit alleinherrschend gewesen wären, diese Lebensrunen — wäre ich um die Begründung des Faktums in Verlegenheit gewesen? Bestimmt keinen Augenblick! Sondern auch dann hätte ich leichthin und mit ebenso gutem Gewissen wie vorhin geschrieben, es sei ohne weiteres einzusehen, daß dies so kommen mußte. Denn die Gesamttendenz der LTI strebe nach Versinnlichung, und wenn sich das Versinnlichen durch An-

 Symbolism

lehnung an germanische Tradition, durch ein Runenzeichen gewinnen lasse, so sei es doppelt willkommen. Und als zackiges Schriftbild gehöre die Lebensrune zum SS-Bild, und als weltanschauliches Symbol zu den Speichen des Sonnenrades, zum Hakenkreuz. Und also sei es aus dem Zusammenwirken all dieser Gründe die selbstverständlichste Sache der Welt, daß die Lebensrunen Kreuz und Stern gänzlich verdrängen mußten.
Wenn ich aber von dem Nichteingetretenen mit gleich guten Gründen aussagen kann, daß es hätte eintreffen müssen, wie von dem tatsächlich Eingetretenen — was habe ich dann wirklich begründet und seines Geheimnisses entkleidet? Grenzverwischung, Unsicherheit, Schwanken und Zweifel auch hier. Position Montaignes: *Que sais-je,* was weiß ich? Position Renans: das Fragezeichen — wichtigstes aller Satzzeichen. Position des äußersten Gegensatzes zur nazistischen Sturheit und Selbstgewißheit.
Zwischen beiden Extremen schwingt das Pendel der Menschheit und sucht die Mittellage. Es ist vor Hitler und während der Hitlerzeit bis zum Überdruß behauptet worden, daß aller Fortschritt den Sturen zu verdanken sei, daß alle Hemmungen einzig von den Parteigängern des Fragezeichens herrühre. Ganz gewiß ist das nicht, aber ganz gewiß ist ein anderes: Blut klebt immer nur an den Händen der Sturen.

XII

Interpunktion

Bei einzelnen und bei Gruppen läßt sich bisweilen eine gewisse charakteristische Vorliebe für dies oder jenes Interpunktionszeichen beobachten. Gelehrte lieben das Semikolon; ihr logisches Bedürfnis verlangt nach einem Trennzeichen, das entschiedener als das Komma und doch nicht ganz so absolut abgrenzt wie der Punkt. Der Skeptiker Renan erklärt, man könne das Fragezeichen niemals zu oft anwenden. Der Sturm und Drang hat einen ungemeinen Bedarf an Ausrufezeichen. Der frühe Naturalismus in Deutschland bedient sich gern der Gedankenstriche: Die Sätze, die Gedankenreihen sind nicht mit sorgfältiger Schreibtischlogik durchgeführt, sondern reißen ab, deuten an, bleiben unvollständig, haben ein flüchtiges, springendes, assoziatives Wesen, wie das dem Zustand ihres Entstehens, wie es einem inneren Monolog und auch einem erregten Gespräch, insbesondere zwischen denkungewohnten Menschen, entspricht.
Man sollte annehmen, daß die LTI, da sie doch im Kern rhetorisch ist und sich immer wieder an das Gefühl wendet, ähnlich wie der Sturm und Drang dem Ausrufezeichen ergeben sein müßte. Das ist kaum auffällig; im Gegenteil, sie scheint mir ziemlich sparsam mit diesem Zeichen umzugehen. Es ist, als forme sie alles mit solcher Selbstverständlichkeit zu Anruf und Ausruf, daß sie dafür gar kein besonderes Interpunktionszeichen nötig habe – denn wo sind die schlichten Aussagen, von denen sich der Ausruf abheben müßte?
Dagegen bedient sich die LTI bis zum Überdruß dessen, was ich die ironischen Anführungszeichen nennen möchte.
Das einfache und primäre Anführungszeichen bedeutet nichts anderes als die wörtliche Wiedergabe dessen, was ein anderer gesagt oder geschrieben hat. Das ironische Anführungszeichen beschränkt sich nicht auf solch neutrales Zitieren, sondern setzt Zweifel in die Wahrheit des Zitierten, erklärt von sich aus den mitgeteilten Ausspruch für Lüge. Indem das im Reden durch einen bloßen Zusatz von Hohn in der Stimme des

Sprechers zum Ausdruck kommt, ist das ironische Anführungszeichen aufs engste mit dem rhetorischen Charakter der LTI verbunden.
Erfunden worden ist es keineswegs von ihr. Als sich im ersten Weltkrieg die Deutschen ihrer überlegenen Kultur rühmten und auf die westliche Zivilisation herabsahen wie auf eine minderwertige und nur äußerliche Errungenschaft, ließen die Franzosen beim Erwähnen der ‚*culture allemande*‘ niemals die ironischen Gänsefüßchen fehlen, und wahrscheinlich hat es eine ironische Anwendung der Anführungszeichen neben ihrem neutralen Gebrauch gleich nach der Einführung dieses Zeichens gegeben.
Aber in der LTI überwiegt der ironische Gebrauch den neutralen um das Vielfache. Weil eben Neutralität ihr zuwider ist, weil sie immer einen Gegner haben, immer den Gegner herabzerren muß. Wenn die spanischen Revolutionäre einen Sieg erfechten, wenn sie Offiziere, wenn sie einen Generalstab haben, so sind es unweigerlich „rote ‚Siege‘“, „rote ‚Offiziere‘“, ein „roter ‚Generalstab‘“. Dasselbe ist später mit der russischen „‚Strategie‘“ der Fall, dasselbe mit dem „‚Marschall‘ Tito“ der Jugoslawen. Chamberlain und Churchill und Roosevelt sind immer nur ‚Staatsmänner‘ in ironischen Anführungszeichen, Einstein ist ein ‚Forscher‘, Rathenau ein ‚Deutscher‘ und Heine ein „‚deutscher‘ Dichter“. Es gibt keinen Zeitungsartikel, keinen Abdruck einer Rede, die nicht von solchen ironischen Anführungszeichen wimmelten, und auch in ruhiger gehaltenen ausführlichen Studien fehlen sie nicht. Sie gehören zur gedruckten LTI wie zum Tonfall Hitlers und Goebbels', sie sind ihr eingeboren.
Als Primaner mußte ich im Jahr 1900 einen Aufsatz über Denkmäler schreiben. Ein Satz darin hieß: „Nach dem Siebziger Krieg gab es fast auf jedem deutschen Marktplatz eine siegreiche Germania mit Fahne und Schwert; dafür könnte ich hundert Beispiele anführen.“ Mein skeptischer Lehrer setzt mit roter Tinte an den Rand: „Ein Dutzend Beispiele bis zur nächsten Stunde beibringen!“ Ich fand nur neun und war ein für allemal davon geheilt, den Mund mit Zahlen zu voll zu nehmen. Trotzdem, und obschon ich in meinen LTI-Betrachtungen gerade über den Zahlenmißbrauch allerhand zu sagen habe, könnte ich im Punkte der ironischen Anführungsstriche mit ruhigem Gewissen schreiben: „Dafür ließen sich tausend

Beispiele anführen.“ Eines von diesen sonst sehr gleichförmigen tausend lautet: „Man unterscheidet zwischen deutschen Katzen und ‚Edel‘katzen.“

XIII

Namen

Es gab einen alten Gymnasialwitz, der sich von Generation zu Generation forterbte; jetzt, da nur noch in den wenigsten Mittelschulen Griechisch gelehrt wird, dürfte er ausgestorben sein. Der Witz hieß: Wie ist das deutsche Wort Fuchs aus dem gleichbedeutenden griechischen alopex (ἀλώπηξ) entstanden? In dieser Entwicklungsreihe: alopex, lopex, pex, pix, pax, pucks, Fuchs. Daran hatte ich seit meiner Matura, seit einigen dreißig Jahren, nicht mehr gedacht. Am 13. Januar 1934 aber tauchte das plötzlich mit solcher Frische aus der Vergessenheit, als hätte ich es tags zuvor das letztemal zitiert. Das geschah beim Lesen des Semesterrundschreibens Nr. 72. Magnifizenz teilte darin mit, daß unser Kollege, der a. o. Professor und nationalsozialistische Stadtverordnete Israel, „mit Erlaubnis des Ministeriums" den alten Namen seiner Familie wieder angenommen habe. „Sie hieß im 16. Jahrhundert Oesterhelt, und das ist in der Lausitz über Uesterhelt, Isterhal (auch Isterheil und Osterheil), Istrael, Isserel u. a. durch Verstümmelung zu Israel entwickelt worden."

Damit war ich zum erstenmal auf das Namenkapitel der LTI hingewiesen. Sooft ich später an dem neuglänzenden Namenschild Oesterhelt vorüberging — es war an irgendeinem Gartentor des Schweizer Viertels angebracht —, machte ich mir Vorwürfe, auch dieses Sonderkapitel wieder vor allem *sub specie Judaeorum* anzusehen. Es erschöpfte sich ja keineswegs in den jüdischen Dingen allein, es ist auch kein Kapitel, das allein der LTI angehört.

In jeder Revolution, ob sie nun Politisches und Soziales betrifft oder die Kunst oder die Literatur, sind immer zwei Tendenzen wirksam: einmal der Wille zum völlig Neuen, wobei der Gegensatz zu dem bisher Gültigen schroff betont wird, sodann aber auch das Bedürfnis nach Anknüpfung, nach rechtfertigender Tradition. Man ist nicht absolut neu, man kehrt zurück zu dem, wogegen die abzulösende Epoche gesündigt hat, zurück zur Menschheit oder zur Nation oder zur Sittlich-

keit oder zum wahren Wesen der Kunst usw. usw. Beide Tendenzen zeigen sich deutlich in Namengebungen und Umbenennungen.
Daß man den gesamten Ruf- und Familiennamen eines Vorkämpfers des neuen Zustandes zum Vornamen eines neugeborenen Kindes oder einer neu zu benennenden Person macht, ist wohl im wesentlichen auf Amerika und auf das schwarze Amerika beschränkt. Die große englische Revolution bekennt sich zum Puritanismus und schwelgt in alttestamentlichen Namen, die sie gern durch einen Bibelspruch verstärkt (Josua — lobe den Herrn, meine Seele). Die Große Französische Revolution sucht ihre Idealgestalten im klassischen, insbesondere römischen Altertum, und jeder Volkstribun legt sich und seinen Kindern ciceronianische und taciteische Namen zu. Und ganz so betont ein guter Nationalsozialist seine Bluts- und Seelenverwandtschaft mit den Germanen, mit den Menschen und Göttern des Nordens. Die Wagnermode und ein längst vorhandener Nationalismus haben vorgearbeitet, die Horst, Sieglinde usw. sind bei Hitlers Auftauchen schon reichlich vorhanden; neben dem Wagnerkult und nach ihm, und vielleicht stärker als er, hat dabei gewiß auch die Jugendbewegung, das Singen der Wandervögel mitgewirkt.
Aber das Dritte Reich macht beinahe zu Pflicht und Uniform, was bisher Mode oder Gepflogenheit neben anderen Gepflogenheiten war. Wenn sich der Führer der nazistischen Jugend Baldur nennt, wie sollte man da zurückbleiben? Noch 1944 finde ich in einer Dresdener Zeitung unter neun Geburtsanzeigen sechs mit nachdrücklich germanischen Namen: Dieter, Detlev, Uwe, Margit, Ingrid, Uta. Doppelnamen, durch Bindestrich aneinandergekettet, sind in ihrer Volltönigkeit, ihrem zweifachen Bekennen, ihrem rhetorischen Charakter also (und damit denn in ihrer Zugehörigkeit zur LTI), höchst beliebt: Bernd-Dietmar, Bernd-Walter, Dietmar-Gerhard ... Charakteristisch für die LTI ist auch die häufige Anzeigenform: Klein Karin, Klein Harald; man mischt zum Heroischen des Balladennamens ein bißchen süßes Gefühl, das gibt einen herrlichen Ködergeschmack.
Ist es eine starke Übertreibung, wenn ich von Uniformierung rede? Vielleicht insofern nicht, als eine Reihe eingebürgerter Vornamen teils anrüchig geworden, teils geradezu verboten ist. Sehr ungern gesehen sind christliche Vornamen; sie bringen

ihren Träger leicht in den Verdacht, der Opposition anzugehören. Kurz vor der Dresdener Katastrophe fiel eine Nummer des „Illustrierten Beobachters", ich glaube vom 5. Februar 1945, als Einwickelpapier in meine Hände. Darin stand ein erstaunlicher Artikel: „Heidrun". Erstaunlich in dieser offiziellst nazistischen Zeitung (der Beilage des „Völkischen Beobachters").
Ein paarmal im Laufe dieser Jahre bin ich an eine merkwürdige Grillparzerszene erinnert worden. „Der Traum ein Leben", letzter Akt. Der junge Held ist unrettbar in blutige Schuld verstrickt, die Sühne unausbleiblich. Da hört man eine Uhr, und er murmelt: „Horch!, es schlägt! Drei Uhr vor Tage / Kurze Zeit, so ist's vorüber." Er ist auf einen Augenblick halb erwacht, er ahnt, daß ihn nur ein Traum, ein erzieherischer, nur eine unverwirklichte Möglichkeit seines Ichs gequält hat. „Truggestalten, Nachtgebilde; / Krankenwahnwitz, willst du lieber, / Und wir sehen's, weil im Fieber."
Ein paarmal, aber nie lichter als in diesem späten Heidrunartikel, klingt das „Drei Uhr vor Tage", das halbe Bewußtsein ihres Verschuldens, aus Veröffentlichungen der Hitleranhänger; nur als sie, viel zu spät, erwachten, da war ihr Krankenwahnwitz nicht als Spuk verflogen; sie hatten wirklich gemordet ... In dem Heidrunartikel also verspottet der Autor seine Pgs gleich auf doppelte Weise. Wenn Eltern, schreibt er, vor ihrem Austritt aus der Kirche (wie er ja für SS-Leute und ganz orthodoxe Nazisten notwendig war), wenn sie, in einer undeutscheren Phase ihres Lebens also, den Fehler begangen hatten, ihre Erstgeborene Christa zu taufen, so suchten sie später das arme Geschöpf wenigstens mit Hilfe der Rechtschreibung einigermaßen zu entlasten, indem sie es dazu anhielten, seinen halborientalischen Namen mit deutschem Anfang „Krista" zu schreiben. Und zur vollen Sühne wurde dann die zweite Tochter gut germanisch und heidnisch „Heidrun" genannt, worin Müller und Schulze eine Germanisierung von Erika vermuteten. In Wahrheit aber sei Heidrun die „Himmelsziege" der Edda, die Met in den Eutern trage und begehrlich hinter dem Bock herrenne. Ein recht unpassender nordischer Name somit für ein junges Mädchen ... Ob die Warnung des Artikels noch irgendein Kind bewahrt hat? Er ist spät erschienen, kein Vierteljahr vor dem Zusammenbruch. Im Suchdienst des Radios bin ich erst vor wenigen

Tagen einer schlesischen Heidrun begegnet...
Während Christa und ihresgleichen bei aller Anrüchigkeit immerhin in das Standesamtsregister gelangen, sind die dem Alten Testament entnommenen Namen verboten: kein deutsches Kind darf Lea oder Sara heißen; kommt einmal ein weltfremder Pfarrer darauf, einen solchen Namen anzumelden, so verweigert der Standesbeamte die Eintragung, und die Beschwerde des Pfarrers wird höheren Orts entrüstet zurückgewiesen.
Man suchte den deutschen Volksgenossen weitgehend vor derartigen Namen zu schützen. Im September 1940 sah ich an den Litfaßsäulen die Anzeige einer Kirche: „Held eines Volkes; Oratorium von Händel." Darunter stand, ängstlich klein gedruckt und in Klammern: „Judas Makkabaeus; neugestalteter Druck." Etwa um dieselbe Zeit las ich einen kulturhistorischen Roman, der aus dem Englischen übersetzt war: *The Chronicle of Aaron Kane.* Der Verlag Rütten & Loening, derselbe, bei dem die große Beaumarchais-Biographie des Wiener Juden Anton Bettelheim erschienen ist! — der Verlag entschuldigte sich auf der ersten Seite, die biblischen Namen der Personen entsprächen ihrem Puritanismus und der Zeit- und Landessitte, weswegen sie also nicht geändert werden könnten. Ein anderer englischer Roman — ich weiß den Autor nicht mehr — hieß im Deutschen: „Geliebte Söhne." Der auf der Innenseite in winziger Schrift angegebene Originaltitel lautet: „O Absalom!" Im Physikkolleg mußte der Name Einstein verschwiegen, durfte auch die Maßeinheit „ein Hertz" nicht mit diesem jüdischen Namen bezeichnet werden.
Weil man aber den deutschen Volksgenossen nicht nur vor den jüdischen Namen beschützen will, sondern noch viel mehr vor jeder Berührung mit den Juden selber, so werden diese aufs sorgfältigste abgesondert. Und eines der wesentlichsten Mittel solcher Absonderungen besteht in der Kenntlichmachung durch den Namen. Wer nicht einen unverkennbar hebräischen und gar nicht im Deutschen eingebürgerten Namen trägt, wie etwa Baruch oder Recha, der hat seinem Vornamen ein „Israel" oder „Sara" beizufügen. Er hat das seinem Standesamt und seiner Bank mitzuteilen, er darf es bei keiner Unterschrift vergessen, er hat alle seine Geschäftsfreunde darauf hinzuweisen, daß sie ihrerseits es nicht vergessen, wenn sie Post

an ihn richten. Wenn er nicht gerade mit einer arischen Frau verheiratet ist und Kinder von ihr hat — die arische Frau allein hilft ihm nichts —, muß er den gelben Judenstern tragen. Das Wort „Jude“ darin, dessen Buchstaben der hebräischen Schrift angeähnelt sind, wirkt wie ein an der Brust getragener Vorname. An der Korridortür klebte unser Name doppelt, über dem meinen der Judenstern, unter dem meiner Frau das Wort „arisch“. Auf meinen Lebensmittelkarten stand erst ein einzelnes J, später wurde das Wort „Jude“ schräg über die Karte gedruckt, zuletzt stand auf jedem winzigen Abschnitt jedesmal das volle Wort „Jude“, etliche sechzigmal auf ein und derselben Karte. Wenn von mir amtlich die Rede ist, heißt es immer „der Jude Klemperer“; wenn ich mich auf der Gestapo zu melden habe, setzt es Püffe, falls ich nicht „zackig“ genug melde: „Hier ist der Jude Klemperer.“ Man kann die Verächtlichmachung noch steigern, indem man mit Hilfe des Apostrophs an die Stelle der Aussageform die des herrischen Anrufs setzt: von meinem beizeiten nach Los Angeles emigrierten Musikervetter las ich eines Tages in der Zeitung: „Jud' Klemperer aus dem Irrenhaus entsprungen und wieder eingefangen.“ Wenn die verhaßten „Kremljuden“ Trotzki und Litwinow genannt werden, heißen sie immer Trotzki-Braunstein und Litwinow-Finkelstein. Wenn Laguardia, der verhaßte Bürgermeister von New York, genannt wird, heißt es immer: „der Jude Laguardia“ oder mindestens „der Halbjude Laguardia“.

Und wenn es einem jüdischen Ehepaar trotz aller Bedrängnis dennoch einfallen sollte, ein Kind in die Welt zu setzen, so dürfen sie ihrem Wurf — ich höre noch, wie der Spucker eine feine alte Dame anbrüllte: „Dein Wurf ist uns entkommen, du Judensau, dafür wollen wir dich fertigmachen!“, und sie machten sie dann auch fertig, am nächsten Morgen ist sie aus ihrem Veronalschlaf nicht mehr aufgewacht —, so dürfen die Eltern ihrer Nachkommenschaft keinen irreführenden deutschen Vornamen geben; die nationalsozialistische Regierung stellt ihnen eine ganze Reihe jüdischer Vornamen zur Auswahl. Seltsam sehen sie aus, die wenigsten unter ihnen haben die volle Würde des Alttestamentlichen.

In seinen Studien aus „Halbasien“ erzählt Karl Emil Franzos, wie die galizischen Juden im 18. Jahrhundert zu ihren Namen gekommen sind. Es war eine Maßnahme Josephs II. im Sinne der Aufklärung und Humanität; aber viele Juden sträubten sich aus orthodoxer Abneigung, und höhnische Subalternbeamte zwangen dann den Widerspenstigen lächerlich machende und peinliche Familiennamen auf. Der Hohn, der damals gegen die Absicht des Gesetzgebers wirksam wurde, ist von der nazistischen Regierung absichtlich in Rechnung gestellt worden; sie wollte die Juden nicht bloß absondern, sondern auch „diffamieren".

Als Mittel hierfür bot sich ihr der Jargon dar, der den Deutschen seinen Wortformen nach als eine Verzerrung der deutschen Sprache erscheint und der ihnen rauh und häßlich klingt. Daß sich gerade im Jargon die durch Jahrhunderte bewahrte Anhänglichkeit der Juden an Deutschland ausdrückt und daß ihre Aussprache sich weitgehend mit der eines Walter von der Vogelweide und Wolfram von Eschenbach deckt, das weiß natürlich nur der Germanist von Metier, und ich möchte den Professor der Germanistik kennen, der während der Nazizeit in seinem Seminar darauf aufmerksam gemacht hätte! So also kamen auf die Liste der den Juden überlassenen Vornamen die dem deutschen Ohr teils peinlich, teils lächerlich tönenden jiddischen Koseformen, die Vögele, Mendele usw.

Im letzten Judenhaus, das wir bewohnt haben, las ich jeden Tag ein charakteristisches Türschild, auf dem sich nebeneinander Vater und Sohn anzeigten: Baruch Levin und Horst Levin. Der Vater brauchte das Israel nicht hinzuzusetzen — Baruch allein war jüdisch genug, das stammte noch aus polnischem und orthodoxem Judengebiet. Der Sohn wiederum durfte das Israel deshalb beiseite lassen, weil er Mischling war, weil es seinen Vater derart zum Deutschtum hinübergezogen hatte, daß er eine Mischehe eingegangen war. Es hat eine ganze jüdische Horstgeneration gegeben, deren Eltern sich im Betonen und Überbetonen ihres fast schon Teutschtums nicht hatten genugtun können. Diese Horstgeneration hat weniger unter den Nazis gelitten als ihre Eltern — ich meine natürlich seelisch gelitten, denn vor dem KZ und dem Gasofen gab es keinen Generationsunterschied, Jude war Jude. Aber die Baruchs haben sich aus dem Land ihrer Liebe ausgetrieben gefühlt. Während die Horsts — es gab zahlreiche Horsts und Siegfrieds, die als Volljuden das Israel zusetzen mußten —, während diese Jüngeren dem Deutschtum gleichgültig und zu einem beträchtlichen Teil geradezu feindselig gegenüberstanden.

Sie waren in der gleichen Atmosphäre der pervertierten Romantik aufgewachsen wie die Nazis, sie waren Zionisten...
Nun bin ich doch wieder in die Betrachtung jüdischer Dinge gedrängt worden. Ist es meine Schuld oder die des Themas? Es muß doch auch nichtjüdische Seiten haben. Es hat sie auch.
Der Wille zur Tradition in der Namengebung griff selbst auf Zeitgenossen über, die dem Nazismus im übrigen fernstanden. Ein Oberstudiendirektor, der lieber in Pension ging, als daß er sich der Partei anschloß, erzählte mir gern von den frühen Heldentaten seines kleinen Enkels Isbrand Wilderich. Ich fragte, wie der Junge zu seinem Namen gekommen sei. Die Antwort lautete wörtlich: „So hieß ein Mann unserer aus Holland stammenden Sippe im siebzehnten Jahrhundert."
Durch den bloßen Gebrauch des Wortes Sippe machte der Rektor, den frommer Katholizismus gegen hitlerische Verführung schützte, seine nazistische Infektion deutlich. Sippe, ein neutrales Wort der älteren Sprache für Verwandtschaft, für Familie im weiteren Sinn, danach zum Pejorativ herabsinkend wie August, hebt sich zu feierlicher Würde, Sippenforschung wird Ehrenpflicht jedes Volksgenossen.
Die Tradition wird dagegen rücksichtslos beiseite geschoben, wo sie dem nationalen Prinzip feindlich gegenübersteht. Hierbei kommt eine typisch deutsche Eigenschaft ins Spiel, die man oft als Pedanterie verspottet hat, die Gründlichkeit. Ein großer Teil Deutschlands ist von Slawen besiedelt worden, und die Ortsnamen entsprechen dieser historischen Gegebenheit. Dem nationalen Prinzip des Dritten Reiches und seinem Rassenstolz aber widerstrebt es, andere als germanische Ortsnamen zu dulden. So wird die Landkarte bis ins kleinste gesäubert. Aus einem Artikel der „Dresdener Zeitung" vom 15. November 1942: „Deutsche Ortsnamen im Osten", notierte ich mir: Es wurde in Mecklenburg bei vielen Dörfern der Zusatz „Wendisch" gestrichen, es wurden in Pommern 120, im Brandenburgischen rund 175 slawische Ortsnamen verdeutscht, insbesondere germanisierte man die Spreewaldnester. In Schlesien brachte man es auf ganze 2700 verdeutschende Änderungen, und im Regierungsbezirk Gumbinnen, wo vor allem die „niederrassigen" litauischen Endungen anstößig wirkten, und wo man zum Exempel Berninglauken zu Berningen „aufnordete", im Bezirk Gumbinnen wurden von

insgesamt 1851 Gemeinden volle 1146 umbenannt.
Der Wille zur Tradition wiederum tritt hervor, wo er sich bei Straßenbenennungen deutschtümelnd betätigen kann. Die ältesten und unbekanntesten Ratsherren und Bürgermeister werden ausgegraben und schulmeisterlich genau an die Straßenschilder geschrieben. Auf der Südhöhe hier in Dresden heißt eine neuangelegte Straße Tirmannstraße, und unter dem Namen steht: „Magister Nikolaus Tirmann, Bürgermeister, gestorben 1437", und ähnlich liest man auf anderen Straßenschildern der Vororte: „Ratsherr im 14. Jahrhundert" oder „Schreiber einer Stadtchronik im 15. Jahrhundert"...
War Joseph ein zu katholischer Name, oder wollte man nur Platz schaffen für einen romantischen und somit betont deutschen Maler? Jedenfalls wurde die Josephstraße in Dresden zur Caspar-David-Friedrich-Straße, trotzdem dies eine mehr als halbe postalische Unmöglichkeit ergab; als wir in einem Judenhaus dieser Straße wohnten, bekamen wir wiederholt Briefe mit der Anschrift: Friedrichstraße bei Herrn Caspar David.
Eine Mischung aus Liebe zu mittelalterlicher Zunft- und Ständeordnung und zu moderner Reklame spricht aus den Poststempeln, in denen Städte einen spezialisierenden Zusatz erhalten. „Messestadt Leipzig" ist alt und keine nazistische Erfindung, aber nazistisch neu ist der Stempel: „Cleve, Werkstatt der guten Kinderschuhe". In meinem Tagebuch notierte ich: „Stadt des Volkswagenwerks bei Fallersleben", wo denn der Stempel neben Berufsständischem und industrieller Reklame einen deutlich politischen Sinn birgt: Er hebt eine besondere industrielle Siedlung heraus, eine betrügerische Lieblingsgründung des Führers; denn was als verheißender Volkswagen das Geld der kleinen Leute anlockte, war in Wahrheit von Anfang an als Kriegswagen geplant. Unverhüllt politisch und rein propagandistisch waren die Ruhmesstempel: „München, die Stadt der Bewegung", und „Nürnberg, die Stadt der Parteitage".
Nürnberg lag im „Traditionsgau", womit man wohl ausdrücken wollte, daß die ruhmreichen Anfänge des Nationalsozialismus gerade in diesem Bezirk zu suchen waren. „Gau" für Provinz ist wieder ein Anknüpfen ans Teutschtum, und indem man dem „Warthegau" rein polnische Gebietsstücke eingliederte, legalisierte man den Raub fremden Landes

durch deutsche Namengebung. Ähnlich lag es mit der Bezeichnung Mark für Grenzland. Ostmark: das zog Österreich zu Großdeutschland, Westmark: das gliederte Holland an. Schamloser noch spreizte sich der Erobererwille, wenn Lodz, das polnische, den eigenen Namen verlor und nach seinem Eroberer im ersten Weltkrieg in Litzmannstadt umgewandelt wurde.

Doch indem ich diesen Namen schreibe, sehe ich einen besonderen Stempel vor mir: Litzmannstadt-Getto. Und nun drängen sich Namen vor, die in die Höllengeographie der Weltgeschichte eingegangen sind: Theresienstadt und Buchenwald und Auschwitz usw. Und daneben taucht ein Name auf, den die wenigsten kennen werden — er ging nur uns Dresdener an, und die er am nächsten anging, sind alle verschwunden. Judenlager Hellerberg: Dort brachte man in elenden Baracken, elenderen als den für die russischen Gefangenen bestimmten, den zusammengeschmolzenen Rest der Dresdener Juden im Herbst 1942 unter, von dort aus wurde er wenige Wochen später in den Auschwitzer Gastod geschickt; nur wir paar in Mischehe Lebenden blieben zurück.

Da bin ich doch wieder beim jüdischen Thema angelangt. Ist es meine Schuld? Nein, es ist die Schuld des Nazismus, und nur dessen Schuld.

Aber wenn ich nun schon ins (sozusagen) Lokalpatriotische geraten bin, nachdem ich mich innerhalb des großen, wahrhaftig zu einer Doktordissertation ausreichenden Themas bei bloßen Zufallsnotizen und Andeutungen begnügen mußte — vielleicht gibt es eine Postdirektion, die das Material vervollständigen könnte —, dann will ich doch auch eine kleine Urkundenfälschung berichten, die mich persönlich angeht, die an meiner Lebensrettung mitgeholfen hat. Ich bin ja gewiß, daß mein Fall nicht der einzige sein wird. Die LTI war eine Gefängnissprache (der Gefangenenwärter und der Gefangenen), und zur Sprache der Gefängnisse gehören unweigerlich (als Akte der Notwehr) die Versteckworte, die irreführenden Mehrdeutigkeiten, die Fälschungen usw. usw.

Waldmann war besser daran als wir, nachdem man uns aus der Dresdener Vernichtung heraus gerettet und in den Fliegerhorst Klotzsche gebracht hatte. Wir hatten den Judenstern heruntergerissen, wir hatten das Weichbild Dresdens verlassen, wir hatten mit Ariern zusammen im Innern eines

Wagens gesessen, kurzum: wir hatten ein ganzes Büschel von Todsünden begangen, deren jede uns den Tod eintragen mußte, den Tod am Galgen, wenn wir der Gestapo in die Hände fielen. „Im Dresdener Adreßbuch“, sagte Waldmann, „stehen acht Waldmanns, und ich bin der einzige Jude unter ihnen — wem soll mein Name auffallen?“ Aber mit dem meinen war es eine andere Sache. Jenseits der böhmischen Grenze ein verbreiteter Judenname — Klemperer hat nichts mit dem Klempnerhandwerk zu tun, es bedeutet den Klopfer, den Gemeindediener, der morgens an die Türen oder Fenster der Frommen klopft und sie zum Frühgebet weckt —, war er in Dresden nur durch ganz wenige wohlbekannte Exemplare vertreten, und ich war der einzige nach so vielen Schreckensjahren dort Übriggebliebene. Der angebliche Verlust sämtlicher Papiere konnte mich verdächtig machen, und um den Verkehr mit Behörden ließ sich auf die Dauer nicht herumkommen: Wir brauchten Lebensmittelkarten, brauchten Fahrkarten — wir waren noch sehr kultiviert, wir glaubten noch an die Notwendigkeit solcher Karten ... Fast gleichzeitig erinnerten wir uns eines Apothekerfläschchens für mich. Das Rezept, ärztlich hingekritzelt, hatte meinen Namen an zwei leicht zu verändernden Stellen gänzlich verändert. Ein Punkt genügte, um aus dem „m“ ein „in“ zu machen, und ein Millimeterstrich verwandelte das erste „r“ in ein „t“. So wurde aus Klemperer: Kleinpeter. Eine Poststelle, die die Menge solcher Kleinpeter im Dritten Reich registriert hätte, dürfte es kaum geben.

XIV

Kohlenklau

Im Frühjahr 1943 schickte mich das Arbeitsamt als ungelernten Hilfsarbeiter in die Tee- und Heilbäderfabrik Willy Schlüter, die durch Heeresaufträge zu großem Umfang angeschwollen war. Erst wurde ich als Packer beschäftigt, der den fertigen Tee in Kartons zu füllen hatte — eine äußerst eintönige, aber körperlich ganz leichte Arbeit; sie wurde denn auch bald den Frauen allein überlassen, und ich kam in die eigentlichen Fabrikationsräume, zu den Mischtrommeln und den Schneidemaschinen; strömte gerade viel neuer Rohstoff heran, so mußte die Judengruppe auch beim Abladen und Einlagern helfen. Mit dem Schlütertee — mit wohl allen Ersatztees damals — verhielt es sich wie mit irgendeinem Regiment: Nur der Name blieb sich dauernd gleich, während der Inhalt ständig wechselte; man stopfte hinein, was sich gerade auftreiben ließ.
An einem Nachmittag im Mai stand ich in dem hohen und luftigen Keller, der sich als einheitlicher Raum unter einem ganzen Gebäudeflügel hinzog. Bis auf wenige Nischen und schmale Durchlässe war diese bedeutende Lagerhalle schon hoch angefüllt, und nur dicht unter der Decke blieb noch ein wenig Platz. Große pralle Säcke voll Weißdorn, voll Lindenblüte, Erika, Pfefferminz, Bohnenkraut türmten sich übereinander, und immer neue, vom Hof her durch das Fenster auf die Schrägbahn geworfen, glitten herunter und stauten sich schneller, als sie an ihre Plätze geschleppt werden konnten. Ich half beim Auseinanderzerren und Sortieren der übereinandergekugelten Säckc und bewunderte die Träger, die mit der plumpen und schweren Last auf dem Rücken den schwierigen Kletterweg zu den noch freien Lagerstellen unternahmen. Neben mir lachte eine Kontoristin, die eben mit einem Auftrag heruntergekommen war: „Kohlenklau ist wieder großartig, er könnte in jedem Zirkus auftreten." Ich fragte einen Kameraden, wen sie meine, und bekam die etwas mitleidig herablassende Antwort, das müsse doch jeder wissen, der nicht blind

und taub sei: „den Otto natürlich, den Hausdiener, den nennen sie alle so“. Ich sah mir den mit einem Kinnruck Bezeichneten an, wie er auf einem buckligen Grat des Säkkegebirges, gebückt aber fast laufend, vorwärts schritt, wie er mit Raupenbewegungen des Rückens, der Schultern, des Kopfes den Sack über sich hinaus in eine Lücke der an die Wand gebauten Nachbarreihe brachte, um ihn dann mit weit ausgestreckten Armen ganz einzuschieben. In dieser Stellung hatte er etwas Gorillaartiges, etwas halb Märchenhaftes an sich: Die Arme waren Affenarme, der breite Oberkörper saß auf zu kurzen dicken Schenkeln, die Beine bildeten ein O, die Füße in absatzlosen Schuhen klebten breit und wie quallig angeleimt an ihrem unsicheren Boden. Als er sich nun umdrehte, sah ich, daß er ein froschähnliches Gesicht hatte, daß ihm dunkles Haar in die niedrige Stirn und über die kleinen Augen fiel. Wirklich, eine irgendwie ähnliche Gestalt, Haltung und Visage hatte ich schon wiederholt auf Litfaßsäulen und an Mauern gesehen, ohne bisher ernstlich darauf geachtet zu haben.

Die Plakate der Nazis sahen sich ja sonst immer gleich. Immer bekam man den gleichen Typ des brutalen und verbissen gestrafften Kämpfers vorgesetzt, mit Fahne oder Flinte oder Schwert, in SA- oder SS- oder Felduniform, oder auch nackt; immer war der Ausdruck der physischen Kraft, des fanatisierten Willens, immer waren Muskeln, Härte und zweifellos Fehlen alles Denkens die Charakteristika dieser Werbungen für Sport und Krieg und Unterwerfung unter den Führerwillen. „Wir sind die Leibeigenen des Führers!“ hatte gleich nach Hitlers Regierungsantritt ein Studienrat vor Dresdener Philologen pathetisch ausgerufen; das Wort schrie mir seitdem aus all den vielen Plakaten und Sondermarken des Dritten Reiches entgegen; und waren Frauen dargestellt, so hatte man es eben mit den nordischen Heldenweibern dieser nordischen Heldenmänner zu tun. Es war wirklich verzeihlich, wenn ich nur noch flüchtig auf Plakate achtete, zumal ich ja, seit ich den Stern trug, immer das Bestreben hatte, so rasch als möglich von der Straße zu kommen, wo ich nie vor Beschimpfungen, nie vor den noch peinlicheren Sympathiekundgebungen sicher war. All diese armselig heroischen Plakate transponierten nur die monotonsten Stellen der monotonen LTI ins Graphische, ohne ihr von sich aus Bereicherung zu schenken. Es gab auch

nirgends ein enges Zusammenwachsen, ein gegenseitiges Sichheben zwischen graphischer Darstellung und Umschrift dieser zu Dutzenden auftretenden Zeichnungen. „Führer befiehl, wir folgen!“, oder: „Mit unsern Fahnen ist der Sieg!“ prägte sich auch als bloßes Spruchband, als Phrase an sich ein, und es war mir kein Fall bekannt, wo ein Spruch oder Wort und eine Graphik derart zusammengehörten, daß sie sich wechselseitig evozierten. Ich hatte auch noch nie beobachtet, daß eine Plakatgestalt des Dritten Reiches so ins Leben übergriff, wie sich hier der Kohlenklau, Wort und Bild in einem, des Alltags einer ganzen Belegschaft bemächtigte.
Ich sah mir daraufhin dies Plakat genau an: wirklich, es bot Neues, es war ein Stück Märchen, ein Stück Gespensterballade, es wandte sich an die Phantasie. In Versailles gibt es einen Brunnen, der von den Metamorphosen Ovids inspiriert ist: die über den Brunnenrand schlüpfenden Gestalten sind zur Hälfte von der Wirkung der Magie erfaßt, ihre menschliche Gestalt beginnt in tierischer Form zu verschwinden. Ganz so ist Kohlenklau geformt; die Füße sind schon in fast amphibischem Zustand, der Rockzipfel scheint ein Schwanzstummel, und die Haltung des davonschleichenden Diebes nähert sich in ihrer Gebücktheit schon der des Vierfüßlers. Zur Märchenwirkung des Bildes trat die glückliche Namenwahl: burschikos volkstümlich und dem Alltag angehörig durch den „Klau“ statt des Diebes, wiederum durch die kühne Substantivbildung (vergleiche den Fürsprech!) und die Alliteration deutlich dem Alltag enthoben und poetisiert. Bild und Wort gruben sich in solcher Zusammengehörigkeit ins Gedächtnis wie Wort und Sonderzeichen der SS.
Man hat nachher noch ein paarmal versucht, auf ähnliche Weise zu wirken, aber man hat die gleiche Wirkung nicht wieder erreicht. Da war für irgendwelche Vergeudung — und es ist bezeichnend, daß ich schon nicht mehr weiß, für welche — das Groschengrab; gute Alliteration, aber das Wort weniger saftig als Kohlenklau und die Zeichnung weniger fesselnd. Und dann gab es ein triefendes Frostgespenst, das verderbendrohend zum Fenster einstieg, aber hier fehlte das einprägsame Wort. Am nächsten dem Kohlenkau ist wohl der schattenhaft unheimlich schleichende Lauscher gekommen, dessen warnende Gestalt monatelang in Zeitungsecken, an Schaufenstern, auf Streichhölzerschachteln zur Vorsicht vor

Spionen mahnte. Aber der dazugehörige Spruch „Feind hört mit", dem deutschen Ohr befremdlich durch den Amerikanismus des fortgelassenen Artikels, war beim Auftauchen des gespenstischen Mannes bereits abgegriffen; man hatte diese Worte schon wiederholt unter allerhand, sozusagen novellistischen Bildern gefunden, wo der böse Feind etwa im Caféhaus hinter einer Zeitung hervor auf ein unvorsichtiges Gespräch am Nebentisch spannte.
Kohlenklaus unmittelbare Wirkung spricht aus einigen Kopien und Varianten: es gab nachher einen „Stundenklau", es gab ein Räumboot, das sich „Minenklau" nannte, es gab im „Reich" ein gegen die sowjetrussische Politik gerichtetes Bild mit der Unterschrift „Polenklau" ... Den unveränderten Kohlenklau sah man im Rahmen eines Handspiegels wieder; darunter stand: „Halt dir den Spiegel vors Gesicht: Bist du's, oder bist du's nicht?" Und häufig, wenn jemand die Tür eines geheizten Zimmers offenließ, rief einer: „Kohlenklau kommt!"
Aber viel stärker als dies alles, den Spitznamen des Hausdieners Otto mit einbegriffen, spricht für die besondere Wirkung gerade dieses Plakates unter den übervielen anderen eine kleine Szene, die ich 1944 auf der Straße beobachtete, zu einer Zeit also, als der Kohlenklau nicht mehr zu den neuen und aktuellsten Bildern gehörte. Eine junge Frau kämpfte

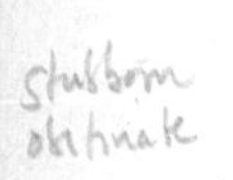

vergeblich mit ihrem störrischen kleinen Jungen. Der Bengel riß sich immer wieder von ihrer Hand los, blieb heulend stehen, wollte nicht weiter. Da ging ein älterer gesetzter Herr, der das ebenso wie ich mitangesehen hatte, auf den Kleinen zu, legte ihm die Hand auf die Schulter und sagte mit ruhigem Ernst: „Willst du jetzt, ja oder nein, artig bei deiner Mutter bleiben und ihr nach Hause folgen? Wenn nein, dann bringe ich dich zum Kohlenklau!" Der Junge sah den Herrn einen Augenblick lang entsetzt an. Dann brach er in ein lautes Angstgeheul aus, lief zur Mutter, klammerte sich an ihren Rock und schrie: „Mutti, nach Hause! Mutti, nach Hause!" Es gibt eine sehr nachdenkliche Geschichte von Anatole France, ich glaube, sie heißt „Gärtner Putois". Putois wird den Kindern einer Familie als bedrohlich, als schwarzer Mann hingestellt, er prägt sich in dieser Eigenschaft ihrer Phantasie ein, er wird in die Pädagogik der nächsten Generation eingebaut, er wächst sich zum Familiengott, zu einer Gottheit schlechthin aus.

Kohlenklau, aus Bild und Wort entstanden, hätte bei längerem Bestehen des Dritten Reiches alle Chancen gehabt, wie Putois eine mythische Person zu werden.

XV

Knif

„Knif" habe ich schon zwei Jahre vor dem Kriege das erstemal gehört. Berthold M., der gekommen war, seine letzten hiesigen Geschäfte abzuwickeln, bevor er nach Amerika hinüberging — („Wozu soll ich mich hier langsam abwürgen lassen? In ein paar Jahren sehen wir uns wieder!") —, Berthold M. sagte auf meine Frage, ob er an die ständige Dauer des Regimes glaube: „Knif!" Und indem der etwas gespielte spöttische Gleichmut nun doch in Erbitterung überging, die ihrerseits wiederum verborgen werden mußte, denn so erforderte es das Berliner Bushido, setzte er mit energischerer Betonung hinzu: „Kakfif!" Ich sah ihn fragend an, und er erklärte herablassend, ich sei eben ein Provinzler geworden und wüßte gar nichts mehr von Berlin: „Alle Welt sagt das bei uns täglich ein dutzendmal. ‚Knif' heißt: ‚Kommt nicht in Frage', und Kakfif: ‚Kommt auf keinen Fall in Frage'!"
Sinn für die fragwürdige Seite einer Angelegenheit und kritischer Witz sind immer berlinische Grundeigenschaften gewesen (weswegen ich es denn bis heute nie habe begreifen können, wie der Nazismus in Berlin aufzukommen vermochte); und so hatten die Berliner schon um die Mitte der dreißiger Jahre die Komik der Abbreviaturenmanie erfaßt. Wenn man die Komik ein klein bißchen unanständig gestalten kann, dann wirkt sie durch solche Würze doppelt; so entstand als Gegengift der Berliner Keller- und Bombennächte der Gutenachtwunsch: „Popo", d. h. „Penne ohne Pause oben!"
Später, im März 1944, kam es einmal zu einer ernsthaften öffentlichen und offiziellen Warnung vor dem mißbräuchlichen Übermaß der „Stummelwörter", wie die Abbreviaturen hierbei genannt wurden. Die repräsentative „DAZ" widmete den ständigen Abschnitt „Unsere Meinung" bisweilen sprachlichen Dingen. Diesmal berichtete sie von einer behördlichen Verfügung, die dem weiteren Umsichgreifen der sprachverhunzenden Kurzwörter entgegenwirken wollte. Als wenn man durch eine Einzelverfügung zurückschneiden könnte, was man

selbst immer wieder kultiviert hat und noch immer kultiviert, ja was unablässig von sich aus und ohne alles Zutun aus dem Wesen dessen hervorwächst, der nun dies Wachstum hemmen möchte. Ob eine Lautgruppe wie „Hersta der Wigru" noch deutsch sei, wurde gefragt; sie stand in einem Wirtschaftslexikon und bedeutete: „Herstellungsanweisung der Wirtschaftsgruppe".

Zeitlich zwischen den Berliner Volkswitz und die erste Betrachtung der „DAZ" schiebt sich etwas, das nach Übertäubung eines bösen Gewissens und nach Schuldabwälzung aussieht. Ein Artikel im „Reich" (vom 8. August 1943) mit dem poetischen Titel „Hang und Zwang zur Kürze" macht für abkürzende „Sprachungetüme" den Bolschewismus haftbar; solchen Ungetümen stemme sich der deutsche Humor entgegen; es gebe aber auch gelungene Kurzwörter, und diese seien (natürlich!) deutsche Volksschöpfung, wie z. B. das schon im ersten Weltkrieg verbreitete „Ari" für Artillerie.

An diesem Aufsatz ist alles schief: Abbreviaturen sind durchaus Kunstschöpfungen und so wenig im Volke gewachsen wie das Esperanto; das Volk steuert von sich aus in den meisten Fällen nur spöttische Nachahmungen bei, Bildungen wie „Ari" sind Ausnahmen. Und auch der Vorwurf der russischen Urheberschaft, was die Sprachungetüme anlangt, kann vernünftigerweise nicht aufrechterhalten werden. Er geht übrigens offenbar auf einen Artikel zurück, der ein Vierteljahr zuvor (am 7. Mai) im „Reich" erschienen war. Darin hieß es von dem russischen Sprachunterricht im entfaschisierten Süditalien: „Die Bolschewiken haben die russische Sprache unter einer Flut mißtönender Abkürzungs- und Kunstwörter begraben ..., die süditalienischen Schüler lernen einen Slang."

Der Nazismus mag auf dem Wege über den italienischen Faschismus dem Bolschewismus noch so vieles abgesehen haben (um es dann, ein Midas der Lüge, wie alles, was er anrührte, ins Lügnerische zu kehren); die Bildung von Kurzworten brauchte er ihm nicht zu stehlen, denn die war seit dem Anfang des zwanzigsten Jahrhunderts, und nun gar seit dem ersten Weltkrieg, bereits überall im Schwang, in Deutschland, in allen europäischen Ländern, in aller Welt.

Es gab längst in Berlin das KDW, das Kaufhaus des Westens, es gab noch viel länger die HAPAG. Es gab einen hübschen französischen Roman, der *Mitsou* hieß; *Mitsou* ist das Kurzwort für ein industrielles Unternehmen und zugleich der Name einer zugehörigen Geliebten, und diese Erotisierung bietet ein sicheres Anzeichen dafür, daß sich die Form der Abbreviatur in Frankreich eingebürgert hatte.

Italien besaß einige besonders kunstvolle Kurzbildungen. Man kann nämlich hierbei drei Stufen unterscheiden: die primitivste setzt einfach ein paar Buchstaben aneinander, BDM etwa; die zweite bildet eine Lautgruppe, die sich als Wort aussprechen läßt; die dritte aber formt ein Wort der vorhandenen Sprache nach, und das ursprüngliche Wort hat irgendeinen Bezug zu dem, was es als Abbreviatur ausdrückt. Das Wort der Schöpfung „Fiat" (es werde!) bezeichnet ein stolzes Automobil der „*Fabbriche Italiane Automobili Torino*", und die Filmwochenschau im faschistischen Italien heißt „*Luce*" (Licht), worin die Anfangsbuchstaben des Allgemeinbundes für pädagogische Filme, der *Lega universale di cinematografia educativa*, enthalten sind. Als Goebbels der Aktion „Hinein in die Betriebe!" das Kurzwort „Hib-Aktion" fand, war das eine nur im mündlichen Gebrauch schlagkräftige Ausdrucksform; zur Vollkommenheit im Druck fehlte ihr die orthographische Richtigkeit.

Von Japan erfuhr man, daß dort ein junger Mann und ein junges Mädchen, die sich auf europäisch-amerikanische Art kleideten und betrugen, „Mobo" und „Mogo", *modern boy* und *modern girl*, genannt wurden.

Und wie mit der räumlichen Ausdehnung der Kurzwörter verhält es sich schließlich auch mit ihrer Ausdehnung in der Zeit. Denn ist nicht das Kennwort und Symbol der frühesten Christengemeinden, Ichthys, der Fisch, solch eine Abbreviatur, da es die Anfangsbuchstaben der griechischen Wörter für „Jesus Christus, der Sohn Gottes, der Erlöser" enthält?

Wenn sich aber das Kurzwort derart durch Zeit und Raum dehnt, inwiefern ist es dann ein besonderes Signum und ein besonderes Übel der LTI?

Zur Beantwortung dieser Frage vergegenwärtige ich mir die Aufgaben, die man vor dem Nazismus den Abbreviaturen abverlangte.

Ichthys ist das Zeichen eines religiösen Geheimbundes, die doppelte Romantik geheimen Einverständnisses und mystischen Aufschwungs haftet ihm an. Hapag hat die geschäftlich notwendige, die zur Telegrammadresse geeignete Kürze.

Ich weiß nicht, ob man aus dem so weitaus ehrwürdigeren Alter des romantisch-transzendenten, des ideellen Formelgebrauchs den Schluß ziehen darf — und ich stehe ähnlichen Schlüssen in Dingen der Sprache und der Poesie gleich skeptisch gegenüber —, daß das religiöse Ausdrucksbedürfnis vor dem praktischen seine Form gefunden habe; es ist vielleicht nur dem Ausdruck des Feierlichen eher die Ehre der fixierten Aufbewahrung zuteil geworden als dem des Alltäglichen.
Übrigens wird bei genauerem Hinsehen die Grenze zwischen dem Romantischen und dem Realen sehr unsicher. Wer sich der verkürzten Fachbezeichnung eines Industrieartikels, wer sich einer Telegrammadresse bedient, wird immer, stärker oder schwächer, bewußt oder unbewußt, das wärmende Gefühl haben, durch ein Sonderwissen, einen Sonderkonnex aus der allgemeinen Masse herauszuragen, als Eingeweihter einer besonderen Gemeinschaft anzugehören; und die Fachleute, die das entsprechende Kurzwort gefertigt haben, sind sich dieser Gefühlswirkung sehr deutlich bewußt und stellen sie stark in Rechnung. Dabei bleibt natürlich gewiß, daß der moderne Allgemeinbedarf an Kurzwörtern aus realem Geschäftsbedürfnis, kaufmännischem und industriellem, entstanden ist. Und wo die Grenze zwischen industriellen und wissenschaftlichen Abbreviaturen läuft, ist auch wieder nicht mit Bestimmtheit zu sagen.
Ausgangspunkt der modernen Kurzwortwelle sind sicherlich die Vormachtländer des Kaufmännischen und Industriellen, England und Amerika, und sicherlich — von daher der Angriff auf die russischen „Sprachungetüme" — hat sich Sowjetrußland dem Zustrom der Abbreviaturen besonders geneigt erwiesen, da ja Lenin die Technisierung des Landes als ein Hauptpostulat aufstellte und hierfür das Vorbild in den Vereinigten Staaten suchte ... Notizbuch des Philologen! Wie viele Themen für Seminararbeiten und Dissertationen stecken in diesen paar Zeilen, wieviel neue Einblicke in Sprach- und Kulturgeschichte sind von hier aus noch zu gewinnen ... Aber das moderne Kurzwort hat sich nicht nur auf dem fachlich-wirtschaftlichen Gebiet entwickelt, sondern auch auf dem politisch-wirtschaftlichen und dem im engeren Sinn politischen Felde. Wo immer es sich um eine Gewerkschaft, eine Organisation, eine Partei handelt, da ist auch die Abbreviatur zur Stelle, und da macht sich jener Gefühlswert der Sonder-

bezeichnung deutlich bemerkbar. Diese Sparte der Kurzwörter ebenfalls auf amerikanische Herkunft zurückführen zu wollen, scheint mir unangebracht; ich weiß nicht, ob die Bezeichnung SPD sich an ein fremdes Sprachvorbild anlehnen mußte. Für das ungemeine Umsichgreifen solcher Kurzformen in Deutschland dürfte freilich die Nachahmung des Auslandes verantwortlich sein.

Sogleich aber kommt wieder etwas Deutsch-Autochthones ins Spiel. Die stärkste Organisation des kaiserlichen Deutschlands war das Heer. Und in der Heeressprache fanden sich seit dem ersten Weltkrieg alle Abkürzungsarten und -motive zusammen, die knappe Bezeichnung für das technische Gerät und für die Gruppe, das Geheimwort als Schutz nach außen und als Zusammengehörigkeit nach innen.

Frage ich mich nun, ob und weshalb das Kurzwort unter die hervorstechenden Charakteristika der LTI gerechnet werden muß, so ist die Antwort klar. Kein vorhergehender Sprachstil macht einen so exorbitanten Gebrauch von dieser Form wie das Hitlerdeutsch. Das moderne Kurzwort stellt sich überall dort ein, wo technisiert und wo organisiert wird. Und seinem Anspruch auf Totalität gemäß technisiert und organisiert der Nazismus eben alles. Daher die unübersehbare Masse seiner Abbreviaturen. Weil er sich aber aus dem gleichen Totalitätsanspruch heraus auch des gesamten Innenlebens zu bemächtigen sucht, weil er Religion sein will und überall das Hakenkreuz aufpflanzt, so ist auch jedes seiner Kurzwörter dem alten christlichen „Fisch“ verwandt: Kradschütze oder Mannschaft am MG, Glied der HJ oder der DAF — man ist immer „verschworene Gemeinschaft“.

XVI

An einem einzigen Arbeitstag

Das Gift ist überall. Im Trinkwasser der LTI wird es verschleppt, niemand bleibt davon verschont.

In der Fabrik für Briefumschläge und Papierbeutel, bei Thiemig & Möbius, ging es gar nicht sonderlich nazistisch zu. Der Chef gehörte der SS an, aber er tat für seine Juden, was irgend möglich war, er redete höflich mit ihnen, er ließ ihnen manchmal etwas aus der Kantinenküche zukommen. Ich weiß wahrhaftig nicht, was mich entschiedener oder dauernder tröstete: wenn es ein Endchen Pferdewurst gab, oder wenn ich einmal „Herr Klemperer" oder gar „Herr Professor" tituliert wurde. Die arischen Arbeiter, unter die wir Sternträger verstreut waren — nur beim Essen und während der Luftwache wurde die Absonderung durchgeführt; bei der Arbeit mußte das Plauderverbot uns gegenüber die Isolierung ersetzen, aber niemand hielt es ein —, die Arbeiter waren erst recht nicht nazistisch gesinnt, sie waren es mindestens im Winter 1943/44 nicht mehr. Man fürchtete den Obmann und zwei oder drei Frauen, denen man Denunziationen zutraute, man stieß sich an oder warnte sich durch Blicke, wenn einer dieser Anrüchigen auftauchte; aber waren sie außer Sicht, dann herrschte sofort wieder kameradschaftliche Zutunlichkeit.

Die freundlichste von allen war die bucklige Frieda, die mich angelernt hatte und mir noch immer half, wenn ich mit meiner Kuvertmaschine in Schwierigkeiten geriet. Sie stand seit mehr als dreißig Jahren im Dienst der Firma und ließ sich selbst durch den Obmann nicht davon abbringen, mir irgendein gutmütiges Wort durch den Lärm des Maschinensaals zuzurufen: „Machen Sie sich nicht wichtig! Ich habe nicht mit ihm gesprochen, ich habe ihm eine Dienstanweisung über den Gummierer gegeben!" Frieda wußte, daß meine Frau krank zu Hause lag. Am Morgen fand ich einen großen Apfel mitten auf meiner Maschine. Ich sah zu Friedas Arbeitsplatz hinüber, sie nickte mir zu. Eine Weile später stand sie neben mir: „Für die Mutti mit schönem Gruß von mir." Und dann, neugierig,

verwundert: „Der Albert sagt, Ihre Frau ist eine Deutsche. Ist sie wirklich eine Deutsche?“ ...
Die Freude am Apfel war hin. Dieser Sancta-Simplicitas-Seele, die ganz unnazistisch und ganz menschlich empfand, war das Grundelement des nazistischen Giftes eingeflossen; sie identifizierte das Deutsche mit dem magischen Begriff des Arischen; es schien ihr kaum faßlich, daß mit mir, dem Fremden, der Kreatur aus einer anderen Sparte des Tierreiches, eine Deutsche verheiratet sei, sie hatte „artfremd“ und „deutschblütig“ und „niederrassig“ und „nordisch“ und „Rassenschande“ allzuoft gehört und nachgesprochen: sie verband sicherlich mit alledem keinen klaren Begriff — aber ihr Gefühl konnte es nicht fassen, daß meine Frau eine Deutsche sein sollte.
Der Albert, von dem ihre Information stammte, war ihr im Denken überlegen. Er hegte seine eigenen politischen Ansichten, und sie waren gar nicht regierungsfreundlich, sie waren auch nicht militaristisch. Er hatte einen Bruder im Felde verloren, er selbst war eines schweren Magenleidens halber bis jetzt bei jeder Musterung zurückgestellt worden. Dies „bis jetzt“ konnte man jeden Tag von ihm hören: „Bis jetzt bin ich noch frei — wenn nur der dreckige Krieg zu Ende ist, eh sie mich doch noch holen!“ An diesem Apfeltage, der die verschleierte Nachricht von einem Erfolg der Alliierten irgendwo in Italien gebracht hatte, verweilte er im Gespräch mit einem Kameraden etwas länger als sonst bei seinem üblichen Thema. Ich lud unmittelbar neben Alberts Platz Papierstöße für meine Maschine auf einen Karren. „Wenn sie mich nur nicht holen“, sagte er, „bevor der dreckige Krieg zu Ende ist!“ — „Aber Mensch, wie soll er denn bloß zu Ende gehen? Niemand will nachgeben.“ — „Nu, das ist doch klar: die müssen endlich einsehen, daß wir unbesiegbar sind; sie können uns nicht kleinkriegen, wir sind ja so prima organisiert!“ Prima organisiert — da war es wieder, das eingeschluckte, das umnebelnde Rauschgift.
Eine Stunde später rief mich der Meister, ich hatte ihm beim Etikettieren der fertigen Kartons zu helfen. Er selbst schrieb die Etiketten nach der Rechnung aus, ich klebte sie an die hochgetürmten Kartonreihen, hinter deren Wand wir von der übrigen Belegschaft des Saales abgeschlossen standen. Diese Isoliertheit machte den alten Mann gesprächig. Er nähere sich

nun den Siebzig und sei noch immer in Arbeit; so habe er sich sein Alter nicht vorgestellt, seufzte er. Aber jetzt müsse man ja wie ein Sklave arbeiten, bis zum Verrecken! „Und was wird aus meinen Enkeln, wenn die Jungen nicht zurückkommen? Der Erhard hat aus Murmansk seit Monaten nichts von sich hören lassen, und der Kleine liegt in einem Lazarett in Italien. Wenn nur endlich Friede käme ... Bloß die Amerikaner wollen ihn nicht, dabei haben die gar nichts bei uns zu suchen ... Aber sie werden reich durch den Krieg, diese paar Saujuden. Es ist wirklich der ‚jüdische Krieg!' ... Da sind sie schon wieder!"
Er war durch das Sirenengeheul unterbrochen worden; wir bekamen des öfteren unmittelbaren Vollalarm, um diese Zeit wurde auch der Voralarm manchmal überhört, da er allzu üblich geworden war und keine Unterbrechung der Arbeit mehr zur Folge hatte.
Unten im großen Keller saß die Judengruppe um einen Pfeiler herum, zusammengedrängt und deutlich abgetrennt von der arischen Belegschaft. Aber der Abstand von den arischen Bänken war ein geringer, und Unterhaltungen der vorderen Reihen drangen zu uns. Alle zwei, drei Minuten hörte man den Situationsbericht des Lautsprechers. „Der Verband ist nach Südwesten abgeschwenkt ... Neues Geschwader nähert sich von Norden. Gefahr eines Angriffes auf Dresden besteht."
Stocken der Gespräche. Dann sagte eine dicke Frau auf der vordersten Bank, eine sehr fleißige und geschickte Arbeiterin, sie bedient die große komplizierte Maschine der „Fensterkuverts" —, sie sagt es lächelnd mit ruhiger Gewißheit: „Sie kommen nicht, Dresden bleibt verschont." — „Weshalb?" fragt ihre Nachbarin. „Glaubst du auch den Unsinn, daß sie aus Dresden die Hauptstadt der Tschechoslowakei machen wollen?" — „O nein, ich habe eine bessere Gewißheit." — „Welche denn?" Die Antwort erfolgte mit einem schwärmerischen Lächeln, das merkwürdig in dem derben und ungeistigen Gesicht steht. „Wir haben es zu dritt deutlich gesehen. Letzten Sonntag mittag bei der Annenkirche. Der Himmel war frei bis auf ein paar Wolken. Mit einem Male zog sich die eine dieser kleinen Wolken so zurecht, daß sie ein Gesicht bildete, ein ganz scharfes, ganz einmaliges Profil (sie sagte wirklich ‚einmalig'!). Wir haben es alle drei sofort erkannt. Mein Mann rief zuerst: das ist doch der Alte Fritz, ganz so wie man ihn immer abgebildet sieht!" — „Na, und?" — „Was

noch?" — „Was hat das alles mit unserer Sicherheit in Dresden zu tun?" — „Wie kann man so dumm fragen? Ist nicht das Bild, das wir alle drei gesehen haben, mein Mann, mein Schwager und ich, ist es nicht ein sicheres Zeichen dafür, daß der Alte Fritz über Dresden wacht? Und was kann einer Stadt geschehen, die er beschützt? ... Hörst du? Da wird schon entwarnt, wir können hinaufgehen."
Natürlich war es eine Ausnahme, daß sich vier solcher Offenbarungen eines Geisteszustandes in einen Tag zusammendrängten. Aber der Geisteszustand selber beschränkte sich nicht auf den einen Tag und war nicht auf diese vier Leute beschränkt.
Keines dieser vier war ein richtiger Nazi.
Am Abend hatte ich Luftwache; der Weg zum arischen Wachraum führte in ein paar Metern Abstand an meinem Sitzplatz vorbei. Während ich in einem Buch las, grüßte die Fridericus-Schwärmerin im Vorbeigehen laut: „Heil Hitler!"
Am nächsten Morgen kam sie zu mir heran und sagte in herzlichem Ton: „Entschuldigen Sie bitte mein ‚Heil Hitler!' von gestern; ich habe Sie im eiligen Vorbeigehen mit einem verwechselt, den ich so grüßen mußte."
Keines war ein Nazi, aber vergiftet waren sie alle.

XVII

System und Organisation

Es gibt das Kopernikanische System, es gibt mancherlei philosophische und mancherlei politische Systeme. Wenn aber der Nationalsozialist „das System" sagt, so meint er ausschließlich das System der Weimarer Verfassung. Das Wort ist in dieser Spezialanwendung der LTI — nein, vielmehr erweitert zur Bezeichnung des gesamten Zeitabschnittes von 1918 bis 1933 — sehr rasch populär geworden, ungleich populärer als etwa die Epochebezeichnung Renaissance. Schon im Sommer 1935 sagte mir ein Zimmermann, der das Gartentor in Ordnung brachte: „Ich schwitze! In der Systemzeit gab es die schönen Schillerkragen, die den Hals frei ließen. So was hat man jetzt nicht mehr, immer nur enges Zeug und womöglich steifes." Der Mann ahnte natürlich nicht, daß er im gleichen Satz bildlich um die verlorene Freiheit der Weimarer Epoche trauerte und bildlich ebendiese Epoche mit Verachtung strafte. Daß der Schillerkragen ein Sinnbild der Freiheit bedeutet, braucht nicht erklärt zu werden, daß aber in „System" ein metaphorischer Tadel stecken soll, ist nicht ohne weiteres einzusehen.

Für die Nazis war das Regierungssystem der Weimarer Republik das System schlechthin, weil sie mit ihm in unmittelbarem Kampf gestanden hatten, weil sie in ihm die schlechteste Regierungsform sahen und sich schärfer zu ihm in Gegensatz fühlten als etwa zur Monarchie. Es war die lähmende Zersplitterung in allzu viele Parteien, die sie ihm vorwarfen. Nach der ersten Posse einer Reichstagssitzung unter Hitlers Knute — nichts wurde diskutiert und jede Regierungsforderung von einer wohldressierten Statistengruppe einstimmig angenommen — hieß es in den Parteizeitungen triumphierend, der neue Reichstag habe in einer halben Stunde mehr geleistet als der Parlamentarismus des Systems in einem halben Jahre.

Hinter der Ablehnung des Systems steckt aber sprachgedanklich — ich meine: nach dem Sinn der Bezeichnung, obwohl sie hier nur für „Weimarer Parlamentarismus" steht — weitaus mehr als bloß dies. Ein System ist etwas „Zusammengestelltes", eine Konstruktion, ein Bau, den Hände und Werkzeuge nach Anordnung des Verstandes ausführen. In diesem konkret-konstruktiven Sinn sprechen wir auch heute noch von einem Eisenbahn- oder Kanalsystem. Häufiger aber (denn im anderen Fall sagen wir ja gern „Eisenbahnnetz"), fast ausschließlich wird das Wort auf Abstraktionen angewendet. Das Kantische System ist ein logisch geknüpftes Gedankennetz zum Einfangen des Weltganzen; für Kant, für den berufsmäßigen, den gelernten Philosophen sozusagen, heißt philosophieren: systematisch denken. Gerade das aber ist es, was der Nationalsozialist aus dem Innersten seines Wesens heraus ablehnen, was er aus dem Trieb der Selbsterhaltung verabscheuen muß.

Wer denkt, will nicht überredet, sondern überzeugt sein; wer systematisch denkt, ist doppelt schwer zu überzeugen. Deshalb liebt die LTI das Wort Philosophie beinahe noch weniger als das Wort System. Dem System bringt sie negative Neigung entgegen, sie nennt es immer mit Mißachtung, nennt es aber häufig. Philosophie dagegen wird totgeschwiegen, wird durchgängig ersetzt durch „Weltanschauung".

Anschauen ist niemals Sache des Denkens, der Denkende tut etwas genau Gegenteiliges, er löst seine Sinne vom Gegenstand, er abstrahiert; Anschauen ist auch niemals Sache des Auges als Sinnesorgan allein. Das Auge sieht nur. Das Wort „anschauen" ist im Deutschen einem selteneren, feierlicheren, ahnungsvoll verschwommenen — ich weiß nicht, sage ich Tun oder Zustande vorbehalten: es bezeichnet ein Sehen, an dem das innere Wesen des Betrachtenden, an dem sein Gefühl beteiligt ist, und es bezeichnet ein Sehen, das mehr sieht als nur die Außenseite des betrachteten Gegenstandes, das seinen Kern, seine Seele auf eine geheimnisvolle Weise miterfaßt. „Weltanschauung", schon vor dem Nazismus verbreitet, hat in der LTI als Ersatzwort für „Philosophie" alle Sonntäglichkeit verloren und Alltags-, Metierklang bekommen. „Schau", dem Stefan-George-Kreis heilig, ist auch der LTI ein kultisches Wort — schriebe ich dies Notizbuch als richtiges Lexikon und im Stil meiner geliebten Enzyklopädie, so würde ich hier freilich auf den Artikel „Barnum" verweisen —, „System" gehört auf die Liste des Abscheus neben „Intelligenz" und „Objektivität".

Wenn aber „System" verpönt ist, wie nennt sich dann das Regierungssystem der Nazis selber? Denn ein System haben doch auch sie und sind ja stolz darauf, daß absolut jede Lebensäußerung und -situation von diesem Netz erfaßt wird; weswegen denn „Totalität" zu den Grundpfeilern der LTI gehört.
Sie haben kein System, sie haben eine Organisation, sie systematisieren nicht mit dem Verstande, sie lauschen dem Organischen seine Geheimnisse ab.
Ich muß mit dem Adjektiv beginnen, das allein innerhalb der Wortsippe, anders als die Substantiva „Organ" und „Organisation", als das Verbum „organisieren", die Herrlichkeit und den Glorienschein des ersten Tages bewahrt hat. (Wann war dieser erste Tag? Fraglos beim Sonnenaufgang der Romantik. Aber „fraglos" sagt man immer gerade dann, wenn sich Fragen entgegenstemmen, und so soll dies einer Sonderbetrachtung vorbehalten sein.)
Als mir Clemens in der Caspar-David-Friedrich-Straße bei der Haussuchung den „Mythus des zwanzigsten Jahrhunderts" auf den Kopf hämmerte und die dazugehörigen Notizblätter (glücklicherweise unentziffert) zerriß, hatte ich über Rosenbergs delphischer Kernlehre von der „organischen Wahrheit" schon in meinem Tagebuch gebrütet. Und schon damals, noch vor dem Einbruch in Rußland, schrieb ich: „Wie lächerlich wäre sie in ihrem Phrasenwust, wenn sie nicht so furchtbar mörderische Folgen hätte!"
Die Berufsphilosophen, lehrt Rosenberg, begehen durchweg einen doppelten Fehler. Erstens begeben sie sich auf die „Jagd nach der sogenannten einen, ewigen Wahrheit". Und zweitens fahnden sie „auf rein logischem Wege, indem sie von Axiomen des Verstandes weiter und weiter schließen". Gibt man sich dagegen seinen, Alfred Rosenbergs, nun eben nicht philosophischen, sondern im Tiefsinn mystischer Schau weitanschaulichen Erkenntnissen hin, dann ist mit eins „fortgeräumt der ganze blutlose intellektualistische Schutthaufen rein schematischer Systeme". Diese Zitate enthalten den gewichtigsten Grund des LTI-Widerwillens gegen das Wort und den Begriff „System".
Unmittelbar daran schließt sich auf den letzten zusammenfassenden Seiten des „Mythus" die endgültige Inthronisierung des Organischen; orgao (όργὰω) heißt schwellen, keimen,

pflanzenartig bewußtlos herangebildet werden, „organisch“ wird einmal mit „wuchshaft“ verdeutscht. An die Stelle der einen und allgemeingültigen Wahrheit, die für eine imaginäre allgemeine Menschheit dasein soll, tritt die „organische Wahrheit“, die aus dem Blut einer Rasse hervorwächst und nur für diese Rasse gilt. Diese organische Wahrheit wird nicht vom Intellekt erdacht und entwickelt, sie besteht nicht in einem vernunftmäßigen Wissen, sie ist im „geheimnisvollen Zentrum der Volks- und Rassenseele“ vorhanden, sie ist für den Germanen im nordischen Blutstrom von Anbeginn gegeben: „Das letztmögliche ‚Wissen‘ einer Rasse liegt schon in ihrem ersten religiösen Mythus eingeschlossen.“ Die Sache würde nicht klarer werden, wenn ich die Zitate häufte; es ist ja nicht Rosenbergs Absicht, sie klarer zu machen. Nach Klarheit strebt das Denken, Magie betreibt man im Halbdunkel.

Die magische Glorie, die in diesen pythischen Diskursen das Organische umgibt, und der betäubende Blutgeruch, der es umwittert, gehen sprachlich einigermaßen verloren, wenn man vom Adjektiv zum Substantiv und Verbum kommt. Denn allzulange vor der NSDAP hat es auf politischem Gebiet „Parteiorgane“ und „Organisationen“ gegeben, und zu der Zeit, in der ich zuerst von politischen Dingen sprechen hörte, in den neunziger Jahren also, sagte man in Berlin allgemein von einem Arbeiter, er sei „ein Organisierter“, oder: er sei „organisiert“, um auszudrücken, daß er zur sozialdemokratischen Partei gehörte. Ein Parteiorgan aber wird nicht von mystischen Kräften des Blutstroms geschaffen, sondern mit vieler Überlegung redigiert, und eine Organisation bildet sich nicht wie eine Frucht, sondern wird sorgfältig aufgebaut, die Nazis sagten: „aufgezogen“. Ich bin auch bestimmt Autoren begegnet, und wohl schon vor dem ersten Weltkrieg — im Tagebuch heißt es in Klammern: „nachsehen, wo und wann!“, aber mit dem Nachsehen hat es auch heute noch, mehr als ein Jahr nach der Erlösung, seine Schwierigkeiten —, Autoren, die in der Organisation gerade das Mittel zum Abtöten des Organischen, zum Entseelen und Mechanisieren sehen. Unter den Nationalsozialisten selber fand ich in Dwingers Kapp-Putsch-Roman „Auf halbem Wege“ (1939) die „klägliche“, in ihrer Künstlichkeit mißachtete Organisationsbindung der „echten“, gewachsenen Naturbindung gegenübergestellt. Aber Dwinger

glitt auch nur allmählich in den Nazismus ab.
Jedenfalls ist „Organisation" innerhalb der LTI ein ehrliches und geehrtes Wort geblieben, ja es hat eine Fortbildung erlebt, die vor 1933 noch nicht, es sei denn in fachlicher Vereinzelung und Isoliertheit, bestanden hat.
Der Wille zur Totalität brachte ein Übermaß der Organisationen bis hinab zu den Pimpfen mit sich, nein, bis hinab zu den Katzen: ich durfte dem Tierschutzverein für Katzen keinen Beitrag mehr zahlen, weil im „Deutschen Katzenwesen" — wahrhaftig, so hieß jetzt das zum Parteiorgan gewordene Mitteilungsblatt des Vereins — kein Platz mehr war für artvergessene Kreaturen, die sich bei Juden aufhielten. Man hat uns denn auch später unsere Haustiere: Katzen, Hunde und sogar Kanarienvögel, weggenommen und getötet, nicht in Einzelfällen und aus vereinzelter Niedertracht, sondern amtlich und systematisch, und das ist eine der Grausamkeiten, von denen kein Nürnberger Prozeß berichtet und denen ich, läg' es in meiner Hand, einen turmhohen Galgen errichten würde, und wenn mich das die ewige Seligkeit kostete.
Ich bin damit nicht ganz so weit vom Thema der LTI abgeirrt, als es den Anschein hat, denn gerade das „Deutsche Katzenwesen" wurde der Anlaß dazu, jene sprachliche Neuschöpfung populär und lächerlich zu machen. In ihrer Manie des Organisierens und des straffsten Zentralisierens nämlich schufen die Nazis über den Einzelorganisationen zusammenfassende „Dachorganisationen"; und da zum ersten Fasching des Dritten Reiches die Faschingsnummer der „Münchener Neuesten Nachrichten" noch etwas wagen zu können vermeinte — später wurde sie zahm und verstummte nach zwei, drei Jahren ganz —, brachte sie u. a. eine Notiz über die „Dachorganisation des Deutschen Katzenwesens".
Während dieser Spott ein Einzelfall blieb und keine sonderliche Verbreitung erfuhr, entwickelte sich eine gar nicht ironisch gemeinte und ganz unbewußte Kritik des nazistischen Organisierens wahrhaft organisch aus der Volksseele selber; unromantisch ausgedrückt: sie tauchte an übervielen Stellen gleichzeitig und mit der gleichen Selbstverständlichkeit auf. Grund dafür ist wieder, was am Anfang meines Notizbuches steht: daß Sprache für uns dichtet und denkt. Ich habe diese unbewußte Kritik in zwei Phasen ihres Wachstums beobachtet.

Schon 1936 sagte mir ein junger Autoschlosser, der ganz allein mit einer kniffligen Notreparatur an meinem Vergaser zu Rande gekommen war: „Habe ich das nicht fein organisiert?“ Die Wörter „Organisation“ und „Organisieren“ lagen ihm derart im Ohr, er war derart überfüttert mit der Vorstellung, daß jede Arbeit erst organisiert, d. h. auf eine disziplinierte Gruppe von einem Anordner verteilt werden müsse, daß ihm für seine eigene und allein bewältigte Aufgabe nicht einer der auf sie zutreffenden einfachen Ausdrücke wie „arbeiten“ oder „erledigen“ oder „verrichten“ oder ganz simpel „machen“ in den Sinn kam.
Der zweiten und entscheidenden Entwicklungsphase dieser Kritik begegnete ich zuerst in den Stalingrader Tagen und seitdem immer wieder. Ich fragte, ob es noch gute Seife zu kaufen gäbe. Die Antwort lautete: „Kaufen kann man sie nicht, man muß sie organisieren.“ Das Wort war anrüchig geworden, es roch nach Machenschaft, nach Schiebertum, es war mit genau dem Geruch behaftet, den die offiziellen nazistischen Organisationen ausströmten. Dabei aber hatten die Leute, die von ihrem privaten Organisieren sprachen, durchaus nicht die Absicht, sich zu einer fragwürdigen Handlung zu bekennen. Nein, „organisieren“ war ein gutartiges, überall in Schwang befindliches Wort, war die selbstverständliche Bezeichnung eines selbstverständlich gewordenen Tuns...
Ich schreibe nun schon eine ganze Weile: es war ... es war. Aber wer hat denn gestern erst gesagt: „Ich muß mir ein bißchen Tabak organisieren?“ Ich fürchte, das bin ich selber gewesen.

XVIII

Ich glaube an ihn

Wenn ich an das Bekenntnis zum Glauben an Adolf Hitler denke, sehe ich zuerst immer Paula von B. vor mir, mit den weit aufgerissenen grauen Augen im nicht mehr jugendfrischen, aber feinen, ebenso gutartigen wie durchaus geistigen Gesicht. Sie war Assistentin an Walzels deutschem Seminar, und eine Unmenge von späteren Volksschullehrern und Studienräten ist von ihr bei Bücherbeschaffung, Abfassung von Pflichtaufsätzen usw. durch viele Jahre sehr brav beraten worden.

Oskar Walzel, das gehört hierher, ist vielleicht bisweilen um einen Finger breit vom Ästhetischen ins Ästhetenhafte abgewichen, er ist vielleicht von seiner Vorliebe aus für den neuesten Stand der Entwicklung ein und das andere Mal in die Gefahr des Snobismus geraten, er hat vielleicht in seinen großen öffentlichen Vorlesungen ein klein wenig zu viel Rücksicht auf das zahlreiche Damen- und, wie man sagte, Fünf-Uhr-Tee-Publikum genommen, aber mit alledem ist er doch in seinen Büchern immer ein gediegener Gelehrter und gedankenreicher Mann gewesen, dem die Literaturwissenschaft vieles verdankt. Da er seiner Gesamtgesinnung und seiner gesellschaftlichen Haltung nach durchaus zum linken Flügel des Bürgertums gehörte, so wurde ihm von seinen Gegnern gern „jüdischer Feuilletonismus“ vorgeworfen, und zweifellos hat er ihnen die größte Überraschung bereitet, als er, damals schon in Bonn und am Ende seiner Laufbahn, den von Hitler geforderten Ariernachweis beizubringen vermochte. Für seine Frau freilich und nun gar erst für seinen Freundeskreis war dieser Nürnberger Ablaßzettel unerreichbar.

Unter solchem Chef also wirkte Fräulein von B. mit Beglücktheit, und seine Freunde waren auch die ihrigen. Ich selber verdankte ihre Zuneigung offenbar dem Umstand, daß ich Walzels innere Gediegenheit trotz seiner kleinen äußeren Schwächen nie verkannte. Als später Walzels Dresdener Nachfolger an die Stelle des Salontons eine gewisse philosophische Schwerflüssigkeit setzte — ohne ein ganz kleines bißchen Koketterie pflegt es nun einmal bei den Cathedraticos der Literaturgeschichte nicht abzugehen, das scheint das Handwerk unvermeidlich mit sich zu bringen —, da fand sich Paula von B. mit beinahe der gleichen Beglücktheit auch in die Art des neuen Chefs; ihre Belesenheit und ihr Verständnis reichten jedenfalls dazu aus, auch in diesem Strom zu schwimmen.

Sie stammte aus altadliger Offiziersfamilie, ihr Vater war als pensionierter General gestorben, ihr Bruder als Major aus dem Weltkrieg heimgekehrt, worauf er in einer großen jüdischen Firma einen Vertrauens- und Repräsentationsposten gefunden hatte. Wenn man mich vor 1933 nach Paula von B.s politischer Meinung gefragt hätte, so wäre meine Antwort wahrscheinlich gewesen: deutsch mit Selbstverständlichkeit, und europäisch und liberal mit ebenso großer Selbstverständlichkeit, bei einigen sehnsüchtigen Reminiszenzen an die glänzende Kaiserzeit; aber noch wahrscheinlicher hätte ich geantwortet, Politik existiere für sie überhaupt nicht, sie gehe ganz im Geistigen auf, und die realen Anforderungen ihres Hochschulpostens bewahrten sie davor, sich im bloß Schöngeistigen oder gar bloß Schaumschlägerischen zu verlieren.

Und dann kam 1933. Paula von B. hatte ein Buch aus meinem Seminar zu holen. Die sonst Ernste kam mit heiterem Gesicht und jugendlich beschwingten Bewegungen auf mich zu. „Sie strahlen ja! Haben Sie ein besonderes Glück erlebt?" — „Ein besonderes! Brauche ich das noch? ... Ich bin um zehn Jahre jünger geworden, nein, um neunzehn: so ist mir seit 1914 nicht mehr zumut gewesen!" — „Und das sagen Sie mir? Und das können Sie sagen, wo Sie doch sehen und lesen und hören müssen, wie man Leute entehrt, die Ihnen bisher nahegestanden haben, wie man über Werke urteilt, die Sie bisher geschätzt haben, wie man sich lossagt von allem Geistigen, das Sie bisher ..." Sie unterbrach mich, ein bißchen bestürzt und sehr liebevoll: „Lieber Herr Professor, ich habe nicht mit Ihrer nervösen Überreiztheit gerechnet. Sie sollten für ein paar Wochen in Urlaub gehen und gar keine Zeitung lesen. Sie lassen sich im Augenblick kränken und lassen Ihren Blick vom Wesentlichen ablenken durch kleine Peinlichkeiten und Schönheitsfehler, die bei so großen Umwälzungen nun einmal nicht zu vermeiden sind. In kurzer Zeit werden Sie ganz anders urteilen. Ich darf Sie beide bald einmal besuchen, nicht wahr?"

Und mit einem „Herzlichen Gruß zu Hause!“ war sie zur Tür hinaus wie ein hüpfender Backfisch, ehe ich noch antworten konnte.
Aus der „kurzen Zeit“ wurden mehrere Monate, in denen sich die allgemeine Perfidie des neuen Regimes und seine besondere Brutalität gegen die „jüdische Intelligenz“ immer offener hervortaten. Paula von B. mochte in ihrer Unbefangenheit doch erschüttert sein. In der Hochschule sahen wir uns nicht — ich weiß nicht, ob sie mich absichtlich mied.
Bis sie dann eines Tages doch bei uns erschien. Sie empfinde es als ihre deutsche Pflicht, ihren Freunden ein offenes Bekenntnis abzulegen, und als unsere Freundin hoffe sie sich nach wie vor betrachten zu dürfen. „‚Deutsche Pflicht‘ hätten Sie früher nicht gesagt“, fiel ich ihr ins Wort, „was hat deutsch oder nichtdeutsch mit sehr privaten und mit allgemein menschlichen Dingen zu tun? Oder wollen Sie mit uns politisieren?“ — „Deutsch oder nichtdeutsch, das hat mit allem zu tun, das allein ist das Wesentliche, und sehen Sie, das habe ich, das haben wir alle vom Führer gelernt oder neu gelernt, nachdem wir es vergessen hatten. Er hat uns nach Hause zurückgeführt!“ — „Und warum erzählen Sie uns das?“ — „Sie müssen es auch anerkennen, sie müssen begreifen, daß ich ganz zum Führer gehöre, Sie dürfen aber nicht glauben, daß ich deshalb meine freundschaftlichen Gefühle für Sie aufgebe ...“ — „Und wie sollen sich diese beiden Gefühle vereinen lassen? Und was sagt Ihr Führer zu Ihrem so verehrten Lehrer und früheren Chef Walzel? Und wie vereint sich damit, was Sie an Humanität bei Lessing finden und all den andern, über die Sie Seminararbeiten schreiben ließen? Und wie ... aber es hat ja gar keinen Zweck, weiter zu fragen.“
Sie schüttelte nämlich zu jedem meiner Sätze nur den Kopf und hatte dabei Tränen in den Augen. „Nein, es scheint wirklich zwecklos, denn alles, was Sie mich fragen, kommt doch aus dem Verstand, und was an Gefühlen dahintersteckt, ist nur Erbitterung über Unwesentliches.“ — „Und woher sollen meine Fragen stammen, wenn nicht aus dem Verstand? Und was ist das Wesentliche?“ — „Ich habe es Ihnen ja schon gesagt: daß wir nach Hause, nach Hause gekommen sind! Und das müssen Sie fühlen, und dem Gefühl müssen Sie sich überlassen, und die Größe des Führers muß Ihnen immer gegenwärtig sein, und nicht die Unzuträglichkeit, die Sie selbst im

Augenblick erleiden ... Und unsere Klassiker? Ich glaube gar nicht, daß sie ihm widersprechen, man muß sie nur richtig lesen, Herder z. B. — aber wenn auch — sie hätten sich bestimmt überzeugen lassen!" — „Und woher nehmen Sie diese Gewißheit?" — „Wo alle Gewißheit herstammt: aus dem Glauben. Und wenn Ihnen das nichts sagt, dann — ja, dann hat ja unser Führer doch recht, wenn er sich gegen die ... (sie schluckte die Juden noch gerade herunter und fuhr fort) ... gegen die sterile Intelligenz wendet. Denn ich glaube an ihn, und ich mußte es Ihnen sagen, daß ich an ihn glaube." — „Dann, verehrtes Fräulein von B., ist das einzig Richtige, wir vertagen Glaubensgespräch und Freundschaft auf unbestimmte Zeit ..."

Sie ging, und die kurze Zeit, die ich noch in der Hochschule tätig war, mieden wir uns nun wirklich mit Sorgfalt. Ich habe sie danach nur noch einmal wiedergesehen und einmal im Gespräch erwähnen hören.

Das Wiedersehen geschah in einem der historischen Momente des Dritten Reiches. Ich machte am 13. März 1938 ahnungslos die Tür zur Schalterhalle der Staatsbank auf und fuhr zurück, so weit wenigstens, daß mich die halbgeöffnete Tür einigermaßen deckte. Dort innen standen nämlich alle Anwesenden, die hinter und die vor den Schaltern, in steifer Haltung aufrecht mit weit vorgerecktem Arm und hörten auf eine deklamierende Radiostimme. Die Stimme verkündete das Gesetz des Österreichanschlusses an Hitlerdeutschland. Ich blieb in meiner halben Deckung, um nicht den Gruß mitexerzieren zu müssen. Ganz vorn unter den Leuten sah ich Fräulein von B. Alles an ihr war Ekstase, ihre Augen glänzten, die Starrheit ihrer Haltung und ihres Grußes glich nicht dem „Stillgestanden!" der anderen, sondern war ein Krampf, eine Verzückung.

Und wieder ein paar Jahr später drang auf Umwegen eine Nachricht über etliche Hochschulleute ins Judenhaus. Von Fräulein von B. wurde lachend erzählt, sie sei die unerschütterlichste Anhängerin des Führers. Dabei übrigens harmloser als mancher andere Parteigänger, denn das Denunzieren und sonstige Niedertracht sei nicht ihre Sache. Nur eben der Enthusiasmus. Jetzt gerade zeige sie jedem eine Photographie, die ihr gelungen sei. Sie hatte auf Ferienfahrt den Obersalzberg von weitem bewundern dürfen; den Führer selber hatte sie nicht zu Gesicht bekommen — aber doch seinen Hund, und

von dem war ihr eine herrliche Aufnahme geglückt.
Als meine Frau das hörte, meinte sie: „Ich habe es dir schon damals, anno 1933, gesagt, die B. ist eine hysterische alte Jungfer und hat im Führer ihren Heiland gefunden. Auf solche alten Jungfern stützt sich Hitler oder hat er sich so lange gestützt, bis er die Macht in den Händen hielt." — „Und ich erwidere dir, was ich damals schon erwiderte: Das mit den hysterischen alten Jungfern wird sicherlich stimmen, aber das allein kann es nicht gemacht haben, und das allein würde auch heute nicht oder heute bestimmt nicht mehr zulangen (es war nach Stalingrad), trotz aller Machtmittel und trotz aller noch so rücksichtslosen Tyrannei. Es muß Glaube von ihm ausgehen, und dieser Glaube muß auf mehr und andere Menschen überströmen als nur auf alte Jungfern. Auch ist das Fräulein von B. nicht die erstbeste alte Jungfer. Wir haben sie jahrelang (und auch da waren doch für sie schon gefährliche Jahre) als ein recht vernünftiges Frauenzimmer gekannt, sie hat eine gute Bildung, sie hat einen Beruf, den sie tüchtig ausfüllt, sie ist in nüchtern tüchtiger Umgebung aufgewachsen, sie hat sich lange Zeit unter Menschen mit weitem Horizont wohl gefühlt — alles dies mußte sie doch gegen solch religiöse Psychose einigermaßen widerstandsfähig machen ... Ich lege ihrem ‚Ich glaube an ihn' sehr große Bedeutung bei ..."
Und ganz am Ausgang des Krieges, als die vollkommene und rettungslose Niederlage für jeden deutlich war, als das unmittelbare Ende bevorstand, da trat mir dies Credo in kurzer Aufeinanderfolge gleich zweimal entgegen, und beide Male ohne alles Mitwirken einer Altjüngferlichkeit.
Zuerst in einem Wald bei Pfaffenhofen. Anfang April 1945. Uns war die Flucht ins Bayerische geglückt, wir waren in Besitz von Papieren, die uns irgendwo Unterkunft verschaffen mußten, aber vorderhand verwies uns jede Gemeinde an die nächste. Wir wanderten zu Fuß und waren gepäckbeladen und müde. Ein Soldat holte uns ein, griff, ohne ein Wort zu sagen, nach unserem schwersten Gepäckstück und schloß sich uns an. Er mochte im Anfang seiner zwanziger Jahre stehen, er hatte ein freundlich offenes Gesicht, er sah kräftig und gesund aus, nur hing der linke Ärmel seines Uniformrockes leer herunter. Er sehe doch, begann er, uns würde das Tragen schwer — warum sollte er nicht den „Volksgenossen" helfen, wir hätten ja wohl bis Pfaffenhofen

gleichen Weg. Und dann erzählte er zutunlich von sich. Er war am Atlantikwall verwundet und gefangen worden, er hatte in einem amerikanischen Lager gelebt, er war danach als Amputierter ausgetauscht worden. Er war pommerscher Bauer und wollte in seine Heimat zurück, sobald sie vom Feinde frei sei. — „Vom Feinde frei? Rechnen Sie damit? Die Russen stehen doch vor Berlin, und die Engländer und Amerikaner ..." — „Ich weiß, ich weiß, und es gibt ja auch allerhand Leute, die den Krieg für verloren halten."— „Sie selber nicht? Sie haben doch vieles gesehen, Sie müssen auch im Ausland vieles gehört haben ..." — „Ach das sind ja alles Lügen, was das Ausland sagt." — „Aber die Feinde stehen so tief in Deutschland, und unsere Hilfsmittel sind erschöpft." — „Das dürfen Sie nicht sagen. Warten Sie die nächsten vierzehn Tage ab." — „Was sollen die noch ändern?" — „Dann ist doch der Geburtstag des Führers. Viele sagen, da beginne die Gegenoffensive, und wir hätten die Feinde nur deshalb so tief hereingelassen, weil wir sie dann um so sicherer vernichten könnten." — „Und Sie glauben das?" — „Ich bin nur Gefreiter; so viel verstehe ich vom Kriegführen nicht, um das beurteilen zu können. Aber der Führer hat erst neulich erklärt, daß wir bestimmt siegen werden. Und er hat noch nie gelogen. An Hitler glaube ich. Nein, den läßt Gott nicht im Stich, an Hitler glaube ich."
Der bisher so Redselige, der seinen letzten Satz genauso einfach gesprochen hatte wie alles Vorhergehende, höchstens ein bißchen nachdenklicher, hielt jetzt den Blick auf den Boden gesenkt und schwieg. Ich wußte ihm nichts zu entgegnen und war froh, als er uns wenige Minuten darauf bei den ersten Häusern von Pfaffenhofen verließ.
Und noch einmal, kurze Zeit später in dem kleinen Dorf Unterbernbach, wo wir endlich Unterkunft gefunden hatten und das kurz darauf von den Amerikanern besetzt wurde. Von der ganz nahen Front her strömten einzeln und in Trupps Elemente der zerfallenen Regimenter zurück. Es war ein Versickern des Heeres. Jeder wußte, daß alles zu Ende ging, jeder wollte sich vor der Gefangenschaft retten. Die meisten schalten auf den Krieg, wollten nichts als Frieden, waren gegen alles andre gleichgültig. Einige verfluchten Hitler, etliche verfluchten das Regime und meinten, der Führer selber habe es besser im Sinn gehabt, am Zusammenbruch seien andere schuld.

Wir sprachen mit vielen Leuten, denn unser Wirt war die mildtätigste Seele, die sich denken läßt, und für jeden Flüchtling fand sich immer noch ein Stück Brot oder ein Löffel Suppe. Am Abend saßen vier Soldaten aus verschiedenen Truppenteilen um den Tisch, sie sollten nachher in der Scheune übernachten. Zwei waren junge norddeutsche Studenten, die beiden anderen ältere Leute, ein Tischler aus dem Oberbayrischen und ein Sattler aus Storkow. Der Bayer sprach mit großer Bitterkeit über Hitler, die beiden Studenten stimmten bei. Da schlug der Sattler mit der Faust auf den Tisch. „Ihr solltet euch was schämen. Ihr tut, als ob der Krieg verloren sei. Bloß weil der Ami hier durchgebrochen ist!" – „Na, und die Russen? ... Und die Tommys ... Und der Franzose?" Von allen Seiten fielen sie über ihn her, es sei eine Minute vor zwölf, das müsse ein Kind begreifen. – „Mit dem Begreifen ist da gar nichts gemacht, man muß glauben. Der Führer gibt nicht nach, und der Führer kann nicht besiegt werden, und er hat noch immer einen Weg gefunden, wo andere meinten, es gehe nicht weiter. Nein, zum Teufel, nein, mit Begreifen ist da gar nichts getan, man muß glauben. Ich glaube an den Führer."

So habe ich dies Glaubensbekenntnis zu Hitler aus beiden Volksschichten, der intellektuellen und der im engeren Sinn volksmäßigen, und in beiden Zeiten, am Anfang und am äußersten Ende, ablegen hören. Und ich habe mich keinem Zweifel darüber hingeben können, daß es jedesmal nicht bloß von den Lippen, sondern aus gläubigem Herzen kam. Und auch dies stand und steht mir im Nachprüfen fest, daß die drei Bekennenden über das, was man als durchschnittliche Intelligenz anzusehen pflegt, sicherlich verfügten.

Daß die LTI auf ihren Höhepunkten eine Sprache des Glaubens sein muß, versteht sich von selber, da sie auf Fanatismus abzielt. Doch das Eigentümliche hierbei ist, daß sie als Glaubenssprache sich eng an das Christentum, genauer: an den Katholizismus lehnt, obwohl der Nationalsozialismus das Christentum, und gerade die katholische Kirche, bald offen, bald heimlich, bald theoretisch, bald praktisch, aber von allem Anfang an bekämpft. Theoretisch wird das Christentum in seinen hebräischen und – Fachausdruck der LTI – „syrischen" Wurzeln vernichtet; praktisch besteht man immer wieder auf dem Kirchenaustritt der SS-Leute, sucht ihn auch bei den Volksschullehrern durchzusetzen, führt man aufgebauschte Prozesse gegen homosexuelle Lehrer an Klosterschulen, sperrt man Geistliche, die man politische Geistliche nennt, in Zuchthäuser und Lager.

Aber die ersten Opfer der Partei, die sechzehn vor der Feldherrnhalle Gefallenen, werden kultisch und sprachlich wie christliche Märtyrer behandelt. Die Fahne, die ihrem Demonstrationszug vorangetragen wurde, heißt die Blutfahne, und durch Berührung mit ihr werden neue Feldzeichen der SA und SS geweiht. Auch an „Blutzeugen" fehlt es in hierher gehörigen Reden und Artikeln natürlich nicht. Wer an solchen Zeremonien nicht direkt oder durch das Kino teilgenommen hat, der ist schon durch den frommen Blutdunst der Ausdrücke allein eingenebelt.

Gewiß, die erste Weihnacht nach der Usurpation Österreichs, die „Großdeutsche Weihnacht 1938" wird von der Presse gänzlich dechristianisiert: Es ist durchweg das „Fest der deutschen Seele", das man feiert, die „Auferstehung des Großdeutschen Reiches" und damit die Neugeburt des Lichtes, womit denn die Betrachtung dem Sonnenrad und Hakenkreuz zustrebt, während der Jude Jesus ganz aus dem Spiel bleibt. Und wenn kurz danach zu Himmlers Geburtstag der Blutorden gestiftet wird, dann ist es ausdrücklich ein „Orden des nordischen Blutes".

Aber was sich von alledem als Wort einprägt, wirkt doch in der Richtung christlicher Transzendenz: Mystik der Weihnacht, Martyrium, Auferstehung, Weihe eines Ritterordens knüpfen sich (ihrem Heidentum zum Trotz) als katholische oder sozusagen parsifalische Vorstellungen an die Taten des Führers und seiner Partei. Und die „ewige Wache" der Blutzeugen weist die Phantasie in die gleiche Richtung.

Dabei spielt das Wort ewig seine ungemeine Sonderrolle. Es gehört zu denjenigen Wörtern des LTI-Lexikons, deren besonderer Nazismus nur in der skrupellosen Häufigkeit ihrer Anwendung liegt: allzu vieles in der LTI ist „historisch", ist „einmalig", ist „ewig". Man könnte ewig als die oberste Sprosse an der langen Leiter der nazistischen Zahlensuperlative auffassen, aber mit dieser letzten Sprosse wird der Himmel erreicht. Ewig ist Attribut einzig des Göttlichen; was ich ewig nenne, erhebe ich in die Sphäre des Religiösen. „Wir haben den Weg in die Ewigkeit gefunden“, sagt Ley bei der Einweihung einer Hitlerschule im Anfang 1938. In Lehrlingsprüfungen ist eine tückische Fallstrickfrage nicht selten. Sie lautet: „Was kommt nach dem Dritten Reich?“ Antwortet ein Ahnungsloser oder Übertölpelter: „Das vierte“, dann läßt man ihn (auch bei guten Fachkenntnissen) als unzulänglichen Parteijünger unbarmherzig fallen. Die richtige Antwort muß heißen: „Nichts kommt dahinter, das Dritte Reich ist das ewige Reich der Deutschen.“

Daß Hitler sich selber mit unzweideutig neutestamentlichen Worten als den deutschen Heiland bezeichnet, habe ich mir nur einmal notiert — (aber nochmals: es ist mir ja nur weniges zu Ohren und vor Augen gekommen, und Ergänzungslektüre vermag ich auch jetzt nur in beschränktestem Maße zu treiben). Unter dem 9. November 1935 trug ich ein: „Er nannte die bei der Feldherrnhalle Gefallenen ‚Meine Apostel‘ — es sind sechzehn, er muß natürlich vier mehr haben als sein Vorgänger —, und in der Beisetzungsfeier hieß es: ‚Ihr seid auferstanden im Dritten Reich‘.“

Mag nun diese unmittelbare Selbstvergottung und stilistische Selbstangleichung an den Christus des Neuen Testaments eine Ausnahme und vielleicht wirklich eine nur einmal vorhandene sein, so bleibt doch bestehen, daß der Führer immer und immer wieder sein besonders nahes Verhältnis zur Gottheit unterstrichen hat, seine besondere Auserwähltheit, seine besondere Gotteskindschaft, seine religiöse Mission. Während des triumphierenden Aufstiegs sagt er in Würzburg (Juni 1937): „Die Vorsehung führt uns, wir handeln nach dem Willen des Allmächtigen. Es kann niemand Völker- und Weltgeschichte machen, wenn er nicht den Segen dieser Vorsehung hat.“ Am „Heldengedenktag“ 1940 hofft er „demütig auf die Gnade der Vorsehung“. Jahrelang erscheint die Vorsehung, die ihn auserwählt hat, in fast jeder Rede, fast jedem Aufruf. Nach dem Attentat am 20. Juli 1944 ist es das Schicksal, das ihn bewahrt hat, weil die Nation ihn brauche, ihn, den Fahnenträger „des Glaubens und der Zuversicht“. Silvester 1944, als jede Aussicht auf Sieg geschwunden ist, muß wie in den Tagen des Triumphes der persönliche Gott wieder her, der „Allmächtige“, der die gerechte Sache nicht sieglos lassen wird.

Wichtiger als solche Einzelbezugnahmen auf die Gottheit ist

ein anderes. Goebbels berichtet in seinen Tagebuchblättern „Vom Kaiserhof zur Reichskanzlei" unter dem 10. Februar 1932 von einer Rede des Führers im Sportpalast: „Zum Schluß gerät er in ein wunderbares unwahrscheinliches rednerisches Pathos hinein und schließt mit dem Wort: Amen!, das wirkt so natürlich, daß die Menschen alle auf das tiefste davon erschüttert und ergriffen sind ... die Massen im Sportpalast geraten in einen sinnlosen Taumel ..." Das Amen zeigt deutlich, daß die allgmeine Richtung dieser Redeleistung eine religiöse und pastorale ist. Und das „Es wirkt so natürlich" des fachkundigsten Zuhörers läßt auf den hohen Grad der bewußt angewandten Redekunst schließen. Liest man die Rezepte der Massensuggestion, die Hitler selbst im „Kampf" mitteilt, so wird man erst recht keinen Zweifel hegen an der bewußten Verführung, die im Ziehen der frommen und kirchüblichen Register liegt. Immerhin: ein gläubiger Fanatiker, ein Wahnsinniger, entwickelt oft im Dienst seines Wahns die größte Schlauheit, und erfahrungsgemäß gehen die ganz großen und dauernden Suggestionen nur von solchen Betrügern aus, die sich selber betrügen. Doch die Nürnberger Richter sind ja der Entscheidung, ob Hitler an den Galgen gehörte oder in ein Irrenhaus, von ihm selber überhoben worden, und hier interessiert nicht die Frage seiner Schuld, sondern das Wie seiner Wirkung. Daß sie sich zu einer religiösen gipfelt, liegt also einmal an einzelnen spezifisch christusmäßig geformten Wendungen, sodann und im stärkeren Maß am predigtartigen und enthusiastischen Vortrag ausgedehnter Redeteile.

Vor allem aber liegt es daran, daß er die wohlorganisierte Mitwirkung vieler geschulter Helfer zu seiner Vergottung in Anspruch nimmt.

Ein paar Seiten nach der eben zitierten Stelle berichtet Goebbels mit freudigem Stolz vom „Tag der erwachenden Nation": „Wir werden in einer noch nie dagewesenen Konzentration all unsere Propagandamöglichkeiten ausspielen ...", alles „wird klappen wie am Schnürchen". Und dann spricht der Führer in Königsberg, jedermann ist zutiefst ergriffen, und nun „klingt mächtig in den Schlußakkord der Rede das Niederländische Dankgebet, in der letzten Strophe übertönt vom Glockenläuten des Königsberger Doms. Über den Rundfunk schwingt diese Hymne durch den Äther über ganz Deutschland."

Aber der Führer kann nicht alle Tage sprechen, er darf es auch nicht, die Gottheit muß im allgemeinen über den Wolken thronen und öfter durch den Mund ihrer Priester als selber reden. Womit in Hitlers Fall der weitere Vorteil verbunden ist, daß seine Diener und Freunde ihn noch entschiedener und unbefangener zum Heiland erheben, ihn noch pausenloser und vielstimmiger anbeten können als er sich selber. Von 1933 bis 1945, bis in die Berliner Katastrophe hinein, hat dieses Zum-Gott-Erheben des Führers, dieses Angleichen seiner Person und seines Tuns an Heiland und Bibel Tag für Tag stattgefunden und immer „wie am Schnürchen geklappt", und nie konnte ihm im geringsten widersprochen werden.

Mein Kollege Spamer, der Volkskundler, der so gut über Entstehen und Weiterleben von Legenden Bescheid weiß, sagte mir einmal im ersten Jahr des Hitlertums, als ich mich über den Geisteszustand des deutschen Volkes entsetzte: „Wenn es möglich wäre — (er hielt das damals noch für einen irrealen Konditionalsatz) —, die gesamte Presse, die gesamte Publikation und Lehre auf einen einzigen Ton festzulegen, und wenn dann überall doziert würde, es habe keinen Weltkrieg zwischen 1914 und 1918 gegeben, so würde nach drei Jahren alle Welt glauben, es habe ihn wirklich nicht gegeben." Als ich Spamer bei unserem ersten ausführlichen Wiederbeisammensein hieran erinnerte, da verbesserte er mich: „Ja, ich weiß noch; Sie haben nur eines falsch behalten; ich sagte damals und meine das heute erst recht: nach einem Jahr!"

Aus der Überfülle der Vergottungsbeispiele greife ich ganz wenige heraus. Im Juli 1934 sagte Göring in einer Rede vor dem Berliner Rathaus: „Wir alle, vom einfachsten SA-Mann bis zum Ministerpräsidenten, sind von Adolf Hitler und durch Adolf Hitler." In den Wahlaufrufen des Jahres 1938 zur Bestätigung des Österreichsanschlusses, zur Billigung Großdeutschlands heißt es, Hitler sei „das Werkzeug der Vorsehung", und dann im alttestamentlichen Stil: „die Hand muß verdorren, die Nein schreibt". Baldur von Schirach bestimmt die Geburtsstadt des Führers, Braunau, zum „Wallfahrtsort der deutschen Jugend". Baldur von Schirach gibt auch „Das Lied der Getreuen" heraus, „Verse ungenannter österreichischer Hitlerjugend aus den Jahren der Verfolgung 1933 bis 1937"; darin heißt es: „. . . Es gibt so viele, die dir nie begegnen und denen trotzdem du der Heiland bist."

Jetzt wird die Vorsehung natürlich von aller Welt bemüht, nicht nur von solchen Menschen, denen man nach sozialer Schicht und Bildung Suggestionsfähigkeit und Überschwang gewissermaßen zubilligen möchte. Auch der Rektor der Dresdener Technischen Hochschule, ein hochangesehener Professor der Mathematik, ein Mann also, von dem man abwägende Gedanken und maßvolle Worte erwartet, auch Magnifizenz Kowalewski schreibt in diesen Tagen in einem Zeitungsartikel: „Er ist uns von der Vorsehung gesandt.“
Einen entschiedeneren Vergottungston wieder schlägt Goebbels dicht vor dem Überfall auf Rußland an. In seiner Glückwunschrede zum 20. April 1941 sagt er: „Wir brauchen nicht zu wissen, was der Führer tun will — wir glauben an ihn.“ (Dabei wird man es einer späteren Generation immer wieder einprägen müssen, daß solch ein Satz des Propagandaministers buchstäblich nirgends in der Öffentlichkeit auch nur dem leisesten Zweifel ausgesetzt war.) Und Silvester 1944 beklagt Goebbels mehr noch als der Führer selber, der unter der unverschuldeten Not seines Volkes ergraut sei, die Menschheit, die ihn verkenne. Denn seine Liebe gehöre der ganzen Menschheit; wüßte sie es, „sie nähme noch in dieser Stunde Abschied von ihren falschen Göttern und huldigte ihm“.
Die kultische Verehrung Hitlers, der leuchtende Religionsnebel um seine Person werden noch dadurch intensiviert, daß sich religiöse Epitheta einstellen, wo immer von seinem Werk, seinem Staat, seinem Krieg die Rede ist. Will Vesper, der sächsische Landesleiter der Reichsschrifttumskammer — totale Organisation! Spamers irrealer Bedingungssatz hat seine Irrealität verloren —, Will Vesper verkündet bei einer „Buchwoche“ im Oktober: „‚Mein Kampf‘ ist das heilige Buch des Nationalsozialismus und des neuen Deutschland.“ Ich glaube nicht, daß die Originalität dieses Satzes mehr ist als höchstens eine Periphrase. Denn „Bibel“ des Nationalsozialismus ist „Mein Kampf“ immer und überall genannt worden. Ich besitze hierfür zu meinem Privatgebrauch einen höchst unphilologischen Beweis: gerade diesen Ausdruck habe ich mir nirgends notiert — er war mir gar zu selbstverständlich und alltagsgeläufig. Es versteht sich, daß denn auch der Krieg zur Erhaltung nicht nur des Hitlerreiches im engeren Sinn, sondern des Geltungsbereiches der Hitlerreligion ein „Kreuzzug“, ein „heiliger Krieg“, ein „heiliger Volkskrieg“ wurde, und daß es

in diesem Religionskrieg denn auch Tote gab, die „im festen Glauben an ihren Führer“ gefallen waren.
Der Führer ein neuer Christus, ein deutscher Sonderheiland — man nennt auch eine große Anthologie deutscher Dichtung und Philosophie, die von der Edda bis zum Hitlerkampf reicht, wobei Luther, Goethe usw. nur Zwischenstufen bilden, die „Germanenbibel“ —, sein Buch das eigentliche Evangelium der Deutschen, sein Verteidigungskrieg ein heiliger Krieg: Es ist klar, daß Buch und Krieg ihre Heiligkeit der Heiligkeit ihres Urhebers verdanken, wenn sie auch rückwirkend dessen Glorienschein verstärken.
Aber wie steht es im Punkte der Priorität, was dies von Hitler verkündete, geschaffene und verteidigte Reich selber anlangt? Hier ist Hitler der Empfangende.
Dem Worte Reich haftet etwas Feierliches an, eine religiöse Würde, die allen ihm nur teilweise synonymen Ausdrücken fehlt. Die res publica, die Republik, ist die allgemeine Angelegenheit aller Bürger, die alle verpflichtende öffentliche Ordnung, die sie selber in ihrem Gemeinwesen hergestellt haben und aufrechterhalten, ein rein diesseitiger und vernunftmäßiger Bau. Eben das sagt das Renaissancewort „der Staat“ aus: Es bezeichnet den festen Stand, die stabile Ordnung eines zusammengefaßten Gebietes, es hat eine völlig diesseitige, ausschließlich politische Bedeutung. „Reich“ dagegen, sofern es nicht in Compositis (Königreich, Kaiserreich, Gotenreich ...) eingeengt wird, umfaßt einen weiteren Bereich, schwingt ins Geistige, ins Transzendente aus: Das christliche Jenseits ist das Himmelreich, und im allgemeinsten und schlichtesten Gebet des Christentums heißt die zweite Bitte: Dein Reich komme. Der grausame Witz, mit dem man sich an dem Bluthund Himmler im geheimen rächte, bestand darin, daß man von seinen Opfern sagte, er habe sie eingehen lassen in sein Himmlersches Reich. Das Staatsgebilde, worin Deutschland bis 1806 einbegriffen ist, heißt ausdrücklich „das Heilige Römische Reich Deutscher Nation“, und heilig ist hier kein schmückendes oder nur enthusiastisches Beiwort, sondern besagt, daß es sich in diesem Staat nicht um eine bloß diesseitige Ordnung handle, daß vielmehr auch der Bezirk des Jenseitigen mitverwaltet werde.
Als Hitler durch die Eingliederung Österreichs den ersten Schritt auf dem Wege zu dem ihm vorschwebenden Groß-

deutschland getan hatte und nun, mutatis mutandissimis, die Italienfahrten der mittelalterlichen Kaiser nachahmend, zu Verhandlungen mit dem Duce prunkvoll und mit großem Gefolge nach Rom fuhr, da las man als Schlagzeile der deutschen Presse: „Das Heilige Germanische Reich Deutscher Nation". Die Herrscher des mittelalterlichen Reiches wurden in ihrem Gottesgnadentum durch die kirchliche Krönung legalisiert und fühlten sich als Verwalter eines römisch-christlichen Glaubens- und Kultursystems. Indem Hitler ein Heiliges Germanisches Reich stabilisiert, nutzt er den Glorienschimmer des alten Reiches für seine neue Konstruktion. Dabei wird vorderhand an Hitlers ursprünglicher Lehre festgehalten, daß er nur ein deutsches oder germanisches Reich schaffen wolle, daß alle anderen Nationen in ihrer Freiheit unverletzt bleiben sollen.

Als er dann Wortbruch an Wortbruch und Raub an Raub reiht und als aus dem anfänglichen Blitzkrieg längst ein langsames Verbluten geworden ist, da erscheint Weihnachten 1942 in der „Frankfurter Zeitung" (unter der Chiffre srp) eine geschichtsphilosophische Studie, die der verblassenden Aureole des Reichsgedankens neue Leuchtfarbe aufpinselt: „Das Reich in der Bewährung". Der für ein gebildetes Publikum berechnete und stilisierte Aufsatz geht von der geistigweltlichen Ordnung des Heiligen Römischen Reiches aus. Hier habe es sich um eine überstaatliche europäische Ordnung gehandelt, in der dem deutschen Kaiser viele und kulturell verschiedene Völkerschaften unterstellt waren. Dies Reich zerfiel, als sich Nationalstaaten herausbildeten. Unter ihnen habe Preußen den Staatsgedanken am reinsten, „als sittliche Forderung, als geistige Haltung", entwickelt, wodurch es zum Ordner Kleindeutschlands geworden sei. Jedoch als man in der Paulskirche über ein neues Großdeutschland verhandelt habe, sei es offenbar geworden, daß Großdeutschland nicht ein ausschließlich „völkischer Staat" sein könne, sondern übernationale europäische Aufgaben auf sich nehmen müsse. Was den Männern der Paulskirche mißglückte, gelang dem Führer: er schuf das Großdeutsche Reich. Vielleicht war ihm einen Augenblick lang (damals, als er sich mit Sudetenland zu begnügen versprach) der geschlossene Nationalstaat möglich erschienen. Aber die immanente Idee Großdeutschlands drängte ihn mit Notwendigkeit weiter. Großdeutschland kann nur existieren „als

Kern und Träger eines neuen Reiches, es trägt vor der Geschichte die Verantwortung für eine neue Gesamtordnung und für ein neues, der Anarchie entrücktes Zeitalter des europäischen Kontinents ..., im Krieg muß es sich für diese Aufgabe bewähren". Dieser Schlußabschnitt der Studie hat zur Überschrift: „Erbe und Auftrag". So wird hier also für die Gebildeten der verbrecherischste Krieg vom alten Reichsgedanken her geheiligt und der Begriff des Reiches selber mit neuer Heiligkeit erfüllt.

Eine Steigerung dieser Heiligkeit ins Mystische und dazu eine ungeheuer einfache und jedermann glatt und unbewußt eingehende Mystik wird erreicht, indem man nicht vom bloßen Reich allein, sondern ständig vom „Dritten Reich" spricht. Und auch hier nutzt die LTI zu Hitlers Vergottung nur, was sie schon vorfindet. „Das Dritte Reich" Moeller van den Brucks trägt unter dem Vorwort der ersten Auflage das Datum Dezember 1922. Dort schreibt er: „Der Gedanke des Dritten Reiches ist ein Weltanschauungsgedanke, der über die Wirklichkeit hinaushebt. Nicht zufällig sind die Vorstellungen, die schon bei dem Begriffe sich einstellen, bei dem Namen des Dritten Reiches ..., seltsam wolkig, gefühlvoll und entschwebend und ganz und gar jenseitig." Hans Schwarz, der Herausgeber einer dritten Auflage im Jahre 1930, berichtet, daß „der Nationalsozialismus den Ruf nach dem Dritten Reich aufgenommen, der Bund Oberland seine Zeitschrift danach benannt" habe, und betont zugleich in seinen ersten Zeilen: „Für alle Suchenden hat das Dritte Reich eine legendarische Kraft."

Im allgemeinen bewährt sich legendarische Kraft am stärksten bei Menschen ohne geistige Bildung und ohne geschichtliche Kenntnisse. Hier liegt es umgekehrt. Je mehr einer von der Geschichte der Literatur und der Geschichte des Christentums weiß, um so „jenseitiger" spricht ihn der Ausdruck „Drittes Reich" an. Kirchen- und Religionsreiniger des Mittelalters, schwärmende Menschheitsreformer späterer Zeiten, Männer verschiedenster Richtung träumten von einer Ära, die auf Heidentum und Christentum, oder auf verderbtes Gegenwartschristentum, als vollkommenes Drittes Reich folgen soll, und sie hoffen auf den Messias, der es heraufführen wird. Lessing- und Ibsen-Reminiszenzen werden wach.

Aber auch die Masse derer, die von der reichen Vergangenheit dieses Begriffes nichts wissen — man kann und wird sie natürlich darüber aufklären, für weltanschauliche Schulung wird dauernd gesorgt, die Aufteilung der Arbeit zwischen den Ministerien Goebbels und Rosenberg ist genau durchdacht —, auch die einfache Masse empfindet die Bezeichnung „Drittes Reich" ohne weiteres als eine religiöse Steigerung des religionserfüllten Begriffes Reich. Zweimal hat es ein Deutsches Reich gegeben, zweimal war es unvollkommen, und zweimal ist es versunken; jetzt aber als Drittes Reich steht es in Vollendung da und für alle Zeiten unerschütterlich. Die Hand, die ihm nicht dienen will, die sich gar dawider erhebt, die Hand muß verdorren...

Die mannigfachen ans Jenseitige rührenden Ausdrücke und Wendungen der LTI bilden in ihrer Gemeinsamkeit ein Netz, das der Phantasie des Hörers übergeworfen wird und das sie in die Sphäre des Glaubens hinüberzieht. Ist dieses Netz wissentlich geknüpft, beruht es, um den Ausdruck des achtzehnten Jahrhunderts zu gebrauchen, auf Priestertrug? Zum Teil sicherlich. Darüber braucht nicht vergessen zu werden, daß Glaubenssehnsucht und religiöse Bereitschaft bei einigen Initiatoren der Lehre fraglos im Spiel gewesen sind. Schuld und Unschuld der ersten Netzknüpfer abzuwägen, dürfte nicht immer möglich sein. Aber die Wirkung des einmal vorhandenen Netzes von sich aus scheint mir völlig gewiß; der Nazismus wurde von Millionen als Evangelium hingenommen, weil er sich der Sprache des Evangeliums bediente.

Wurde? — Ich habe das „Ich glaube an ihn" nur bis in die letzten Tage des Hitlerreiches verfolgt. Ich habe jetzt Tag für Tag mit Rehabilitierten zu tun und solchen, die rehabilitiert sein wollen. Diesen Leuten, so verschieden sie auch sonst untereinander sein mögen, ist eines gemeinsam: Sie behaupten alle, eine Sondergruppe der „Opfer des Faschismus" zu bilden, sie sind alle gegen ihre Überzeugung durch irgendwelche Gewaltanwendung zum Eintritt in die ihnen von jeher verhaßte Partei gezwungen worden, sie haben nie an den Führer, nie an das Dritte Reich geglaubt. Aber neulich traf ich L. auf der Straße, meinen alten Schüler, den ich zuletzt bei meinem letzten Besuch in der Landesbibliothek gesehen hatte. Er schüttelte mir damals teilnehmend die Hand; es war mir peinlich, denn er trug schon das Hakenkreuz. Jetzt kam er freudig auf mich zu: „Ich freue mich, daß Sie gerettet und wieder im Amt sind!" — „Und wie geht es Ihnen?" — „Schlecht natürlich, ich bin als Bauarbeiter tätig, es reicht nicht für Frau und Kind, und ich bin dem auch körperlich auf die Dauer nicht gewachsen." — „Werden Sie nicht rehabilitiert? Ich kenne Sie doch — irgend etwas Verbrecherisches haben Sie bestimmt nicht auf dem Gewissen. Hatten Sie ein höheres Amt in der Partei, waren Sie politisch sehr aktiv?" — „Gar nicht, ich war ganz kleiner Pg." — „Wieso werden dann gerade Sie nicht rehabilitiert? — „Weil ich mich nicht darum beworben habe und mich auch nicht darum bewerben kann." — „Das verstehe ich nicht." Pause. Dann, mühselig, mit gesenkten Augen: „Ich kann das nicht ableugnen, ich habe an ihn geglaubt." — „Aber Sie können doch unmöglich jetzt noch glauben; Sie sehen, wohin das geführt hat, und all die grausigen Verbrechen des Regimes liegen doch nun offen am Tage." Noch längere Pause. Dann, ganz leise: „Das geb' ich alles zu. Die anderen haben ihn mißverstanden, haben ihn verraten. Aber an ihn, an IHN glaube ich noch immer."

XIX

Familienanzeigen als kleines Repetitorium der LTI

Geburtsanzeige aus dem „Dresdner Anzeiger" vom 27. Juli 1942: Volker *21. 7. 1942. In Deutschlands größter Zeit wurde unserm Thorsten ein Brüderchen geboren. In stolzer Freude Else Hohmann ... Hans-Georg Hohmann, SS-Untersturmführer d. Res. Dresden, General-Wever-Straße.
Geburt, Zeugung, Tod: das Allgemeinste und animalisch Wichtigste in jedem Menschenleben, die natürliche Gliederung jedes Menschenlebens. Wie sich Trichinen in den Gelenken eines Verseuchten ansammeln, so häufen sich Charakteristika und Klischees der LTI in den Familienanzeigen, und was ich an vielen Stellen unter mancherlei Gesichtspunkten als einzelnes beobachten kann, treffe ich zusammengedrängt in den Familienanzeigen oft eines einzigen Tages an, ganz vollzählig freilich erst, nachdem der Krieg mit Rußland in Gang gekommen ist und auf keine Weise mehr als Blitzkrieg betrachtet werden kann. Es ist von Wichtigkeit, dieses Datum anzugeben, denn damals gingen Artikel durch die Presse, in denen die allzu weichherzige oder fassungslose Trauer um einen auf dem Felde der Ehre Gefallenen als unwürdig und beinahe unpatriotisch und staatsfeindlich bezeichnet wurde. Das hat zur Heroisierung und Stoisierung der Gefallenenanzeigen entschieden beigetragen.
Die Geburtsanzeige am Anfang dieser Notiz fügt dem überkommenen Klischeeschatz ein lehrreiches Neues aus Eigenem hinzu. Daß die Kinder einen Nibelungen- oder einen nordischen Namen tragen, daß der SS-Vater seinem von Natur simpleren Vornamen wenigstens durch den Bindestrich einen volleren Teutschton verleiht, daß statt des Sterns oder des Wortes „geboren" die Lebensrune gesetzt ist, das alles sind nur gehäufte Anwendungen bereits üblicher Nazismen, und das sind auch in meinem Notizbuch nur Wiederholungen. Daß man in einer Straße wohnt, die zu Ehren eines noch vor dem Kriege verunglückten Fliegergenerals der Hitlerarmee umgetauft wurde, ist bloße Glückssache, nicht eigenes Verdienst.

Und „Deutschlands größte Zeit" ist ein fast bescheidener Superlativ unter den Superlativen, die zur Vergottung der Hitlerära im Schwange waren.
Aber Neues und Lehrreiches ist in der stolzen Freude gegeben. Worauf sind die glücklichen Eltern denn stolz? Zeugungsfähigkeit ist für ein SS-Ehepaar selbstverständlich — ihm wäre ja sonst gar nicht die Erlaubnis zur Eheschließung gegeben worden. Und ein zweiter Sohn ist auch noch kein Anlaß zum Stolzsein: es werden weitaus höhere Menschenfleischlieferungen gerade von der SS erwartet, die man gern wie Rassepferde oder -hunde zu Zuchtzwecken verwendet. (Man hat ihnen ja auch wie Tieren ein Herdenzeichen eingebrannt.) Dann bleibt nur stolze Freude auf die „größte Zeit" übrig. Aber stolz kann man doch nur auf etwas sein, woran man aktiv mitwirkt, und hinter dem Namen des SS-Vaters fehlt der Rang in der Armee und sogar das übliche „zur Zeit im Felde". Stolz dürfte nach dem Sittenkodex des Dritten Reiches höchstens die Frau sein, die den Tod eines für den Führer gefallenen Familienmitgliedes anzeigte. Stolze Freude ist in dieser Geburtsanzeige völlig sinnlos.
Doch gerade in solcher Sinnlosigkeit liegt das Lehrreiche. Es handelt sich nämlich ganz offenbar um eine mechanische Analogiebildung zur „stolzen Trauer" in den Gefallenenanzeigen. Mechanische Analogiebildungen legen Zeugnis ab für die Häufigkeit und das Ansehen oder die einprägsame Wucht ihrer Modelle. Dem SS-Ehepaar ist es gedankenlos selbstverständlich, daß man eine Familienanzeige mit dem Ausdruck des Stolzes unterzeichnet, und so kommt denn seine stolze Freude zustande. Wird die stolze Trauer nach dem angegebenen Zeitpunkt vielfach als obligatorisch betrachtet und bisweilen durch die Versicherung verstärkt, daß man auf Wunsch des im heldenhaften Kampf Gefallenen darauf verzichtet habe, Trauerkleidung anzulegen, so ist „sonnig" als stereotypes Schmuckbeiwort selbst älterer Menschen von Anfang des Krieges an äußerst verbreitet. Es scheint, als sei im Hitlerreich jeder Germane jederzeit sonnig, so wie die Hera des Homer immer rinderäugig und der große Karl des Rolandsliedes immer weißbärtig ist. Erst als sich die Sonne des Hitlertums schon tief verhüllt hat und als das Epitheton sonnig schon ebenso abgegriffen wie tragikomisch wirkt, wird es seltener. Völlig verschwindet es bis zuletzt nicht, und wo man es vermeidet,

ersetzt man es gern durch „lebensfroh". Ganz zuletzt noch zeigt ein Oberst der Reserve den Tod seines „strahlenden Jungen" an.

Sonnig bezeichnet sozusagen eine gemeingermanische Eigenschaft, stolze Trauer gebührt sich für den Patrioten schlechthin. Aber auch das spezifisch Nazistische einer Gesinnung läßt sich innerhalb der Traueranzeige ausdrücken; ja hierbei gibt es feine Abstufungen, die nicht nur der höchsten Begeisterung einen Sonderausdruck zu verleihen, sondern sogar (was ungleich schwerer) kritisches Beiseitestehen anzudeuten vermögen.

Das Gros der Gefallenen hat die längste Zeit über sein Leben gelassen „für Führer und Vaterland". (Diese Analogie zu dem altpreußischen „Für König und Vaterland", einschmeichelnd durch die Alliteration, war vom ersten Kriegstage an überall verbreitet; dagegen hat sich ein gleich nach Hitlers Regierungsantritt unternommener Versuch, den 20. April als „Führers Geburtstag" zu bezeichnen, nicht durchgesetzt. Wahrscheinlich hat diese Analogie zu „Königs Geburtstag" der Parteileitung zu monarchistisch geklungen, und so blieb es beim „Geburtstag des Führers", den man allenfalls durch die Wortstellung „Des Führers Geburtstag" ein wenig veraltdeutschen durfte.) Höhere Wärmegrade des Nazismus geben sich kund in den Wendungen: „er fiel für seinen Führer", und „er starb für seinen geliebten Führer", wobei das Vaterland ungenannt bleibt, weil es in Adolf Hitler selber dargestellt und beschlossen ist wie der Leib des Herrn in der geweihten Oblate. Und dies ist der Ausdruck höchster nazistischer Glut, daß man Hitler in unzweideutigen Worten an die Stelle des Heilands setzt: „Er fiel im festen Glauben an seinen Führer."

Wiederum, wenn man mit dem Nationalsozialismus gar nicht einverstanden ist, wenn man seiner Abneigung, vielleicht gar seinem Haß, Luft machen möchte, ohne doch nachweisbare Opposition zu treiben, denn soweit reicht der Mut nun doch nicht, dann formuliert man: „Für das Vaterland fiel unser einziges Kind", und läßt den Führer beiseite. Das entspricht ungefähr der Briefunterschrift „Mit deutschem Gruß", die in den ersten Jahren von halbtapferen Leuten als Ersatz für „Heil Hitler" gewagt wurde. Im gleichen Maße wie die Zahl der Opfer anstieg und die Hoffnung auf Sieg sich verringerte,

scheinen mir auch die Ausdrücke der Führerverehrung seltener geworden zu sein, aber beschwören möchte ich das nicht trotz mancher Zeitungsprobe.
Es mag da nämlich der steigende Mangel an Menschen und Material mitwirken, der immer mehr zur Zusammenlegung von Zeitungen und zur Raumverengung der einzelnen Blätter zwingt, woraus sich für die Familienanzeigen die Notwendigkeit der knappsten (oft durch Wortabkürzungen bis zur Unkenntlichkeit verstümmelten) Fassungen ergibt. Zuletzt wird, wie bei einem teuren Kabeltelegramm, an jedem Wort, an jedem Buchstaben gespart. 1939, als der Tod fürs Vaterland noch eine neue und nicht gar so alltägliche Sache war, als noch Überfluß an Papier und Setzern herrschte, gab es Gefallenenanzeigen, die ein großes dick umrandetes Quadrat füllten, und wenn der Held im Privatleben etwa Fabrik- oder Ladenbesitzer gewesen war, dann ließ es sich seine Gefolgschaft nicht nehmen, ihm von sich aus einen besonderen Nachruf zu widmen. Eine solche zweite Anzeige neben der der Witwe war für die Angestellten einer Firma unumgängliche Pflicht, und so gehört denn auch das gefühlsverlogene Wort „Gefolgschaft" in mein Repetitorium. War der Verewigte gar ein wirklich großes Tier gewesen, hoher Beamter oder mehrfacher Aufsichtsrat, dann kam es vor, daß sein Heldentod, drei-, viermal und noch öfter untereinander angezeigt, wohl ein halbes Zeitungsblatt ausfüllte. Da war freilich für Ergießungen und ausgebreitete Phrasen Platz. Zuletzt aber blieb der einzelnen Familienanzeige selten mehr als zwei Zeilen der engsten Spalte. Auch der Rahmen um die einzelnen Anzeigen fiel fort. Wie in einem Massengrab lagen die Toten in einem einzigen schwarz umzogenen Viereck eng zusammengepackt.
An einer ähnlichen, wenn auch nicht ganz so schlimmen Raumverengung litten in der letzten Kriegszeit auch die Geburts- und Eheanzeigen, von denen immer nur wenige einer grausam langen Totenliste gegenüberstanden. Unter ihnen fiel, gar nicht allzu selten, eine absonderliche Eheschließung auf, die ebensogut auf der Totenseite hätte mitgeteilt werden können: Frauen teilten die nachträglich vollzogene Vermählung mit dem gefallenen Verlobten mit.
In einer furchtbaren Anklageschrift, furchtbar durch ihr phrasenlos aufgehäuftes Material, die schon 1944 im Moskauer Verlag für fremdsprachliche Literatur erschien, in der Gegen-

überstellung: „Hitlers Worte und Hitlers Taten“, werden gerade solche Anzeigen wie diese aus dem „Völkischen Beobachter“: „Ich gebe meine nachträgliche Eheschließung mit dem gefallenen Obergefreiten, Bordfunker Robert Haegele, stud.-ing., Inh. des EK II, bekannt...“, zu den besonderen „Ungeheuerlichkeiten in Hitlerdeutschland“ gerechnet. So viel Tragik aber auch hierin sowie in mancher der hier ebenfalls erwähnten „Ferntrauungen“ enthalten ist, ein besonderes Charakteristikum des Nazismus, eine besondere Sünde neben der allgemeinen Versündigung durch den Raubkrieg, eine besondere Hybris, wie sie in der religiösen Formel steckt: „Gefallen im Glauben an Adolf Hitler“, bedeuten sie nicht; denn hinter ihnen kann gerade das stehen, was man sonst fast überall in dieser Epoche vermißt: ein rein Menschliches, vielleicht die Sorge um die Zukunft eines Kindes, vielleicht die Treue zu einem geliebten Namen. Auch sind die zugrunde liegenden juristischen Möglichkeiten nicht erst vom Dritten Reich gegeben worden.
Man kehrt auf das eigentlich nazistische Gebiet zurück durch eine Rahmenbetrachtung im buchstäblichen Sinn. Die Toten des letzten Kriegsjahres werden, wie gesagt, auch durch die Zeitung ins Massengrab gelegt. Genauer genommen handelt es sich dabei jedesmal um zwei Grabstätten, unbildlich: um zwei Rahmungen; die erste und vornehmere ist für die Leichen vom Felde der Ehre bestimmt, ein Hakenkreuz schmückt ihre linke obere Ecke, und daneben steht etwa: „Für Deutschland fielen...“ Der zweite Rahmen umschließt die Namen derer, die nur eben zivilistisch gestorben sind, ohne alles heroische Verdienst um das Vaterland. Es fällt aber auf, daß sich in den ersten Rahmen gleichfalls und immer mehr Zivilisten drängen, Männer, bei denen nur der bürgerliche Beruf, kein militärischer Rang angegeben ist, Greise und Knaben, die selbst für das Hitlerheer zu alt und zu jung sind, dazu Frauen und Mädchen jeden Alters. Das sind die Toten des Bombenkrieges.
Wenn sie irgendwo auswärts ums Leben gekommen sind, dann darf der Ort angegeben werden: „Beim Angriff auf Bremen wurde unsere geliebte Mutter ...“ Sind sie dagegen hier zugrunde gegangen, dann darf die Nachbarschaft nicht durch eingestandene Verluste beunruhigt werden. In diesem Fall heißt die stereotype Formel der LTI: „Durch tragisches Geschick büßten ihr Leben ein...“

Damit verzeichnet mein Repetitorium den lügnerischen Euphemismus, der im Gefüge der LTI eine so ungemeine Rolle spielt. Das Schicksal dieser Opfer war nicht tragischer als das Schicksal von Hasen, die eine Treibjagd zur Strecke bringt. Nach einiger Zeit sonderte man sie denn auch durch einen dicken Querstrich von den Toten der Front ab. Jetzt gab es also drei Leichenklassen. Gegen diese Herabsetzung der Bombentoten lehnte sich aber der Berliner Volkswitz energisch auf. Man fragte: „Was ist feig?" Und die Antwort lautete: „Wenn sich einer von Berlin weg zur Front meldet."

XX

Was bleibt?

„Und sie dann septembrisieren ..." So ähnlich muß der Vers gelautet haben. Im Jahre 1909, als ich noch ganz unwissenschaftlich mit allen zehn Fingern schrieb, stellte ich für einen Populärverlag einen kleinen Abriß und eine kleine Anthologie deutscher politischer Lyrik des neunzehnten Jahrhunderts zusammen. Die Zeile stand bestimmt in einem Herweghschen Gedicht: Irgendwer, der König von Preußen oder die Reaktion als allegorische Bestie würde der Freiheit oder der Revolution oder irgendwelchen Parteigängern der Revolution irgendwie das Handwerk legen „und sie dann septembrisieren". Das Wort war mir fremd, philologisches Interesse hatte ich damals nicht — der berühmte Tobler hatte mir's gründlich ausgetrieben, und Voßler kannte ich noch nicht —, so begnügte ich mich mit einem Blick in den kleinen Daniel Sanders, der alle um 1900 zur Allgemeinbildung gehörigen Fremdwörter und Eigennamen in erstaunlicher Vollzähligkeit verzeichnete. Dort stand etwa: Politische Massenmorde begehen, wie sie während der Großen Französischen Revolution im September 1792 verübt wurden.

Der Vers, das Wort prägten sich mir ein. Im Herbst oder Winter 1914 wurden sie mir ins Gedächtnis zurückgerufen, und jetzt hatte ich Geschmack an sprachlichen Fragestellungen. Die „Neue Freie Presse" in Wien schrieb, die Russen hätten die Absicht gehabt, Przemysl zu „lüttichieren". Ich sagte mir, hier liege die gleiche Erscheinung vor wie bei „septembrisieren": ein historisches Faktum hat so starken und dauernden Eindruck gemacht, daß man seinen Namen verallgemeinernd auf ähnliche Vorkommnisse überträgt. In einem alten Sachs-Villatte vom Jahre 1881 fand ich nicht nur die französischen Wörter *septembriseur, septembrisade, septembriser* verzeichnet, sondern sie waren auch als deutsche Fremdwörter (Septembrisierer!) wiedergegeben. Es wurde auch hingewiesen auf eine neuartige Nachbildung: *décembriser* und *décembriseur.* Das ging auf den Staatsstreich des dritten Napoleon vom

2. Dezember 1851, und die Verdeutschung des Verbums hieß: „dezembrisieren“. Das deutsche „septembrisieren“ traf ich dann noch in einem Wörterbuch aus dem Anfang des Weltkrieges an. Diese Dauer und diese Ausbreitung über die Grenzen des eigenen Landes hinaus waren offenbar der ungemeinen Phantasiewirkung der Septembermorde zu verdanken; nichts nach ihnen Kommendes hatte ihre Schrecken aus Gedächtnis und Überlieferung verdrängen können.
Ich fragte mich schon damals im Herbst 1914, ob „lüttichieren“ ein ähnlich langes Leben besitzen würde. Es drang aber gar nicht durch, ja es drang, glaube ich, überhaupt nicht in den reichsdeutschen Sprachkörper ein. Sicherlich wohl deshalb, weil gleich nach dem Sturm auf Lüttich eine Reihe eindrucksvollerer und blutigerer Kriegstaten erfolgt war. Der militärische Fachmann wird hier einwenden, daß es sich bei der Eroberung Lüttichs um eine ganz bestimmte Waffentat, nämlich um den unmittelbaren Sturm auf eine moderne Festung gehandelt habe, und daß gerade diese technische Besonderheit durch das neue Verbum ausgedrückt werden sollte; aber nicht der Wille und die Exaktheit des Fachmanns entscheiden über die Allgemeinaufnahme eines neuen Wortes, sondern die Stimmung und die Phantasie der Allgemeinheit.
„Septembrisieren“ mag heute noch im Gedächtnis einer älteren deutschen Generation leben, da *septembriser* zum festen Wortschatz der französischen Sprache gehört. „Lüttichieren“ ist in dem namenlosen Kriegselend, das auf Lüttich folgte, gänzlich erstorben, sofern es überhaupt zum Leben erwacht war.
Und ganz ebenso tot ist ein verwandtes Wort des letzten Weltkrieges, obwohl es, nazistisch gesprochen, für die Ewigkeit geschaffen schien und mit allem Lärm der zusammenklingenden großdeutschen Presse und Radioverbreitung zur Welt kam: das Verbum „coventrieren“. Coventry war ein englisches „Rüstungszentrum“ — nichts als das und nur von militärischen Leuten bevölkert, denn wir griffen prinzipiell nur „militärische Ziele“ an, wie es in jedem Bericht hieß, wir übten auch nur „Vergeltung“, hatten beileibe nicht angefangen, im Gegensatz zu den Engländern, die mit den Luftangriffen begonnen hatten und sie als „Luftpiraten“ hauptsächlich gegen Kirchen und Krankenhäuser ausführten. Coventry also hatten die deutschen Bomber „dem Erdboden gleichgemacht“

und drohten nun, alle englischen Städte zu coventrieren, da ja alle militärischen Zwecken dienten. Man erfuhr im Oktober 1940, daß London „pausenlose Vergeltungsangriffe", daß es „das größte Bombardement der Weltgeschichte" zu erdulden gehabt, daß es eine „Bartholomäusnacht" durchlitten habe; es würde coventriert werden, wenn es sich nicht endlich besiegt gebe.
Das Verbum coventrieren ist versunken, totgeschwiegen von einer Propaganda, die alltäglich das „Piraten- und Gangstertum" der Feinde vor der Menschheit und dem gerechten Gott im Himmel verfluchte und also nicht an eigene Gangstertaten an den Tag ihrer Kraft erinnern durfte, das Verbum coventrieren liegt begraben unter dem Schutt deutscher Städte.
Mir selber fällt coventrieren buchstäblich jeden Tag zwei- oder viermal ein, je nachdem ich nämlich nur vormittags, oder auch nachmittags noch einmal, aus unserm friedlichen Gartenvorort in eine Amtsstelle der Stadt hinunter muß. Sobald ich die Ruinenzone berühre, ist das Wort da. Dann, über Vorlesung, Konferenz, Sprechstunde, gibt es mich frei. Aber sobald ich den Rückweg antrete, springt es mich aus den Gemächerhöhlen wieder an. „Coventrieren" dröhnt die Trambahn „coventrieren" taktieren die Schritte.
Wir werden eine neue Ruinenmalerei und -dichtung bekommen, aber sie wird anders sein als die des achtzehnten Jahrhunderts. Damals gab man sich in tränensüßer Schwermut genußvoll dem Gedanken der Vergänglichkeit hin; diese zerfallenen mittelalterlichen Burgen und Klöster oder gar diese Tempel und Paläste der Antike waren ja vor so vielen Jahrhunderten zerstört worden, daß der Schmerz um ihr Schicksal ein sehr allgemein-menschlicher, ein sehr philosophischer, und somit ein sehr sanfter und eigentlich angenehmer war. Hier aber ... unter diesem ungeheuren Trümmerfeld liegen vielleicht noch deine vermißten Angehörigen, in diesem hohlen Mauerviereck ist alles zu Asche gebrannt, was du in Jahrzehnten erworben hattest. Unersetzliches: deine Bücher, dein Flügel ... Nein, zu sanfter Melancholie regen sie nicht an, unsere Ruinen. Und wenn zur Bitterkeit des Anblicks das Wort „coventrieren" tritt, dann schleift es einen trostlosen Gedankengang hinter sich her. Er heißt: Schuld und Sühne.
Aber das ist bei mir Philologenbesessenheit. Das Volk weiß

nichts mehr von Coventry und „coventrieren“. Ihm haben sich im Angesicht der Vernichtung aus der Luft zwei andere, weniger fremd klingende Ausdrücke eingegraben. Ich kann hier wirklich vom Volk sprechen, denn auf der Flucht nach der Dresdener Katastrophe kamen wir durch viele Provinzen, und auf den Landstraßen begegneten wir Flüchtlingen und Soldaten aus allen Teilen und allen Gesellschaftsschichten Deutschlands. Und überall, auf stanniolbestreuten Waldwegen des Vogtlandes, an zerstörten bayrischen Bahnstrecken, in der hart mitgenommenen Münchener Universität, in hundert verschiedenen Bunkern, in hundert verschiedenen Ortschaften, aus bäurischem und städtischem Mund, von Arbeitern und Akademikern, überall wo etwas an Flieger gemahnte, in Augenblicken des gelangweilten Wartens auf das Entwarnungszeichen, aber auch in den Momenten der unmittelbaren Gefahr, hörte ich wieder und wieder: „Und Hermann hat gesagt, er wolle Meier heißen, wenn ein feindlicher Flieger zu uns hereinkäme!“ Und oft verkürzte sich der lange Satz zu dem höhnischen Ausruf: „Hermann Meier!“

Wer an Görings Versicherung erinnerte, hatte immer noch ein wenig Galgenhumor behalten. Die ganz Verbitterten zitierten Hitlers Drohung, er werde die Städte Englands ausradieren.

„Ausradieren“ und „Meier heißen“: knapper und vollständiger zugleich haben sich der Führer und sein Reichsmarschall niemals charakterisiert, der eine in seinem Wesen als größenwahnsinniger Verbrecher, der andere in seiner Rolle als Volkskomiker. Man soll nicht prophezeien; aber ich glaube, „ausradieren“ und „Meier“ bleiben.

XXI

Die deutsche Wurzel

Unter den ganz wenigen Büchern, durchweg fachwissenschaftlichen, die ich ins Judenhaus mitnehmen konnte, befand sich Wilhelm Scherers Geschichte der deutschen Literatur, die ich während meines ersten Semesters als „stud. germ." in München zum erstenmal zur Hand nahm und die ich seitdem immer wieder studierte und zu Rate zog. Es geschah mir jetzt oft, nein, eigentlich regelmäßig, wenn ich zum Scherer griff, daß ich seine freie Geistigkeit, seine Objektivität, seinen großen Überblick noch ungleich mehr bewunderte als in früheren Zeiten, wo mir manches von diesen Tugenden eigentlich als Selbstverständlichkeit des Wissenschaftlers erschienen war. Und immer wieder trugen mir einzelne Sätze, einzelne Urteile ganz andere Erkenntnisse ein als in den voraufgegangenen Jahren; die furchtbare Veränderung, die mit Deutschland vor sich gegangen war, ließ alle früheren Äußerungen deutschen Wesens in einem veränderten Licht erscheinen.
Wie war der grauenvolle Gegensatz der deutschen Gegenwart zu allen, wirklich allen Phasen deutscher Vergangenheit möglich? Die *traits éternels*, die ewigen Züge eines Volkscharakters, von denen die Franzosen reden, hatte ich immer bestätigt gefunden, glaubte ich immer bestätigt gefunden zu haben, hatte ich in meinen eigenen Arbeiten immer betont. War das alles falsch? Oder hatten die Hitlerianer recht, wenn sie etwa Herder, den Mann der Humanität, für sich in Anspruch nahmen? Gab es noch irgendeinen geistigen Zusammenhang zwischen den Deutschen der Goethezeit und dem Volk Adolf Hitlers?
In den Jahren meiner Bemühungen um die Kulturkunde warf mir Eugen Lerch ein später oft zitiertes Spottwort entgegen, ich hätte den „Dauerfranzosen" erfunden (so wie man von Dauerwurst spricht). Und als ich dann mit ansah, wie schmählich die Nationalsozialisten mit einer durch und durch verlogenen Kulturkunde ihr Geschäft betrieben, den Deutschen zum Herrenmenschen von Gottes und Rechts wegen zu

erheben, die andern Völker zu Kreaturen niederer Art herabzudrücken, da habe ich mich oft verzweifelt geschämt, eine Rolle, und sogar eine führende, in dieser Bewegung gespielt zu haben.

Aber bei aller Selbstdurchforschung konnte ich mir doch immer wieder die Reinheit meines Gewissens bescheinigen: wie bin ich über Wechßlers „Esprit und Geist" hergefallen, diesen kindisch-chauvinistischen Wälzer eines Berliner Ordinarius, der die Verbildung einer Legion von Studienräten zu verantworten hatte. Doch es ging nicht um die niemanden interessierende Reinheit meines Gewissens, sondern um das Vorhandensein oder Nichtvorhandensein der ewigen Charakterzüge.

Tacitus war damals eine sehr beliebte und viel zitierte Persönlichkeit: er hatte ja in seiner Germania ein so schönes Bild der deutschen Vorfahren entworfen, und von Arminius und seiner Gefolgschaft führte der geradeste Weg über Luther und Friedrich den Großen zu Hitler mit seiner SA und SS und HJ. Eine dieser Geschichtsbetrachtungen reizte mich dazu, im Scherer nachzulesen, was er über die Germania sage. Da stieß ich auf einen Absatz, der mich frappierte und in gewissem Sinn erlöste.

Scherer redet davon, daß in Deutschland geistiger Auf- und Abstieg mit entschiedener Gründlichkeit vor sich gehe und sehr weit hinauf- und sehr weit hinabführe: „Maßlosigkeit scheint der Fluch unserer geistigen Entwicklung. Wir fliegen hoch und sinken um so tiefer. Wir gleichen jenem Germanen, der im Würfelspiel all sein Besitztum verloren hat und auf den letzten Wurf seine eigene Freiheit setzt und auch die verliert und sich willig als Sklave verkaufen läßt. So groß — fügt Tacitus, der es erzählt, hinzu — ist selbst in schlechter Sache die germanische Hartnäckigkeit; sie selbst nennen es Treue."

Damals zuerst leuchtete mir ein, daß Bestes und Schlimmstes innerhalb des deutschen Charakters doch wohl auf einen gemeinsamen und dauernden Grundzug zurückzuführen seien. Daß es einen Zusammenhang gebe zwischen den Bestialitäten der Hitlerei und den faustischen Ausschweifungen deutscher klassischer Dichtung und deutscher idealistischer Philosophie. Und fünf Jahre später, als sich die Katastrophe vollzogen hatte, als das ganze Ausmaß dieser Bestialitäten und die ganze Tiefe des deutschen Sturzes offenlagen, wurde ich durch ein winziges Einzelfaktum und eine daran geknüpfte kurze Bemerkung in Plieviers „Stalingrad" auf jene Tacitusstelle zurückverwiesen.

Plievier erzählt von einer deutschen Wegtafel in Rußland: „Kalatsch am Don, 3200 km bis Leipzig." Er kommentiert: „Ein sonderbarer Triumph, und wenn der wahren Entfernung an tausend Kilometer zugelegt waren, so war es ein nur um so echterer Ausdruck für das sinnlose Schweifen ins Maßlose."

Ich möchte wetten, daß der Dichter, als er dies niederschrieb, weder an die „Germania" des Tacitus noch an die gelehrte Literaturgeschichte Wilhelm Scherers gedacht hat. Sondern indem er sich in die gegenwärtige deutsche Entartung und in das Suchen nach ihrem tiefsten Grund versenkt, stößt er von sich aus auf das gleiche Charakteristikum der Maßlosigkeit, der Mißachtung jeder Grenze.

„Entgrenzung" bedeutet die entscheidende Grundhaltung, die entscheidende Tätigkeit des romantischen Menschen, worin im einzelnen auch immer sich sein romantisches Wesen äußern mag, in religiöser Sehnsucht, im künstlerischen Gestalten, im Philosophieren, im tätigen Leben, in Sittlichkeit oder in Verbrechertum. Jahrhunderte, bevor Begriff und Wort Romantik existieren, trägt jede deutsche Betätigung den Stempel des Romantischen. Gerade dem romanischen Philologen ist das so auffällig, denn immerfort im Mittelalter ist Frankreich der literarische Lehrmeister und Stoffübermittler für Deutschland, und sooft man in Deutschland ein französisches Thema übernimmt, genauso oft werden bald in dieser, bald in jener Richtung die Grenzen überschritten, innerhalb derer sich die Vorlage hält.

Die ganz naiv und ungelehrt gefundene Bemerkung Plieviers knüpft mir in ihrem Zusammenhang mit der Schererschen Reflexion das Heer des Dritten Reichs an die Germanen des Arminius. Das ist eine sehr vage Feststellung, und immer wieder hat mich die Frage nach dem greifbaren Konnex zwischen nazistischem Verbrechertum, für das die eigene Prägung der LTI: Untermenschentum wahrhaftig am Platze ist, und der früheren Geistigkeit Deutschlands verzweifelt gequält. Konnte ich mich wirklich dabei beruhigen, daß all dies Fürchterliche nur nachgeahmt, nur eingeschleppt sei, eine wütende italienische Krankheit, so wie vor Jahrhunderten die

eingeschleppte französische Krankheit in ihrer ersten Virulenz gewütet hat?
Alles war doch bei uns nicht nur schlimmer, sondern im Kern anders und giftiger als in Italien. Die Faschisten nahmen für sich die Rechtsnachfolge des antiken römischen Staates in Anspruch, sie hielten sich zur Wiederaufrichtung des antiken römischen Imperiums bestimmt — aber daß die Bewohner der wieder zu erobernden Gebiete auf einer zoologisch tieferen Kreaturenstufe stünden als die Nachkommen des Romulus, daß sie mit naturgesetzlicher Notwendigkeit auf alle Zeiten in ihrer Minderwertigkeit unerlöst verharren müßten, dies mit all seinen grausamen Konsequenzen lehrte der Faschismus nicht, wenigstens nicht, solange er frei war vom rückwirkenden Einfluß seines Patenkindes, des Dritten Reichs.
Doch nun kam wieder der Einwand, den ich mir jahrelang immer aufs neue gemacht habe: überschätzte ich nicht, weil mich das selber so furchtbar traf, die Rolle des Antisemitismus innerhalb des nazistischen Systems?
Nein, ich habe sie nicht überschätzt, es liegt jetzt ganz klar am Tage, daß er das Zentrum und in jeder Hinsicht das entscheidende Moment des gesamten Nazismus gebildet hat. Antisemitismus ist das Rankünе-Grundgefühl des verkommenen österreichischen Kleinbürgers Hitler, Antisemitismus ist politisch sein engstirniger Grundgedanke, da er in der Ära Schönerer und Lueger über Politik nachzudenken beginnt. Antisemitismus ist vom Anfang bis zum Ende das wirksamste Propagandamittel der Partei, ist die wirksamste und populärste Konkretisierung der Rassendoktrin, ja ist für die deutsche Masse mit der Rassenlehre identisch. Denn was weiß die deutsche Masse von den Gefahren der „Vernigerung", und wie weit reicht ihre persönliche Kenntnis von der behaupteten Minderwertigkeit der Ost- und Südostvölker? Aber einen Juden kennt jeder. Antisemitismus und Rassendoktrin sind für die deutsche Masse Synonyma. Und durch die wissenschaftliche, vielmehr pseudowissenschaftliche Rassenlehre begründet und rechtfertigt man alle Ausschweifungen und Ansprüche der nationalistischen Überheblichkeit, jede Eroberung, jede Tyrannei, jede Grausamkeit und jeden Massenmord.
Seit ich vom Lager Auschwitz und seinen Gaskammern wußte, seit ich Rosenbergs „Mythus" und Chamberlains „Grundlagen" gelesen hatte, zweifelte ich nicht mehr an der

zentralen und entscheidenden Bedeutung des Antisemitismus und der Rassenlehre für den Nationalsozialismus. (Was freilich nur von Fall zu Fall entschieden werden kann, ist die Frage, ob dort, wo Antisemitismus und Rassendoktrin nicht naiv als dasselbe gelten, das Rassendogma den wirklichen Ausgangspunkt des Antisemitismus bildet oder nur seinen Vorwand und seine Draperie.) Erwies es sich, daß es sich hierbei um ein spezifisch deutsches, aus deutscher Geistigkeit gesikkertes Gift handelte, dann half kein Nachweis übernommener Ausdrücke, Bräuche, politischer Maßnahmen: dann war der Nationalsozialismus keine eingeschleppte Seuche, sondern eine Entartung des deutschen Wesens selber, eine kranke Erscheinungsformen jener *traits éternels.*

Antisemitismus als soziale, als religiös und wirtschaftlich begründete Abneigung ist zu allen Zeiten und in allen Völkern, bald hier, bald dort, bald schwächer, bald stärker, aufgetreten; ihn an sich gerade den Deutschen und ihnen allein zuzurechnen, wäre durchaus ungerecht.

Was den Antisemitismus des Dritten Reichs zu etwas vollkommen Neuem und Einzigartigem macht, ist ein Dreifaches. Einmal: die Seuche flammt auf, und lodernder als je zuvor, zu einer Zeit, da sie als eigentliche Seuche längst und für immer der Vergangenheit anzugehören scheint. Ich meine das so: es gibt vor 1933 wohl noch da und dort antisemitische Ausschreitungen, geradeso wie es in europäischen Häfen gelegentliche Cholera- und Pestfälle gibt; aber genauso wie man die Sicherheit hat oder zu haben glaubt, daß es innerhalb der Kulturwelt nicht mehr zu den Städte-verödenden Epidemien des Mittelalters kommen werde, genauso schien es ganz unmöglich, daß es noch einmal Judenentrechtungen und Judenverfolgungen der mittelalterlichen Art werde geben können. Und die zweite Einzigartigkeit neben dem ungeheuerlichen Anachronismus besteht darin, daß dieser Anachronismus keineswegs im Gewande der Vergangenheit, sondern in höchster Modernität einherkommt, nicht als Volksaufstand, als Raserei und spontaner Massenmord (obwohl im Anfang noch Spontaneität vorgeschützt wurde), nein, in höchster organisatorischer und technischer Vollendung; denn wer heute rückblickend der Judenmorde gedenkt, denkt an die Gaskammern von Auschwitz. Die dritte und wesentlichste Neuheit aber besteht in der Basierung des Judenhasses auf dem Rassegedanken. Zu allen früheren Zeiten galt die Feindschaft gegen die Juden einzig dem außerhalb des christlichen Glaubens und der christlichen Gesellschaft stehenden Menschen; die Annahme der Landeskonfession und -sitte wirkte ausgleichend und (mindestens für die nachfolgende Generation) verwischend. Indem der Rassegedanke den Unterschied zwischen Juden und Nichtjuden in das Blut verlagert, macht er jeden Ausgleich unmöglich, verewigt die Scheidung und legitimiert sie als gottgewollt.

Die drei Neuheiten stehen in enger Relation zueinander, und alle drei weisen sie auf den taciteischen Grundzug zurück, auf die germanische „Hartnäckigkeit selbst in schlechter Sache". Antisemitismus als blutmäßige Gegebenheit ist unauslöschlich hartnäckig; er ist in seiner von ihm selber behaupteten Naturwissenschaftlichkeit kein Anachronismus, sondern dem modernen Denken angepaßt, und somit ist es für ihn beinahe eine Selbstverständlichkeit, sich zur Erreichung seines Zieles der modernsten wissenschaftlichen Mittel zu bedienen. Daß dann hierbei mit äußerster Grausamkeit verfahren wird, paßt wieder zur Grundeigenschaft des maßlos Hartnäckigen.

In Willy Seidels 1920 geschriebenem „Neuen Daniel" findet man neben dem idealistischen Deutschen die Gestalt des Leutnants Zuckschwerdt als den Vertreter jener deutschen Schicht, die uns im Ausland verhaßt machte und die im Inland der „Simplizissimus" vergeblich bekämpfte. Der Mann ist nicht untüchtig, man kann ihn im ganzen kaum einen Bösewicht, bestimmt nicht einen Sadisten nennen. Aber er hat den Auftrag, einige junge Katzen zu ertränken, und als er danach den Sack aus dem Wasser zieht, wimmert eines der Tierchen noch. Da schlägt er es mit einem Stein zu „rotem Mus" und brüllt es dabei an: „Du Luder — sollst mal sehen, was Gründlichkeit bedeutet!"

Man sollte meinen, daß der Autor, der in offenbarem Bemühen um Gerechtigkeit diesen Repräsentanten eines entarteten Volksteils mitgezeichnet hat, seiner Wertung bis zum Schluß treu bleiben werde, so wie man etwa bei Rolland die beiden Frankreich und die beiden Deutschland findet. Aber nein: am Ende wird der gründliche Katzenmörder verzeihend bemitleidet und ins Rosige verklärt, während die Amerikaner in diesem völkervergleichenden Roman immer schlechter und schlechter beurteilt werden. Und der Grund für solche Milde und Härte liegt darin, daß es bei den Deutschen immerhin noch Reinrassigkeit gibt, während die Amerikaner eine Mischrasse darstellen — es heißt z. B. von den Einwohnern der Großstadt Cincinnati: „Diese durch Inzucht halb verkommene oder mit indianischem oder jüdischem Blut bunt durchsetzte Bevölkerung", und ein andermal wird beifällig zitiert, wie ein reisender Japaner Amerika genannt habe: *that Irish-Dutch-Nigger-Jew-mess.* Und schon hier, gleich nach dem ersten Weltkrieg und vor dem allerersten Auftauchen Adolf Hitlers, und bei einem offenbar reinen Idealisten, einem denkenden und mehrfach erfolgreich um Unparteilichkeit bemühten Autor, schon hier muß man sich fragen, ob die Rassendoktrin etwas sonderlich anderes bedeute als Vorwand und Verschleierung des antisemitischen Grundgefühls; unmöglich, diese Frage nicht zu stellen, wenn eine Betrachtung über den Krieg lautet: Während der Kampf nach Verdun und der Somme unentschieden auf der gleichen Stelle hin und her wogt, „hüpft der Unparteiische mit dem Spitzbart und den blanken Semitenaugen um das kämpfende Paar herum und zählt; das war der Journalismus der Welt".

Auf der zum Antisemitismus verengten und zugespitzten, im Antisemitismus aktivierten Rassenidee beruht die Eigenart des Nationalsozialismus den anderen Faschismen gegenüber. Aus ihr zieht er all sein Gift. Wirklich alles, auch wo es um außenpolitische Gegner geht, die er nicht als Semiten abtun kann. Der Bolschewismus wird ihm zum jüdischen Bolschewismus, die Franzosen sind verniggert und verjudet, die Engländer gar auf jenen biblischen Stamm der Juden zurückzuführen, dessen Spur für verloren galt, usw. usw.

Die deutsche Grundeigenschaft der Maßlosigkeit, der Überkonsequenz, des Ins-Grenzenlose-Langens gab den üppigsten Nährboden der Idee her. Aber ist sie selber ein deutsches Erzeugnis? Verfolgt man ihren theoretischen Ausdruck rückwärts, so geht die gerade Linie in ihren Hauptetappen von Rosenberg über den wahldeutschen Engländer Houston Stewart Chamberlain auf den Franzosen Gobineau zurück. Dessen *Essai sur l'inégalité des races humaines*, der von 1853 bis 1855 in vier Bänden erschien, lehrt als erster die Überlegenheit der arischen Rasse, den höchsten und eigentlich alleinigen Menschenrang des unvermischten Germanentums, und seine Bedrohtheit durch das überall eindringende ungleich

schlechtere, kaum noch menschlich zu nennende semitische Blut. Hier ist alles gegeben, was das Dritte Reich zu seiner philosophischen Begründung und für seine Politik braucht; alles spätere vornazistische Ausbauen und Anwenden der Lehre geht immer wieder auf diesen einen Gobineau zurück, er allein ist oder scheint — ich lasse es noch offen — der verantwortliche Urheber der blutigen Doktrin.
Noch in vorletzter Stunde des Hitlerreichs wurde ein wissenschaftlicher Versuch gemacht, deutsche Vorgänger für den Franzosen zu finden. In den Schriften des Reichsinstituts für Geschichte des neuen Deutschlands erschien eine große und gründlich gearbeitete Untersuchung: „Der Rassengedanke in der deutschen Romantik und seine Grundlagen im 18. Jahrhundert." Hermann Blome, der ehrliche und törichte Verfasser, bewies genau das Gegenteil von dem, was er zu beweisen glaubte. Er wollte das 18. Jahrhundert, er wollte Kant, er wollte die deutschen Romantiker zu naturwissenschaftlichen Vorläufern und damit zu Mitschuldigen des Franzosen machen. Dabei ging er von der verkehrten Voraussetzung aus, daß jeder, der der Naturgeschichte des Menschen, der Gliederung der Rassen und ihren Merkmalen nachgeforscht hat, ein Vorläufer Gobineaus sei. Aber nicht das war ja das Originelle an Gobineau, daß er die Menschheit in Rassen gliederte, sondern dies, daß er den Oberbegriff der Menschheit zugunsten der verselbständigten Rassen beiseite schob und daß er innerhalb der weißen auf phantastische Art eine germanische Herrenrasse einer semitischen Schädlingsrasse gegenüberstellte. Hatte Gobineau hierfür irgendwelche Vorgänger?
Gewiß, sagt Blome, Buffon als „reiner Naturwissenschaftler" und Kant als „Philosoph auf naturwissenschaftlicher Basis" haben den Begriff der Rasse erfaßt und angewandt, und es hat auch einige Männer gegeben, die in der Folgezeit noch vor Gobineau zu mancherlei neuen Feststellungen auf dem Gebiet der Rassenforschung gelangten, und es fehlt auch nicht an einigen Äußerungen, die den Weißen über die Andersfarbigen stellen.
Doch gleich am Eingang des Buches wird eine bedauernde Feststellung gemacht, die dann mit geringen Variationen immer wiederkehrt: Im ganzen 18. und bis in die Mitte des 19. Jahrhunderts vermag die Rassenkunde keine entscheidenden (natürlich: im Sinne des Nazismus entscheidenden!) Fortschritte zu machen, weil sie durch das herrschende Humani-

tätsideal gehemmt ist. Was hätte aus Herder werden können, der ein so feines Ohr für die verschiedenartigen Stimmen der Völker und ein so starkes Bewußtsein seines Deutschtums besaß (und aus dem denn auch nazistische Literaturgeschichte beinahe einen richtigen Pg zurechtschnitzte), hätte ihn nicht „eine idealistisch verfärbte Schau über aller Mannigfaltigkeit immer wieder die Einheit des Menschengeschlechts sehen und hervorheben" lassen! Dieser traurige 116. Brief „zur Beförderung der Humanität" mit seinen „Grundsätzen zu einer Naturgeschichte der Menschheit"! „Vor allem sei man unparteiisch wie der Genius der Menschheit selbst; man habe keinen Lieblingsstamm, kein Favoritvolk auf der Erde." Und: „Der Naturforscher setzt keine Rangordnung unter den Geschöpfen voraus, die er betrachtet; alle sind ihm gleich lieb und wert. So auch der Naturforscher der Menschheit" ... Und was nutzt es schließlich, bei Alexander von Humboldt ein „Überwiegen naturwissenschaftlicher Interessen festzustellen", wenn doch „in Dingen der Rasse eine zeitbedingte idealistische Menschheitsauffassung ihn schließlich daran hinderte, rassische Folgerungen zu erstreben und zu ziehen"?
So ist denn die Absicht des nazistischen Verfassers, die Rassenlehre des Dritten Reichs auf deutsche Denker zurückzuführen, im wesentlichen mißlungen. Und noch von einer andern Seite her läßt es sich erweisen, daß blutmäßiger Antisemitismus vor Gobineaus Auftreten in Deutschland nicht vorhanden war. In seiner Studie über „den Einbruch des Antisemitismus im deutschen Denken", die Arnhold Bauer im „Aufbau" (1946, H. 2) veröffentlichte, weist er darauf hin, daß die überbetont deutsch-romantischen Burschenschaften die Juden „grundsätzlich nicht aus ihren Reihen ausschlossen". Ernst Moritz Arndt wollte nur christliche Mitglieder, aber den getauften Juden sah er als „Christen und vollwertigen Staatsangehörigen" an. „Der als teutonisch verschriene Turnvater Jahn stellte nicht einmal die Bedingung der Taufe an die Zugehörigkeit zur Burschenschaft." Und die Burschenschaften selbst lehnten bei der Gründung der Allgemeinen deutschen Burschenschaften die Taufbedingung ab. So stark, sagt Bauer, und berührt sich darin eng mit dem nazistischen Doktoranden oder Habilitanden, haben „das humanistische Geisteserbe, die Toleranz eines Lessing und der Universalismus eines Kant", nachgewirkt.

Und dennoch — und deshalb gehört dies Kapitel in meine LTI, obwohl ich den Blome erst jetzt kennengelernt habe und die Bauerstudie natürlich auch erst jetzt —, dennoch muß ich an der Meinung festhalten, die ich mir in den bösen Jahren gebildet habe: Die zum Privileg und Menschheitsmonopol des Germanentums zurechtphantasierte Rassenlehre, die in ihrer letzten Konsequenz zum Jagdschein für die grausigsten Verbrechen an der Menschheit wurde, hat ihre Wurzeln in der deutschen Romantik. Oder anders ausgedrückt: ihr französischer Erfinder ist ein Gesinnungsgenosse, ein Nachfahre, ein — ich weiß nicht, bis zu welchem Grade bewußter — Schüler der deutschen Romantik.
Mit Gobineau habe ich in meinen früheren Arbeiten wiederholt zu tun gehabt, seine Gestalt war mir durchaus gegenwärtig. Daß er als Naturwissenschaftler geirrt habe, muß ich den Naturwissenschaftlern aufs Wort glauben. Aber das fällt mir sehr leicht; denn eines weiß ich von mir aus mit aller Bestimmtheit: daß nämlich Gobineau niemals aus primärem Antrieb Naturwissenschaftler, daß er es niemals um der Naturwissenschaft selber willen gewesen ist. Immer stand sie ihm im Dienst einer fixen und egoistischen Idee, deren Berechtigung sie unwiderleglich beweisen sollte.
Graf Arthur Gobineau spielt in der Geschichte der französischen Literatur eine bedeutendere Rolle als in der Naturwissenschaft, aber charakteristischerweise ist diese Rolle deutscherseits eher erkannt worden als von seinen Landsleuten. In allen von ihm durchlebten Phasen der französischen Geschichte — er wurde 1816 geboren und starb 1882 — fühlte er sich um sein, wie er glaubte, ererbtes Herrenrecht als Adliger, um seine Entfaltungs-, seine Wirkungsmöglichkeit als Individuum durch die Herrschaft des Geldes, des Bürgertums, der zur Gleichberechtigung aufwärtsdrängenden Masse, durch die Herrschaft alles dessen betrogen, was er als Demokratie bezeichnete und haßte und worin er den Verfall der Menschheit erblickte. Er war überzeugt, geradlinig und unvermischten Blutes vom französischen Feudal- und fränkischen Uradel abzustammen.
Nun gab es in Frankreich einen sehr alten und folgenreichen Streit politischer Theorien. Der Feudaladel erklärte: Wir sind die Nachkommen der fränkischen Eroberer, wir haben als solche Herrenrecht über die unterworfene gallo-romanische

Bevölkerung, wir sind aber auch unserem fränkischen König nicht untertan, denn nach Frankenrecht ist der König nur primus inter pares und keineswegs Herr über den gleichberechtigten Adel. Demgegenüber betrachteten die Kronjuristen den absoluten König als Nachfolger der römischen Cäsaren und das von ihm beherrschte Volk als die gallo-romanische Fortsetzung des einstigen Römervolkes. Durch die Revolution kehrte Frankreich in Anlehnung an diese Theorie nach Abschüttelung seines cäsarischen Unterdrückers zur Staatsform der römischen Republik zurück — für Feudalherren fränkischer Art blieb kein Raum mehr.

Gobineau, seiner Grundbegabung nach ein Dichter, beginnt innerhalb der französischen romantischen Schule, zu deren Kennzeichen die Hinneigung zum Mittelalter und die Opposition gegen die nüchtern bürgerliche Umwelt gehören. Sich als adligen Einzelgänger, als Franken, als Germanen zu fühlen, ist für ihn ein und dasselbe. Er treibt frühzeitig deutsche und orientalische Studien. Die deutsche Romantik hat sprachlich und literarisch die Anknüpfung an eine indische Vorzeit des Germanentums, an eine arische Gemeinsamkeit europäischer Völkerfamilien gefunden. (Der mit mir ins Judenhaus gewanderte Scherer verzeichnet in seinen Annalen 1808 Friedrich Schlegels „Sprache und Weisheit der Inder" und 1816 Franz Bopps „Über das Konjugationssystem der Sanskritsprache in Vergleichung mit jenem der griechischen, lateinischen, persischen und germanischen Sprache".) Die Konstruktion des arischen Menschen wurzelt in der Philologie und nicht in der Naturwissenschaft.

Aber auch auf dem naturwissenschaftlichen Gebiet selber findet Gobineau die entscheidende Anregung, vielmehr wird er entscheidend verführt durch die deutsche Romantik. Denn wie sie in allem bei ihrem Streben ins Grenzenlose Grenzen überschreitet und Grenzen verwischt, so greift sie auch konstruierend und symbolisierend von der Spekulation ins Naturwissenschaftliche über. Und so verlockt sie den französischen Dichter, der sein Wahlgermanentum um so leidenschaftlicher betont, als es ja eben nur durch seine Wahl gegeben ist, sie regt ihn dazu an und legitimiert ihn gewissermaßen, naturwissenschaftlichen Fakten spekulativ zu Hilfe zu kommen oder sie philosophisch auszulegen, um ihnen das abzugewinnen, was er von ihnen bestätigt sehen möchte. Die Über-

betonung des Germanentums eben. Bei Gobineau ergibt sie sich aus innerpolitischem Druck, bei den Romantikern aus der napoleonischen Drangsalierung.
Es ist gesagt worden, das Humanitätsideal habe die Romantiker davor bewahrt (von nazistischer Seite heißt es: daran gehindert), die Konsequenz aus dem Bewußtsein ihrer germanischen Auserwähltheit zu ziehen. Aber das zum Nationalismus und Chauvinismus überhitzte Nationalbewußtsein verbrennt diesen Schutzschild. Das Gefühl für die Zusammengehörigkeit der Gesamtmenschheit geht durchaus verloren; im eigenen Volk ist alles enthalten, was wirklichen Menschheitswert besitzt, Deutschlands Gegner aber — „schlagt sie tot! das Weltgericht / Fragt euch nach den Gründen nicht!"
Für die Dichter der Freiheitskriege ist der totzuschlagende Feind der Deutschen der Franzose; man kann ihm sehr viel Böses nachsagen, man kann sein Lateinertum als eine Minderwertigkeit dem reinen Germanentum unterordnen, aber es ist doch nicht angängig, ihn zu einem Wesen anderer Rasse zu erklären. So tritt in dem Augenblick, da die deutsche Romantik von äußerster Weite ihres Horizonts zu dessen äußerster Verengung übergeht, diese Verengung nur als Absage an alles Fremdländische, als ausschließliche Glorifizierung alles Deutschen, aber noch nicht als Rassenhochmut hervor.
Es ist darauf hingewiesen worden, daß Jahn und Arndt den deutschen Juden als Deutschen gelten lassen, daß sie ihm Aufnahme in die patriotische, die deutschtümelnde Burschenschaft nicht versagen.
Ja — aber dreißig Jahre später, und das zitiert der Nationalsozialist Blome triumphierend, und das ist vor dem Erscheinen des *Essai sur l'inégalité des races* gesagt worden — in den „Reden und Glossen" vom Jahre 1848 klagt derselbe Arndt, der vordem zur Humanität hielt: „Juden und Judengenossen, getaufte und ungetaufte, arbeiten unermüdlich und auf allen äußersten, radikalsten Linken mitsitzend, an der Zersetzung und Auflösung dessen, worin uns Deutschen bisher unser Menschliches und Heiliges eingefaßt schien, an der Auflösung und Zerstörung jeder Vaterlandsliebe und Gottesfurcht ... Horcht und schaut euch doch ein wenig um, wohin diese giftige Judenhumanität mit uns fahren würde, wenn wir nichts Eigentümliches, Deutsches dagegenzusetzen hätten ..." Es geht jetzt nicht mehr um die Befreiung vom äußeren Feind, man

kämpft um Innerpolitisches und Soziales, und schon sind die Feinde des reinen Deutschtums: „die Juden, getaufte und ungetaufte“.

Hierbei bleibt es Sache der Auslegung, wieweit man in diesem über die Taufe hinausgreifenden Antisemitismus bereits Rassenantisemitismus sehen will; aber außer Frage steht, daß das die Menschheit umfassende Humanitätsideal nunmehr verlassen ist und daß dem Ideal des Deutschtums eine „giftige Judenhumanität“ gegenübersteht. (Ganz so wie in der LTI – am häufigsten bei Rosenberg, entsprechend bei Hitler und Goebbels – das Wort Humanität nie ohne ironische Anführungsstriche und meist mit einem schmähenden Beiwort gebraucht wird.)

Zur Beruhigung meines philologischen Gewissens habe ich während der Nazizeit diese Kette von Gobineau zur deutschen Romantik herzustellen versucht und sie heute ein wenig verstärkt. Ich hatte und habe das ganz bestimmte Wissen um die engste Verbundenheit zwischen Nazismus und deutscher Romantik in mir; ich glaube, er hätte zwangsläufig aus ihr erwachsen müssen, auch wenn es niemals den französischen Wahlgermanen Gobineau gegeben hätte, dessen Germanenverehrung übrigens viel mehr den Skandinaviern und Engländern gilt als den Deutschen. Denn alles, was den Nazismus ausmacht, ist ja in der Romantik keimhaft enthalten: die Entthronung der Vernunft, die Animalisierung des Menschen, die Verherrlichung des Machtgedankens, des Raubtiers, der blonden Bestie...

Aber ist dies nicht eine furchtbare Anklage gegen eben die Geistesrichtung, der die deutsche Kunst und Literatur (das Wort im weitesten Umfang) so ungemeine menschliche Werte verdanken?

Die furchtbare Anklage besteht zu Recht, trotz aller von der Romantik geschaffenen Werte. „Wir fliegen hoch und sinken um so tiefer.“ Der entscheidende Charakterzug der deutschesten Geistesbewegung heißt Grenzenlosigkeit.

XXII

Sonnige Weltanschauung

(aus Zufallslektüre)

Bücher sind in den Judenhäusern ein kostbarer Besitz — das meiste ist uns weggenommen, Neuanschaffung und Benutzung öffentlicher Bibliotheken verboten. Wenn die arische Ehefrau auf ihren Namen eine Leihbibliothek in Anspruch nimmt, und die Gestapo findet solch einen Band bei uns, so setzt es im günstigsten Fall Prügel — ich bin ein paarmal noch gerade auf diese günstige Weise davongekommen. Was man noch besitzt und besitzen darf, sind jüdische Bücher. Der Begriff ist kein festumgrenzter, und die Gestapo schickt keine Sachverständigen mehr, seitdem alle wertvollen Privatbibliotheken längst — LTI, denn die Beauftragten der Partei stehlen und rauben nicht — „sichergestellt" sind.
Wiederum hängt man bei uns auch an den wenigen verbliebenen Büchern nicht sonderlich; denn manches Exemplar darunter ist „geerbt", und das heißt in unserer Sondersprache: es ist herrenlos zurückgeblieben, als sein Eigentümer plötzlich in Richtung Theresienstadt oder Auschwitz verschwand. Womit es denn dem neuen Besitzer sehr eindringlich zu Gemüte führt, was ihm selber jeden Tag und erst recht jede Nacht zustoßen kann. So wird jedes Buch von jedem und an jeden ohne weiteres ausgeliehen — die Vergänglichkeit irdischen Besitzes braucht unsereinem wahrhaftig nicht mehr gepredigt zu werden.
Ich selber lese, was immer mir in die Hände fällt; der LTI gilt mein dominierendes Interesse, aber es ist merkwürdig, wie oft die scheinbar oder wirklich fernstliegenden Bücher irgend etwas zu meinem Thema beisteuern, und es ist erst recht merkwürdig, wieviel Neues man bei veränderter Situation aus Werken herausliest, die man ganz zu kennen glaubt. So stieß ich im Sommer 1944 auf Schnitzlers „Weg ins Freie" und überlas den Roman ohne große Hoffnung auf Ausbeute; denn über den Dichter hatte ich vor sehr langer Zeit, um 1911 wohl, eine lange Studie geschrieben, und über das Problem des Zionismus hatte ich in diesen letzten Jahren bis zur Ver-

zweiflung gelesen, disputiert und mir den Kopf zerbrochen. Mir war denn auch alles an diesem Buch noch durchaus gegenwärtig. Aber dann blieb doch ein winziger Abschnitt, scheinbar eine Nebenbemerkung, als Neuerwerb haften.
Eine Hauptperson ärgert sich über das eben jetzt, gemeint ist der Anfang unseres Jahrhunderts etwa, im modischen Schwange befindliche „Weltanschauungsgerede". Weltanschauung, definiert der Mann, sei „logischerweise der Wille und die Fähigkeit, die Welt wirklich zu sehen, d. h. anzuschauen, ohne durch eine vorgefaßte Meinung beirrt zu sein, ohne den Drang, aus einer Erfahrung gleich ein neues Gesetz abzuleiten oder sie in ein bestehendes einzufügen ... Aber den Leuten ist Weltanschauung nichts als eine höhere Art von Gesinnungstüchtigkeit – Gesinnungstüchtigkeit innerhalb des Unendlichen sozusagen."
Im nächsten Kapitel, und da wird man denn gewahr, wie das Aperçu von vorhin verbunden ist mit dem eigentlichen Thema dieses Judenromans, meditiert Heinrich weiter: „Glauben Sie mir, Georg, es gibt Momente, in denen ich die Menschen mit der sogenannten Weltanschauung beneide ... Unsereins: je nach der Seelenschicht, die erhellt wird, sind wir, alles auf einmal, schuldig und unschuldig, Feiglinge und Helden, Narren und Weise."
Der Wille, den Begriff „anschauen" ganz unmystisch als richtiges Sehen des Vorhandenen aufzufassen, der Unwille über und der Neid auf diejenigen, denen Weltanschauung ein festes Dogma bedeutet, ein Leitseil, an dem man sich in jeder Lage festhalten kann, wenn die eigene Stimmung, das eigene Urteil, das eigene Gewissen ins Schwanken geraten: das soll nach Schnitzlers Meinung charakteristisch sein für den jüdischen Geist, und ist es fraglos für die Mentalität ausgebreiteter Wiener, Pariser und europäischer Intelligenzschichten überhaupt um die Jahrhundertwende. Das Aufkommen des „Geredes von Weltanschauung" (das Wort im „unlogischen" Sinn genommen) ist ja gerade aus der beginnenden Opposition gegen Dekadenz, Impressionismus, Skepsis und Zersetzung der Idee eines kontinuierlichen und damit verantwortlichen Ichs zu erklären.
Was mich beim Lesen dieser Stellen ergriff, war aber nicht so sehr die Frage, ob es sich hier um ein jüdisches oder ein allgemeines Dekadenzproblem handle. Ich fragte mich vielmehr,

warum ich damals, als ich den Roman das erstemal las, als seine Gegenwart noch die reale, von mir mitdurchlebte Gegenwart war, warum ich damals dem Aufkommen und Modewerden des neuen Wortes so wenig Beachtung geschenkt hatte. Die Antwort war rasch gegeben. Noch war „Weltanschauung" auf die Oppositionsgruppe gewisser Neuromantiker beschränkt, es war ein Klüngelwort, nicht Allgemeinbesitz der Sprache.
Und ich fragte mich weiter, wie dieses Klüngelwort der Jahrhundertwende zum Pfeilerwort der LTI geworden sei, in der der kleinste Pg und jeder bildungsloseste Kleinbürger und Krämer bei jeder Gelegenheit von seiner Weltanschauung und seinem weltanschaulich fundierten Verhalten redet; und ich fragte mich weiter, worin denn nun die nazistische „Gesinnungstüchtigkeit innerhalb des Unendlichen" bestehe. Es mußte sich da um etwas höchst Allgemeinverständliches und für alle Passendes handeln, um etwas organisatorisch Brauchbares, denn in den Satzungen der Deutschen Arbeitsfront, der DAF, die mir einmal in der Fabrik vor die Augen kamen, in diesem Statut einer „Organisation aller Schaffenden" war ausdrücklich nicht von „Versicherungsprämien" die Rede, sondern von „Beiträgen zu einer weltanschaulichen Gemeinschaft".
Was die LTI zu diesem Wort geführt hat, ist nicht etwa, daß sie darin eine Verdeutschung des Fremdwortes Philosophie sah — an Verdeutschungen ist ihr durchaus nicht immer gelegen —, nein, doch den ihr wichtigsten Gegensatz zur Tätigkeit des Philosophierens fand sie hier ausgedrückt. Denn Philosophieren ist eine Tätigkeit des Verstandes, des logischen Denkens, und ihm steht der Nazismus feindlich als seinem tödlichsten Feind gegenüber. Der benötigte Gegensatz zum klaren Denken ist aber nicht das richtige Sehen, so wie Schnitzler das Verbum schauen definiert; auch das stünde ja den ständigen Täuschungs- und Betäubungsversuchen der nazistischen Rhetorik im Wege. Sondern sie findet in dem Wort Weltanschauung das Schauen, die Schau des Mystikers, das Sehen des inneren Auges also, die Intuition und Offenbarung der religiösen Ekstase. Die Vision des Erlösers, von dem das Lebensgesetz unserer Welt ausgeht: das ist der innerste Sinn oder die tiefste Sehnsucht des Wortes Weltanschauung, so wie es im Sprachgebrauch der Neuromantiker auftauchte und von der LTI übernommen wurde. Ich komme immer wieder auf den gleichen Vers und

die gleiche Formel zurück: „Aus der gleichen Ackerkrume / wächst das Unkraut und die Blume“ ... und: die deutsche Wurzel des Nazismus heißt Romantik...
Nur: ehe die deutsche Romantik sich in die teutsche verengte, hatte sie ein sehr inniges Verhältnis zur Fremde; und während der Nazismus auf der einen Seite die nationalistischen Gedanken der teutschen Romantik übersteigerte, war er doch auch wie die ursprünglich deutsche höchst empfänglich für alles, was die Fremde an Brauchbarem zu bieten hatte.
Ein paar Wochen nach der Schnitzlerlektüre erwischte ich endlich Goebbels' „Vom Kaiserhof zur Reichskanzlei“. (Die Büchernot war 1944 auch bei den Ariern schon groß geworden; schlecht beliefert und überlaufen, nahmen die Leihbibliotheken nur noch auf Bitten und besondere Empfehlungen neue Kunden an — meine Frau war an drei Stellen „eingeschrieben“ und trug immer meinen Desideratzettel in der Handtasche.)
In diesen „Tagebuchblättern“, die triumphierend von gelungener Propaganda berichten und selber neue Propaganda treiben, notiert Goebbels am 27. Februar 1933: „Die große Propagandaaktion zum Tage der erwachenden Nation ist nun in allen Einzelheiten festgelegt. Sie wird wie eine herrliche Schau in ganz Deutschland abrollen.“ Hier hat das Wort Schau mit Innerlichkeit und Mystik nicht das geringste zu schaffen, hier ist es dem englischen *show* angeglichen, das eine Schaustellung, ein Schaugepränge bedeutet, hier steht es ganz unter dem Einfluß der Zirkusschau, der Barnumschau der Amerikaner.
Mit dem Schnitzlerschen „richtig sehen“ hat das hierzu gehörige Verbum „schauen“, wie man will, nichts oder sehr viel zu tun. Es handelt sich nämlich um ein gelenktes Sehen, um eine Befriedigung und Inanspruchnahme des sinnlichen Auges, die in ihrer Grellheit zuletzt auf Blendung hinausläuft. Romantik und reklametüchtiges Geschäft, Novalis und Barnum, Deutschland und Amerika: in Schau und Weltanschauung der LTI ist beides vorhanden und so unauflöslich miteinander verschmolzen wie Mystik und sinnlicher Prunk im katholischen Gottesdienst. —
Und frage ich mich nun nach dem Aussehen des Heilandes, dem die weltanschauliche Gemeinschaft der DAF dient, so fließt in seinem hervorstechendsten Zuge wieder Deutsches und Amerikanisches ineinander.

Wie mich an Schnitzler der Passus über die Weltanschauung fesselte, so hatte ich mir schon ein Jahr zuvor ein paar Sätze aus den „Memoiren einer Sozialistin" von Lily Braun notiert und auf mein Thema bezogen. (An diesem Erbstück haftete besonders greulich der vorgestellte Geruch einer Gaskammer. „Gestorben in Auschwitz an Insuffizienz des Herzmuskels", las ich auf dem Totenschein des unfreiwilligen Erblassers ...) Ich vermerkte in meinem Tagebuch: „... In Münster hat Alix Religionsdisput mit einem katholischen Geistlichen: ‚Die Idee des Christentums? ... Mit ihr hat die katholische Kirche nichts zu tun! Und gerade das ist es, was ich an ihr liebe und bewundere ... wir sind Heiden, sind Sonnenanbeter ... Karl der Große hat das rasch begriffen, und seine Missionare mit ihm. Sie hatten häufig genug selbst Sachsenblut in den Adern. Darum hatten sie an Stelle der Heiligtümer Wotans, Donars, Baldurs und Freyas die Tempel ihrer vielen Heiligen; darum erhoben sie nicht den Gekreuzigten, sondern die Mutter Gottes, das Symbol schaffenden Lebens, auf den Thron des Himmels. Darum schmückten die Diener des Mannes, der nichts hatte, da er sein Haupt hätte hinlegen können, ihre Gewänder, ihre Altäre, ihre Kirchen mit Gold und Edelsteinen und zogen die Kunst in ihren Dienst. Vom Standpunkt Christi aus hatten ihre Wiedertäufer recht, die die Bilder zerstörten, aber die lebensstarke Natur ihrer Volksgenossen hat sie ins Unrecht gesetzt.'"
Der nicht europagemäße Christus, die Behauptung des germanischen Dominierens innerhalb des Katholizismus, das Betonen der Lebensbejahung, des Sonnenkults, dazu noch das Sachsenblut und die lebensstarke Natur der Volksgenossen: das könnte alles ebensogut in Rosenbergs „Mythus" stehen. Und daß die Braun bei alledem durchaus nicht nazistisch ist, weder intellekt-feindlich noch judenfeindlich, das gibt den Nazis eine breitere Basis, was ihre Hakenkreuzlerei als germanisches Symbol, was ihre Verehrung des Sonnenrades, ihre ständige Betonung des sonnigen Germanentums anlangt. „Sonnig" grassierte damals in den Gefallenenanzeigen. Ich war also ganz überzeugt davon, daß dieses Epitheton im Herzen des alten Germanenkults wurzle und ausschließlich der Vision des blonden Heilands entstamme.
Bis ich in der Fabrik eine gutmütige Arbeiterin während der Frühstückspause eifrig in einer Feldpostbroschüre lesend fand

und auf meine Bitte das Heft von ihr geliehen erhielt. Es war ein Exemplar der Serie „Soldaten-Kameraden“, die der Hitler-Verlag Franz Eher in Massen vertrieb, und brachte unter dem Sammeltitel „Der Gurkenbaum“ eine Reihe kleiner Geschichten. Sie enttäuschten mich alle insofern, als ich gerade in einer Publikation des Eherverlags das Nazigift in konzentriertester Form zu finden erwartet hatte. Und er hat ja auch in anderen Heften genug und übergenug davon ins Heer verspritzt. Aber Wilhelm Pleyer, den ich später als sudetendeutschen Romancier kennenlernte, ohne daß sich mein erster Eindruck im guten oder bösen wesentlich geändert hätte, zählt in seinen schriftstellerischen und menschlichen Eigenschaften nur zu den ganz kleinen Pgs.
Die Früchte des Gurkenbaums bestanden aus sehr platten, in jeder Hinsicht ganz harmlosen sogenannten Humoresken. Ich wollte sie schon als völlig unergiebig beiseite legen, da stieß ich auf eine süßliche Geschichte von Elternglück, von Mutterglück. Es ging um ein kleines, sehr lebendiges, sehr blondes, goldhaariges, sonnenhaariges Mädchen; Blondheit, Sonne und sonniges Wesen füllten die Zeilen. Die Kleine hatte ein ganz besonderes Verhältnis zu den Sonnenstrahlen, und sie hieß Wiwiputzi. Wie war sie zu dem seltsamen Namen gekommen? Der Autor fragte sich das auch. Ob ihm nun die drei i auffallend licht klangen, ob ihn der Wortanfang an vif, lebendig, erinnerte oder was ihn auch sonst an dieser Wortschöpfung so poetisch und lebensbejahend dünkte, jedenfalls antwortete er sich selber: „Ersonnen? Nein, das hatte sich ganz von selber ergeben — ersonnt.“
Beim Zurückgeben des Heftes fragte ich die Arbeiterin, welche der Geschichten ihr am besten gefallen hätte. Sie erwiderte, hübsch seien sie alle, aber die schönste unter ihnen sei doch die von Wiwiputzi.
„Wenn ich nur wüßte, wo der Mann das Spiel mit dem Sonnigen herhat?“ Die Frage war mir fast wider Willen herausgefahren und tat mir gleich danach leid, denn was sollte die ganz unliterarische Frau darauf erwidern? Ich brachte sie ja nur in Verlegenheit. Aber merkwürdigerweise kam die Antwort sofort und mit größter Selbstverständlichkeit: „Nu, er hat eben an *sonny boy* gedacht!“
Das war nun einmal wirklich vox populi. Natürlich habe ich keine Umfrage veranstalten können, aber ich hatte im Augen-

blick eine sozusagen intuitive Gewißheit und habe sie noch heute, daß der Film vom *sonny boy* — wer weiß denn gleich, daß *sonny*: Söhnchen heißt und gar nichts mit sonnig zu schaffen hat? —, daß dieser amerikanische Film mindestens ebensoviel zur Seuche des Sonnigen beigetragen hat wie der Germanenkult.

XXIII

Wenn zwei dasselbe tun . . .

Ich weiß genau den Augenblick und das Wort, die mein philologisches Interesse vom Literarischen zum spezifisch Sprachlichen — sag' ich: erweiterten oder verengten? Der literarische Zusammenhang eines Textes wird plötzlich unwichtig, geht verloren, man ist auf ein Einzelwort, eine Einzelform fixiert. Denn unter dem Einzelwort erschließt sich dem Blick das Denken einer Epoche, das Allgemeindenken, worein der Gedanke des Individuums eingebettet, wovon er beeinflußt, vielleicht geleitet ist. Freilich, das Einzelwort, die Einzelwendung können je nach dem Zusammenhang, in dem sie auftreten, höchst verschiedene, bis ins Gegenteil divergierende Bedeutung haben, und so komme ich doch wieder auf das Literarische, auf das Ganze des vorliegenden Textes zurück. Wechselseitige Erhellung tut not, Gegenprobe von Einzelwort und Dokumentganzem . . .
Das geschah also, als sich Karl Voßler über den Ausdruck Menschenmaterial entrüstete. Material, sagte er, sind allenfalls Haut und Knochen und Därme eines tierischen Körpers; von Menschenmaterial reden, heißt an der Materie haften, das Geistige, das eigentlich Menschliche des Menschen mißachten.
Ich stimmte meinem Lehrer damals nicht völlig bei. Es war zwei Jahre vor dem Weltkrieg, Krieg war mir noch nie in seiner Entsetzlichkeit nahegetreten, ich glaubte überhaupt nicht, daß er innerhalb des eigentlichen Europas noch möglich sei, ich hielt deshalb den Heeresdienst halbwegs für eine ziemlich unschuldige Ausbildung in physischer und sportlicher Hinsicht; und wenn ein Offizier oder Militärarzt von gutem und schlechtem Menschenmaterial sprach, so faßte ich das nicht anders auf, als wenn ein Zivilarzt vor der Mittagspause noch schnell einen „Fall" oder einen „Blinddarm" erledigte. Bei alledem trat man weder dem Seelischen des Rekruten Meier noch den Erkrankten Müller und Schulze zu nahe, man war nur momentan von Berufs wegen auf das ausschließlich

Physische der menschlichen Natur gerichtet. Nach dem Krieg war ich geneigter, in „Menschenmaterial“ eine peinliche Verwandtschaft mit „Kanonenfutter“ zu finden, den gleichen Zynismus hier in bewußter, dort in unbewußter Verkörperung zu sehen. Aber ganz überzeugt bin ich von der Brutalität des inkriminierten Ausdrucks auch heute nicht. Weshalb soll nicht jemand bei reinstem Idealismus den buchstäblichen Materialwert eines einzelnen oder einer Gruppe für bestimmte Berufs- oder Sportarten genau bezeichnen? Aus analoger Erwägung möchte ich auch keine besondere Seelenlosigkeit darin sehen, wenn in der Amtssprache der Gefängnisverwaltung die Gefangenen Nummern statt ihrer eigenen Namen tragen: sie werden dadurch nicht schlechthin als Menschen negiert, sondern nur als Objekte einer Verwaltung, nur listenmäßig als Ziffern betrachtet.

Warum liegt es anders, warum tritt eine eindeutige und unbezweifelbare Roheit zutage, wenn eine Wärterin des Konzentrationslagers Belsen vor dem Kriegsgericht erklärt, sie habe an dem und dem Tag mit sechzehn „Stück“ Gefangenen zu tun gehabt? In den beiden ersten Fällen handelt es sich um berufliches Absehen von der Person, um Abstraktion, beim Stück dagegen um Versächlichung. Es ist das gleiche Versächlichen, das in dem Amtswort „Kadaververwertung“, vielmehr in seiner Ausdehnung auf menschliche Leichname, zum Ausdruck kommt: man macht Dünger aus KZ-Toten und benennt das genauso wie die Verarbeitung tierischer Kadaver.

Absichtlicher und von einem erbitterten Haß diktiert, hinter dem schon die beginnende Verzweiflung der Ohnmacht steht, spricht dies Versächlichen aus einer stereotypen Phrase im Heeresbericht, vor allem des Jahres 1944. Hier wird immer wieder darauf hingewiesen, daß Banden keinen Pardon erhalten; besonders der ständig anschwellenden französischen Résistance gegenüber heißt es eine Zeitlang regelmäßig: soundso viele wurden „niedergemacht“. Dem Verbum „niedermachen“ merkt man die Wut auf den Gegner an, immerhin wird er hier noch als verhaßter Feind, als Person aufgefaßt. Dann aber liest man täglich: soundso viele wurden „liquidiert“. Liquidieren ist ein Wort der Kaufmannssprache, als Fremdwort noch um einen Grad kälter und sachlicher als seine jeweiligen deutschen Entsprechungen; ein Arzt liquidiert für seine Bemühungen eine bestimmte Summe, ein Kaufmann liquidiert sein Geschäft. Im ersten Fall handelt es sich um die Umrechnung des ärztlichen Bemühens in Geldwert, im zweiten Fall um die endgültige Erledigung, die Aufgabe eines Geschäfts. Werden Menschen liquidiert, so werden sie eben erledigt oder beendet wie Sachwerte. In der Sprache der Konzentrationslager hieß es, eine Gruppe „wurde der Endlösung zugeführt", wenn sie erschossen oder in den Gastod geschickt wurde.

Ist solches Versächlichen der Persönlichkeit als ein besonderer Charakterzug der LTI anzusehen? Ich glaube, nein. Denn es wird ja nur auf Menschen angewandt, denen der Nationalsozialismus die Zugehörigkeit zum eigentlichen Menschentum abspricht, die er als Niederrasse oder Gegenrasse oder Untermenschen von der echten, auf die Germanen oder das nordische Blut beschränkten Humanitas ausschließt. Während er innerhalb dieses anerkannten Menschenzirkels auf die Betonung der Persönlichkeit entscheidenden Wert legt. Dafür greife ich zwei einleuchtend beweiskräftige Zeugnisse heraus.

Auf militärischem Gebiet ist nicht mehr die Rede von den Leuten eines Offiziers, einer Kompanie, sondern nur von den Männern, jeder Leutnant berichtet: ich befahl meinen Männern ... Einmal stand im „Reich" ein gerührter und pathetischer Nachruf, den ein alter Universitätsprofessor drei als Offiziere gefallenen Lieblingsschülern geschrieben hatte. Darin waren Feldbriefe dieser Offiziere abgedruckt. Der alte Professor begeisterte sich wieder und wieder für die deutsche Mannestreue und für das Heldentum der Offiziere und ihrer „Mannen", er schwelgte in dem durch seine Altdeutschheit poetisierten Ausdruck; dagegen hieß es in den Feldbriefen seiner Schüler durchweg: „unsere Männer". Hier wurde also die Wortform der Gegenwartssprache mit Selbstverständlichkeit gebraucht — die jungen Leute hatten gar nicht mehr das Gefühl, mit der neuen Bezeichnung etwas Neues und etwas Poetisches zu sagen.

Im allgemeinen hat die LTI den altdeutschen Sprachformen zwiespältig gegenübergestanden. Einmal war ihr die Anknüpfung an die Tradition, die romantische Tendenz zum deutschen Mittelalter, die Verbundenheit mit dem noch durch kein Römertum verfälschten ursprünglichen Germanenwesen natürlich nicht unlieb; zum andern aber wollte sie unbeschwert zeitnah und fortschrittlich modern sein. Auch hatte Hitler in seinen Anfängen die Deutschvölkischen, die ihrer eigenen Sprache gern eine entschieden altdeutsche Note gaben, als peinliche Konkurrenten und Gegner bekämpft. So haben sich die eine Zeitlang propagierten deutschen Monatsnamen niemals durchgesetzt, sind auch niemals offiziell gebraucht worden. Auf der anderen Seite wiederum sind etliche Runen und allerlei germanische Vornamen zu Ansehen und in den Alltag gelangt...

Entschiedener noch als in den „Männern" drückt sich das Streben nach Heraushebung der Persönlichkeit in einer durchgängigen Neuformulierung des Behördenstils aus, die in unbewußte Komik ausartete. Es gab für Juden weder Kleiderkarten noch Bezugscheine, sie durften nichts Neues kaufen, sie wurden nur aus besonderen Kleider- und Wirtschaftskammern mit gebrauchten Sachen versehen. Anfangs war es verhältnismäßig leicht, ein Stück aus solcher Kleiderkammer zu erhalten; später war eine Eingabe nötig, die über den bestallten „Rechtskonsulenten" der Gemeinde und die Judenabteilung der Gestapo bis an das Polizeipräsidium ging. Ich erhielt einmal auf Vordruckkarte den Bescheid: „Ich habe Ihnen eine gebrauchte Arbeitshose bereitgestellt. Abzuholen ... usw. Der Polizeipräsident." Das zugrunde liegende Prinzip lautete: nicht die unpersönliche Behörde, sondern die verantwortliche Person eines Führers habe in jedem Fall zu entscheiden. So wurde alles Amtliche in die Ichform transponiert und von einem persönlichen Gott angeordnet. Ich, der Finanzpräsident in Person, und nicht mehr die Steuerkasse X, forderte den Friedrich Schulze auf, drei Mark und fünfzig Pfennig Versäumnisgebühren zu zahlen; Ich, der Polizeipräsident, schickte ein Strafmandat über drei Mark aus; und schließlich sprach gar Ich, der Polizeipräsident, persönlich dem Juden Klemperer eine gebrauchte Hose zu. Alles in majorem gloriam des Führerprinzips und der Persönlichkeit.

Nein, entpersönlichen, versächlichen hat der Nationalsozialismus die von ihm als Menschen anerkannten Germanen nicht wollen. Nur daß eben ein Führer auch Geführte braucht, auf deren bedingungslosen Gehorsam er sich verlassen kann. Man beachte, wie oft in den Treuegelöbnissen, den Huldigungs- und Beistimmungstelegrammen und -resolutionen der zwölf Jahre das Wort „blindlings" vorkommt. Blindlings gehört zu den Pfeilerworten der LTI, es bezeichnet den Idealzustand nazistischer Geistigkeit ihrem Führer und ihrem jeweiligen Unterführer gegenüber, es wird nicht viel seltener gebraucht als „fanatisch". Um aber einen Befehl blindlings auszuführen, darf ich über ihn nicht erst nachdenken. Nachdenken bedeutet in jedem Fall Aufenthalt, Hemmung, es könnte gar zu Kritik und schließlich zum Ablehnen eines Befehls führen. Das Wesen aller militärischen Erziehung besteht darin, daß eine Reihe von Handgriffen und Tätigkeiten automatisiert wird, daß der einzelne Soldat, daß die Einzelgruppe, unabhängig von äußeren Eindrücken, unabhängig von inneren Erwägungen, unabhängig von jeder Instinktregung, dem Befehl des Vorgesetzten genauso gehorcht, wie eine Maschine vom Druck auf den auslösenden Knopf in Gang gesetzt wird. Der Nationalsozialismus will beileibe nicht die Persönlichkeit antasten, im Gegenteil, er will sie erhöhen, aber das schließt nicht aus (für ihn nicht aus!), daß er sie gleichzeitig mechanisiert: Jeder soll Automat in der Hand des Vorgesetzten und Führers, zugleich auch Druckknopfbetätiger der ihm unterstellten Automaten sein. Aus dieser die Durchgängigkeit des Versklavens und Entpersönlichens verhüllenden Konstruktion heraus ergibt sich das Übermaß der LTI-Wendungen aus dem Gebiet der Technik, die Masse der mechanisierenden Wörter.

Man muß nun natürlich absehen von dem Zuwachs an technischen Fachausdrücken, den alle Kultursprachen seit dem Anfang des 19. Jahrhunderts erfahren haben und fortgesetzt erfahren und der die selbstverständliche Folge des Umsichgreifens der Technik und ihrer sich steigernden Bedeutung für das Leben der Allgemeinheit ist. Vielmehr handelt es sich bei dieser Betrachtung um den Übergriff technischer Wendungen auf nichttechnische Bereiche, wo sie dann eben mechanisierend wirken. Das ist im Deutschen vor 1933 nur ganz selten der Fall.

Die Weimarer Republik hat im wesentlichen nur zwei Ausdrücke über ihren technischen Fachbezirk hinaus der Allgemeinsprache zugeführt: verankern und ankurbeln sind die damaligen Schlag- und Modeworte. Sie sind es in einem derart hohen Maße, daß sie sehr bald dem Spott verfallen, sehr bald zur satirischen Charakteristik unliebsamer Zeitgenossen verwendet werden; so schreibt etwa Stefan Zweig in seiner

„Kleinen Chronik" Ende der zwanziger Jahre: „Die Exzellenz und der Dekan kurbelten ihre Verbindungen kräftig an."

Ob und wieweit man verankern unter die technischen Bilder rechnen darf, muß dahingestellt bleiben. Aus der Schiffahrt stammend und von einem gewissen poetischen Hauch umwittert, tritt es vereinzelt lange vor Weimar auf und weist sich als Modewort dieser einen Epoche nur durch die übermäßige Häufigkeit der damaligen Anwendung aus. Den Anstoß zu dieser Häufigkeit hat sicherlich eine vielerörterte offizielle Bemerkung gegeben: es wurde in der Nationalversammlung betont, daß man das Betriebsrätegesetz „in der Verfassung verankern" wolle. Seitdem wurde alles Mögliche und Unmögliche in jeder Art von Grund verankert. Das innere und unbewußte Motiv aber für die Hinneigung zu diesem Bilde lag sicherlich in einem tiefen Ruhebedürfnis: man hatte genug vom Wogendrang der Revolution; das Staatsschiff — uraltes Bild *(fluctuat nec mergitur)* — sollte im sicheren Hafen fest vor Anker liegen.

Der Technik im engeren und moderneren Sinn entnommen war nur das Verbum ankurbeln; es stammt wohl von einem Anblick her, dem man damals immer wieder auf der Straße begegnete: noch fehlte dem Automotor der Anlasser, und überall bemühten sich Fahrer unter großem Kraftaufwand, ihre Maschine mit der Handkurbel in Gang zu bringen.

Beiden Bildern aber, dem halb- und dem ganztechnischen, ist gemeinsam, daß sie immer nur auf Dinge, Zustände, Tätigkeiten, niemals auf Personen bezogen werden. Man kurbelt zur Zeit der Weimarer Republik alle Arten von Geschäftszweigen an, niemals aber die geschäftsführende Person selber, man verankert die verschiedensten Institutionen, man verankert auch Behörden, aber niemals einen Finanzpräsidenten oder einen Minister persönlich. Der eigentlich entscheidende Schritt zur sprachlichen Mechanisierung des Lebens ist aber erst da getan, wo die technische Metapher unmittelbar auf die Person zielt oder, wie ein seit dem Anfang des Jahrhunderts grassierender Ausdruck sagt: eingestellt ist.

Ich frage mich parenthetisch, ob eingestellt sein und Einstellung — jede Hausfrau hat heute ihre besondere Einstellung zu Süßstoff und Zucker, jeder Junge ist anders eingestellt zu Boxsport und Leichtathletik — ebenfalls unter die Rubrik des sprachlichen Technisierens fallen. Ja und nein. Ursprünglich handelt es sich bei diesen Ausdrücken um die Einstellung eines Fernrohrs auf eine bestimmte Distanz oder eines Motors auf eine bestimmte Umlaufzahl. Aber die erste Gebietserweiterung durch übertragenes Bedeuten ist eine nur halbmetaphorische: Wissenschaft und Philosophie — besonders die Philosophie — bemächtigen sich des Ausdrucks; das exakte Denken, der Denkapparat wird scharf auf ein Objekt eingestellt, die technische Grundnote bleibt also durchaus deutlich, soll es noch bleiben. Die Allgemeinheit dürfte die Worte erst aus der Philosophie übernommen haben. Es galt für kultiviert, eine „Einstellung" zu wichtigen Lebensfragen zu besitzen. Wieweit man sich im Anfang der zwanziger Jahre noch klar war über die technische, die mindestens rein rationale Bedeutung der Ausdrücke, ist kaum allgemeingültig festzustellen. In einem satirischen Tonfilm singt die Kokottenheldin, ihr Leben sei „von Kopf bis Fuß auf Liebe eingestellt", und das spricht für ein Wissen um jene Grundbedeutung; aber gleichzeitig singt ein Patriot, der sich für einen Dichter hält und später von den Nazis als Dichter gefeiert wird, in aller Naivität, sein ganzes Fühlen sei „auf Deutschland eingestellt". Der Film basierte auf Heinrich Manns tragikomischem Oberlehrerroman; der von den Nazis als früher Anhänger und Freikorpskämpfer gefeierte Verskünstler hatte den nicht sehr germanischen Vornamen Boguslav oder Boleslaw — was ist ein Philologe, dem die Bücher geraubt sind und Teile seiner Notizen vernichtet?

Das eindeutige Mechanisieren der Person selber bleibt der LTI vorbehalten. Ihre charakteristischste, wahrscheinlich auch frühzeitigste Schöpfung auf diesem Felde heißt „gleichschalten". Man sieht und hört den Druckknopf, der Menschen, nicht Institutionen, nicht unpersönliche Behörden, in gleichförmige automatische Haltung und Bewegung versetzt: Lehrer verschiedener Anstalten, Gruppen verschiedener Angestellter des Justiz-, des Steuerdienstes, Mitglieder des Stahlhelms und der SA usw. usw. werden beinahe in infinitum gleichgeschaltet.

So ungeheuerlich repräsentativ für die Grundgesinnung des Nazismus ist dieses Wort, daß es zu den wenigen Ausdrücken gehört, denen der Kardinal-Erzbischof Faulhaber schon Ende 1933 die Ehre angedeihen ließ, sie in seinen Adventspredigten zu satirisieren. Bei den asiatischen Völkern des Altertums, sagte er, seien Religion und Staat gleichgeschaltet. Gleichzeitig mit dem hohen Kirchenfürsten wagten es auch kleine Kabarettkünstler, das Verbum in komische Beleuchtung zu rücken. Ich erinnere mich eines Conférenciers, der bei einer sogenannten Fahrt ins Blaue der Ausflugsgesellschaft während der Kaffeerast im Walde erklärte, jetzt sei sie der Natur gleichgeschaltet, womit er großen Beifall erntete.

Es gibt in der LTI keinen anderen Übergriff technischer Wörter, der die Tendenz des Mechanisierens und Automatisierens so nackt zutage treten ließe wie dieses „gleichschalten". Man hat es all die zwölf Jahre gebraucht, wenn auch anfangs häufiger als später, aus dem einfachen Grunde, weil sehr bald alle Gleichschaltungen, alle Automatisierungen vollzogen und zur Selbstverständlichkeit geworden waren.

Andere aus dem Gebiet der Elektrotechnik übernommene Wendungen sind weniger eindeutig gravierend. Wenn da und dort von den Kraftströmen die Rede ist, die sich in einer Führernatur vereinigen oder die von ihr ausgehen — man kann ähnliches in mancherlei Varianten über Mussolini und über Hitler ausgesagt lesen —, so sind das metaphorische Wendungen, die ebensosehr wie auf die Elektrotechnik auf den Magnetismus hinweisen und damit dem romantischen Fühlen nahestehen. Das ist besonders auffallend bei Ina Seidel, die in ihren reinsten Schöpfungen und in ihrer schlimmsten Versündigung zur gleichen Elektrometapher griff — doch Ina Seidel ist ein trauriges Kapitel für sich.

Aber ist es romantisch zu werten, wenn Goebbels von einer Fahrt in bombenzerstörte Weststädte pathetisch lügt, er selber, der doch den Betroffenen Mut einflößen wollte, fühlte sich durch ihr unerschütterliches Heldentum „neu aufgeladen"? Nein, hier wirkt bestimmt und allein die Gewöhnung, den Menschen zu einem technischen Apparat zu erniedrigen.

Ich sage es deshalb mit Bestimmtheit, weil in den andern technischen Metaphern des Propagandaministers und des Goebbelskreises der unmittelbare Bezug auf das Maschinelle ohne jede Erinnerung an irgendwelche Kraftströme herrscht. Wieder und wieder werden tätige Menschen mit Motoren verglichen. So heißt es etwa im „Reich" von dem Hamburger Statthalter, er sei in seiner Arbeit wie „ein immer auf Hochtouren laufender Motor". Viel stärker aber als solch ein Vergleich, der immerhin einen Grenzstrich zieht zwischen dem

Bild und dem damit verglichenen Objekt, viel gravierender zeugt für die mechanisierende Grundanschauung ein Goebbelssatz wie dieser: „Wir werden in absehbarer Zeit auf einer Reihe von Gebieten wieder zu vollen Touren auflaufen.“ Wir werden also nicht mehr mit Maschinen verglichen, sondern wir sind Maschinen. Wir: das ist Goebbels, das ist die nazistische Regierung, das ist die Gesamtheit Hitlerdeutschlands, die in schwerer Not, bei schrecklichem Kräfteverlust ermutigt werden soll; und sich selber und all seine Getreuen vergleicht der sprachgewaltige Prediger nicht etwa, nein, identifiziert er mit Maschinen. Eine entgeistigtere Denkart als die sich hier verratende ist unmöglich.
Greift aber der mechanisierende Sprachgebrauch so unmittelbar nach der Person, dann ist es selbstverständlich, daß er den weniger weiten Griff nach den Sachen außerhalb seines Bereichs immerfort tut. Es gibt nichts, was man nicht anlaufen lassen kann, nicht überholen kann, so wie man eine Maschine nach längerer Laufzeit oder ein Schiff nach großer Fahrt überholt, es gibt nichts, was man nicht irgendwo hinein- oder irgendwo herausschleusen kann, und natürlich — o Sprache des werdenden Vierten Reiches! — kann man alles und jedes aufziehen. Und wenn der tapfere Lebenswille einer zerbombten Stadt gepriesen werden soll, dann bringt das „Reich“ als philologischen Beweis dafür den Lokalausdruck ihrer rheinischen oder westfälischen Bevölkerung: „Es spurt schon wieder.“ (Ich habe mir spuren als ein Spezialwort des Automobilbaus erklären lassen: die Wagenräder halten die richtige Spur.) Und warum spurt alles schon wieder? Weil jeder bei der allseitigen guten Organisation „voll ausgelastet“ am Werk ist. Auch „voll ausgelastet“, eine Goebbelssche Lieblingswendung der letzten Jahre, bedeutet gewiß einen Übergriff aus der Sprache der Technik auf die Person selber; er wirkt nur weniger gewaltsam als der zu vollen Touren auflaufende Motor, weil man schließlich menschliche Schultern genauso auslasten kann wie irgendeine Trägerkonstruktion. Die Sprache bringt es an den Tag. Der immer wiederholte Übergriff, das Ausspinnen des Technischen, das Schwelgen in ihm: Weimar kennt nur das Ankurbeln der Wirtschaft, die LTI fügt nicht bloß das Auf-volle-Touren-Kommen hinzu, sondern auch „die gut eingespielte Lenkung“ — alles dies (das ich hier keineswegs lexikalisch erschöpft habe) legt Zeugnis ab für die

tatsächliche Mißachtung der vorgeblicherweise geschätzten und gehegten Persönlichkeit, für den Willen zur Unterdrükkung des selbständig denkenden, des freien Menschen. Und dies Zeugnis ist nicht zu entkräften durch noch so viele Beteuerungen, daß man gerade die Persönlichkeit entwickeln wolle im absoluten Gegensatz zur „Vermassung", auf die der Marxismus abziele und auf die erst recht seine Übersteigerung im jüdischen und asiatischen Bolschewismus hinarbeite.
Aber bringt es die Sprache wirklich an den Tag? Mir geht ein Wort durch den Kopf, das ich jetzt, da die Russen um den Neubau unseres ganz zerstörten Schulwesens bemüht sind, immer wieder höre: man zitiert den Ausspruch Lenins, der Lehrer sei der Ingenieur der Seele. Auch das ist doch ein technisches Bild, ja eigentlich das allertechnischste. Ein Ingenieur hat es mit Maschinen zu tun, und wenn er als der rechte Mann für die Pflege der Seele angesehen wird, dann muß ich also daraus schließen, daß die Seele als Maschine gilt...
Muß ich es wirklich? Die Nazis haben immer doziert, Marxismus sei Materialismus, und der Bolschewismus übertreffe die sozialistische Lehre an Materialismus, indem er die industriellen Methoden der Amerikaner nachzuahmen bestrebt sei und ihr technisiertes Denken und Fühlen übernehme? Was ist von alledem wahr?
Alles und nichts.
Es ist gewiß, daß der Bolschewismus bei der Technik der Amerikaner in die Lehre geht, daß er mit Leidenschaft sein Land technisiert, wovon denn stärkste Spuren in seine Sprache übergehen müssen. Aber weswegen technisiert er sein Land? Um seinen Menschen ein menschenwürdigeres Dasein zu verschaffen, um ihnen auf verbesserter physischer Basis, unter Verringerung des lastenden Arbeitsdruckes, die Möglichkeit eines geistigen Aufstiegs zu bieten. Die neue Fülle technischer Wendungen in seiner Sprache bezeugt also genau das Gegenteil dessen, was sie in Hitlerdeutschland bezeugt: sie weist auf das Mittel hin, mit dem der Kampf um die Befreiung des Geistes geführt wird, während ich im Deutschen aus den Übergriffen des Technischen zwangsläufig auf die Versklavung des Geistes schließe.
Wenn zwei dasselbe tun ... Trivialste Weisheit. Aber in meinem Notizbuch des Philologen will ich doch die fachsimpelnde Anwendung unterstreichen: Wenn zwei sich derselben

Ausdrucksform bedienen, müssen sie durchaus nicht von gleicher Absicht ausgehen. Ich will es gerade heute und hier besonders dick und wiederholt unterstreichen. Denn es tut uns so bitter not, den wahren Geist der Völker kennenzulernen, von denen wir so lange abgeschlossen waren, über die wir so lange belogen worden sind. Und über keines sind wir mehr belogen worden als über das russische ... Und nichts führt uns dichter an die Seele eines Volkes heran als die Sprache ... Und dennoch: Gleichschalten und Ingenieur der Seele — technische Wendung beidemal, und die deutsche Metapher weist in die Sklaverei, und die russische weist in die Freiheit.

XXIV

Café Europe

12. August 1935. „Es liegt zwar am äußersten Rande — man sieht nach Asien hinüber —, aber es liegt doch in Europa", hat mir Dember gesagt, als er mir vor zwei Jahren von seiner Berufung an die Universität Istanbul berichtete. Ich sehe heute sein befriedigtes Lächeln wieder vor mir, das erste damals nach den Wochen der Vergrämtheit, die seiner Entlassung, genauer: seinem Fortgejagtsein, folgten. Ich erinnere mich gerade heute, wie dies Lächeln und der frohere Klang der Stimme das Wort „Europa" heraushoben; denn heute kam von Bl.s die erste Nachricht seit ihrer Ausreise. Inzwischen müssen sie schon in Lima angekommen sein, ihr Brief ist von den Bermudas abgesandt. Er wirkt sehr verstimmend auf mich: Ich beneide die Leute um ihre Freiheit, um die Erweiterung ihres Horizonts, ich beneide ihn um seine Wirkungsmöglichkeit — und statt sich zu freuen, klagen sie über Seekrankheit und Europasehnsucht. Ich habe ein paar Verse gedrechselt, die ich ihnen schicken will:

Danket Gott an allen Tagen,
der euch übers Meer getragen
und erlöst von großen Plagen —
Kleine haben kein Gewicht;
von der Reling eines freien
Schiffes in die See zu speien,
ist der Übel höchstes nicht.
Hebet dankbar eure müden
Augen auf zum Kreuz im Süden:
Fort von allem Leid der Jüden
trug euch gnadenvoll das Schiff.
Habt ihr Sehnsucht nach Europen?
Vor euch liegt es in den Tropen;
denn Europa ist Begriff!

13. August 1935. Walter schreibt aus Jerusalem: „Adressiere bitte in Zukunft einfach: *Café Europe.* Ich weiß noch nicht, wie lange meine augenblickliche Privatadresse Gültigkeit haben wird, im *Café Europe* dagegen bin ich bestimmt immer zu erreichen. Es ist mir hier, und damit meine ich jetzt ganz Jerusalem im allgemeinen und das Café im besonderen, sehr viel wohler als in Tel Aviv; da sind bloß Juden unter sich und wollen bloß Juden sein. Hier geht es europäischer zu."
Ich weiß nicht, ob ich unter dem Eindruck der gestrigen Korrespondenz dem heutigen Brief aus Palästina stärkere Bedeutung beilege, als er besitzt; aber es scheint mir, als käme mein ungelehrter Neffe dem Wesen Europas näher als meine gelehrten Kollegen, deren Sehnsucht am geographischen Raum klebt.
14. August 1935. Auf irgendeinen Einfall hin bin ich immer höchstens einen Tag lang stolz; dann schwelle ich ab, denn dann — Philologenschicksal — fällt mir ein, wo ich ihn herhabe. Der Begriff Europa ist Anleihe bei Paul Valéry. Ich kann zu meiner Beruhigung hinzusetzen: cf. Klemperers „Moderne französische Prosa". Damals, das liegt nun ein Dutzend Jahre zurück, habe ich in einem besonderen Kapitel zusammengestellt und kommentiert, was die Franzosen über Europa denken, wie sie die Selbstzerfleischung des Kontinents im Kriege verzweifelt beklagen, wie sie sein Wesen im Herausarbeiten und Verbreiten einer bestimmten Kultur, einer bestimmten Geistes- und Willenshaltung erkennen. Paul Valéry hat in seiner Züricher Rede vom Jahre 1922 die Abstraktion vom europäischen Raum ganz deutlich ausgesprochen. Überall dort ist ihm Europa, wohin die Dreiheit Jerusalem, Athen und Rom gedrungen, er selber sagt: Hellas, antikes Rom und christliches Rom, aber im christlichen Rom ist ja Jerusalem enthalten; auch Amerika bedeutet ihm nur „eine formidable Schöpfung Europas". Aber im selben Atemzug, in dem er Europa als Vormacht der Welt hinstellt, fügt er auch hinzu: Ich drücke mich falsch aus, nicht Europa herrscht, sondern der europäische Geist. —
Wie kann man Sehnsucht haben nach einem Europa, das keines mehr ist? Und Deutschland ist doch gewiß kein Europa mehr. Und wie lange werden die angrenzenden Länder vor ihm sicher sein? Ich würde mich in Lima sicherer fühlen als in

Istanbul. Was Jerusalem anlangt, so liegt es mir zu nahe an Tel Aviv, und das hat allerlei Verwandtschaft mit Miesbach...

(Anmerkung für die Leser von heute: Im bayerischen Miesbach erschien zur Weimarer Zeit ein Tageblatt, das Ton und Inhalt des „Stürmers" mehr vorwegnahm als nur vorbereitete.)

*

Nach diesen Notizen kommt das Wort Europa fast acht Jahre lang in meinem Tagebuch nicht mehr vor, obschon ich auf alles achte, was sich mir als Eigentümlichkeit der LTI aufdrängt. Natürlich will ich damit nicht sagen, daß nicht da und dort etwas über Europa oder europäische Zustände zu lesen war. Das wäre um so unzutreffender, als ja der Nazismus von seinem Ahnherrn Chamberlain her mit einer verfälschten Europa-Idee arbeitet, die in Rosenbergs Mythus zentrale Bedeutung hat und so von allen Theoretikern der Partei nachgebetet wird.

Man kann von dieser Idee sagen, es sei mit ihr das geschehen, was die Rassepolitiker mit der deutschen Bevölkerung zu tun bemüht waren: sie wurde „aufgenordet". Alles Europäertum ging nach der nazistischen Doktrin von nordischen Menschen oder Nordgermanen aus, alle Schädigung, alle Bedrohung kam aus Syrien und Palästina; soweit sich griechische und christliche Ursprünge der europäischen Kultur auf keine Weise ableugnen ließen, waren die Hellenen und war auch Christus blondhaarig-blauäugig-nordisch-germanischen Ursprungs. Was vom Christentum nicht in die nazistische Ethik und Staatslehre paßte, wurde bald als jüdisch, bald als syrisch, bald als römisch ausgemerzt.

Aber auch in solcher Verzerrung waren Begriff und Wort Europa doch nur für eine geringe Schicht Gebildeter da und waren im übrigen fast ebenso anrüchig wie die verpönten Begriffe Intelligenz und Humanität. Denn es bestand ja immer die Gefahr, daß doch Erinnerungen an die alte Europavorstellung wach würden, die dann unvermeidlich zu friedlichen, übernationalen und humanen Gedankengängen führen mußten. Während andererseits auf den Begriff Europa überhaupt verzichtet werden konnte, wenn man aus Germanien das Ursprungsland der europäischen Ideen in ihrer Gesamtheit und

den alleinigen Bluttrager der europäischen Menschheit machte. Auf solche Weise wurde Deutschland aus aller kulturellen Verflechtung und Verpflichtung herausgehoben, es stand allein und gottähnlich mit göttlichen Rechten über allen anderen Völkern. Gewiß erfuhr man häufig, daß Deutschland den jüdisch-asiatischen Bolschewismus von Europa abwehren müsse. Und als Hitler am 2. Mai 1938 höchst theatralisch zum Staatsbesuch nach Italien abreiste, da hieß es in der Presse wiederholt, daß Führer und Duce nun am Werk seien, gemeinsam „Das Neue Europa" zu schaffen, wobei aber sogleich dem internationalisierenden „Europa" durch jene Schlagzeile „Das Heilige Germanische Reich Deutscher Nation" entgegengewirkt wurde. Auf keinen Fall wurde das Wort Europa in den Friedensjahren des Dritten Reiches so besonders oft und mit solcher Hervorhebung eines Sondersinnes und mit solcher Gefühlsbetontheit gebraucht, daß man es als ein Charakteristikum der LTI hätte buchen können.
Erst beim Beginn des Rußlandfeldzuges, und völlig erst beim Beginn des Rückflutens, erlangt es eine neue und immer verzweifeltere Geltung. Hat man früher nur bisweilen, und sozusagen nur bei festtäglichen Kulturbetrachtungen, Europa „vor dem Bolschewismus geschützt", so wird diese oder eine ähnliche Phrase jetzt derart gang und gäbe, daß sie täglich in jedem Zeitungsblatt, oft an verschiedenen Stellen wiederholt erscheint. Goebbels erfindet das Bild vom Ansturm der Steppe, er warnt, indem er das Substantiv aus der Fachsprache der geographischen Wissenschaft übernimmt, vor der Versteppung Europas, und von da an gehören die Steppe und Europa, meist in enger Verknüpftheit, zum spezifischen Sprachschatz der LTI.
Aber nun hat sich mit dem Begriff Europa eine eigentümliche Rückbildung vollzogen. In Valérys Betrachtung war Europa von seinem ursprünglichen Raum, ja vom Raum überhaupt losgelöst, in ihr hatte Europa jeden Bereich bedeutet, der geistig von jener Dreiheit Jerusalem, Athen, Rom (oder lateinischer ausgedrückt: einmal von Athen und zweimal von Rom) geprägt worden ist. Jetzt, im letzten Drittel der Hitlerära, geht es keineswegs um eine derartige Abstraktion. Gewiß, man spricht von den Ideen des Abendlandes, die man gegen das Asiatentum verteidige. Aber man hütet sich ebensosehr, die Idee des nordisch-germanischen Europäertums, die

man im Aufstieg des Nazismus betonte, erneut zu propagieren, wie man andererseits auch selten eine Zeile daran vergeudet, den wahrheitsgetreueren Europabegriff Valérys zu behandeln. Ich nenne ihn nur wahrheitsgetreuer; denn in seiner rein lateinischen Tönung und ausschließlichen Westrichtung ist er zu eng, um völlig wahr zu sein: Seitdem Tolstoi und Dostojewski auf Europa wirken (und Vogüés „*Roman Russe*“ ist schon 1886 erschienen), seitdem sich der Marxismus zum Marxismus-Leninismus weiterentwickelt, seitdem er sich mit amerikanischer Technik verbunden hat, ist der Schwerpunkt des geistigen Europäertums nach Moskau verlagert...

Nein, das Europa, von dem die LTI jetzt tagtäglich spricht, ihr neues Pfeilerwort Europa ist vollkommen räumlich und materiell zu nehmen; es bezeichnet ein engeres Gebiet und betrachtet es unter konkreteren Gesichtspunkten, als das früher üblich war. Europa ist jetzt nämlich nicht nur gegen Rußland abgegrenzt, dem man freilich große Teile seines Besitzes, als unrechtmäßig behauptet, zugunsten des neuen Hitlerkontinents abspricht, sondern Europa ist auch in feindseliger Abwehr geschieden von Großbritannien.

Noch im Anfang des Krieges war das anders. Da hieß es: „England ist keine Insel mehr.“ Der Ausspruch ist übrigens lange vor Hitler getan worden, ich fand ihn in Disraëlis *Tancred* und bei dem politischen Reiseschriftsteller Rohrbach, der für die Bagdadbahn und Mitteleuropa warb; dennoch wird das Diktum immer an Hitler haften. Damals, im Siegestaumel der Überrennung Polens und Frankreichs, rechnete ganz Hitlerdeutschland mit einer Landung in England.

Die Hoffnung scheiterte, an die Stelle des blockierten und angriffsbedrohten Englands trat die blockierte und invasionsbedrohte Achse, und nun wurde das „blockadefeste“, das „autarke Europa“ zum Schlagwort, der, wie man sagte, von England verratene, von den Amerikanern und Russen umlauerte, zur Versklavung und Entgeistigung bestimmte „ehrwürdige Kontinent“. Lexikalisch und begrifflich entscheidend für die LTI ist die „Festung Europa“.

Im Frühjahr 1943 erschien mit amtlicher Anerkennung („Die Schrift wird in der NS-Bibliographie geführt“) ein Buch von Max Clauß „Tatsache Europa“. Der Titel an sich bezeugt, daß es sich hier um keine schweifende, spekulierende Idee handelt, vielmehr um das Konkretum, um den umzirkelten

Raum Europa. Um „das neue Europa, das heute marschiert". Die Stelle des eigentlichen Gegners nimmt in diesem Werk England ein, England viel mehr noch als Rußland. Theoretischer Ausgangspunkt ist Coudenhove-Kalergis 1923 erschienenes Buch „Pan-Europa", worin England als europäische Vormacht, Sowjetrußland als Gefahr für die europäische Demokratie betrachtet wird. Im Punkte der Sowjetfeindlichkeit ist also Coudenhove der Verbündete, nicht der Gegner des nazistischen Autors. Aber nicht auf die rein politische Stellung der beiden Theoretiker kommt es hier an. Clauß zitiert Coudenhoves Erklärung seines Bundeszeichens: „das Zeichen, in dem sich die Paneuropäer aller Staaten vereinigen werden, das Sonnenkreuz: das rote Kreuz auf goldener Sonne, das Symbol der Humanität und Vernunft". Was in meinem Zusammenhang Bedeutung hat, ist nicht Coudenhoves Verständnislosigkeit dafür, daß gerade Rußland, das von ihm ausgeschlossene, die Fackel des Europäertums trägt, ist auch nicht sein Eintreten für die englische Hegemonie. Sondern allein darauf kommt es hier an, daß bei Coudenhove die Idee und nicht der Raum Europa zentral gestellt ist — auf dem Umschlag der nazistischen Schrift dagegen sieht man gerade den Raum, sieht man die Landkarte des Kontinents —, und daß diese Idee Humanität und Vernunft heißt. Das Buch „Tatsache Europa" verlacht das „Irrlicht Paneuropa" und befaßt sich ausschließlich mit der „Realität", genauer, mit dem, was Anfang 1943 in Hitlerdeutschland als dauernde Realität offizielle Geltung hat: „Realität, die Organisierung des riesigen kontinentalen Raumes mit einer freigekämpften Basis im Osten, Realität, das Freiwerden gewaltiger Kräfte, um das blockadefeste Europa auf jeden Fall unangreifbar zu machen." In der Mitte dieses Raumes liegt Deutschland als „Ordnungsmacht". Auch dieses Wort gehört zur LTI in ihrer Spätphase. Es ist der euphemistisch verschleiernde Ausdruck für herrschende und ausbeutende Macht, es setzt sich um so kräftiger durch, je schwächer die Position des „Achsenpartners", des verbündeten Italiens wird; es enthält kein ideelles raumentbundenes Ziel.

Sooft der Name Europa während der letzten Jahre in der Presse oder in Reden auftaucht — und je schlechter es um Deutschland steht, um so öfter und um so beschwörender geschieht das —, immer ist dies sein alleiniger Inhalt:

Deutschland, die „Ordnungsmacht", verteidigt die „Festung Europa".
In Salzburg zeigt man eine Ausstellung: „Deutsche Künstler und die SS." Eine Schlagzeile des Berichtes hierüber lautet: „Vom Stoßtrupp der Bewegung zur Kampftruppe für Europa." Kurz vorher, im Frühjahr 1944, schreibt Goebbels: „Die Völker Europas müßten uns auf den Knien danken", daß wir zu ihrem Schutz kämpfen, sie verdienen es vielleicht gar nicht! (Ich habe mir nur den Anfang des Satzes wörtlich notiert.)
Einmal aber zwischen all den Materialisten, die nur immer wieder den Landblock Europa in Hitlerdeutschlands Gewalt im Sinn haben, einmal meldet sich doch ein Dichter und Idealist zum Wort. Im Sommer 1943 bringt das „Reich" eine Europa-Ode in antikem Versmaß. Der Dichter heißt Wilfried Bade und sein eben erschienener Gedichtband „Tod und Leben". Ich weiß nichts weiter von dem Autor, nichts weiter von seinem Werk, sie mögen beide untergegangen sein; mich berührte bloß damals, und tut es auch heute noch in der Erinnerung, die reine Formung und der Schwung der einen Ode. Darin also ist Deutschland gewissermaßen der Gott in Stiergestalt, der die schöne Europa entführt, und von der Geraubten und Erhöhten heißt es: „... Du bist in einem / Mutter, Geliebte und Tochter auch / im großen Geheimnis, / das kaum zu ahnen ..." Aber der junge Idealist und Freund der Antike hängt dem großen Geheimnis nicht weiter nach, er weiß ein Heilmittel gegen alle geistigen Schwierigkeiten: „Im Glanze jedoch / der Schwerter ist alles einfach, und nichts / ist noch ein Rätsel."
Welch ein unermeßlicher Abstand vom Europagedanken des ersten Weltkrieges! „Europa, ich ertrag' es nicht, daß du in diesem Wahnsinn zugrunde gehst, Europa, ich schrei' es deinen Schlächtern ins Ohr, wer du bist!" dichtet Jules Romains — und der Poet des zweiten Weltkrieges findet Erhebung und Betäubung im Glanz der Schwerter!

— —

Das Leben erlaubt sich Kombinationen, die sich kein Romancier erlauben darf, weil sie im Roman zu romanhaft wirken würden. Ich hatte meine Europa-Notizen aus der Hitlerzeit zusammengefaßt, ich überlegte mir eben, ob wir nun zu einem reineren Europa-Denken zurückkehren oder ob wir den

Europa-Begriff überhaupt fallenlassen würden, denn von eben dem Moskau aus, das der Romane Valéry noch nicht in Betracht zog, richtet sich ja jetzt das reinste europäische Denken buchstäblich „an alle“, und unter dem Gesichtspunkt Moskaus gibt es nur noch die Welt und nicht mehr die Sonderprovinz Europa —, da bekam ich von meinem Neffen Walter den ersten Brief aus Jerusalem, den ersten nach sechs Jahren. Er war nicht mehr aus dem *Café Europe* abgeschickt. Ich weiß nicht, ob dies Café noch existiert, jedenfalls aber nahm ich das Fehlen dieser Adresse genauso symbolisch wie damals ihr Vorhandensein. Denn auch der Inhalt des Briefes ließ jenes Europäertum von damals sehr vermissen. „Du magst ja manches darüber in den Zeitungen gelesen haben (hieß es darin), aber du kannst dir nicht vorstellen, was unsere Nationalisten hier anrichten. Bin ich deshalb aus Hitlerdeutschland geflohen?“ ... So hat also das *Café Europe* in Jerusalem wohl wirklich nicht mehr seine Bleibe. Aber dies gehört in das Judenkapitel meiner LTI.

XXV

Der Stern

Ich frage mich heute wieder, was ich mich, was ich die verschiedensten anderen schon Hunderte von Malen gefragt habe: welches war der schwerste Tag der Juden in den zwölf Höllenjahren?
Nie habe ich von mir, nie von anderen eine andere Antwort erhalten als diese: der 19. September 1941. Von da an war der Judenstern zu tragen, der sechszackige Davidsstern, der Lappen in der gelben Farbe, die heute noch Pest und Quarantäne bedeutet und die im Mittelalter die Kennfarbe der Juden war, die Farbe des Neides und der ins Blut getretenen Galle, die Farbe des zu meidenden Bösen; der gelbe Lappen mit dem schwarzen Aufdruck: „Jude", das Wort umrahmt von Linien der ineinandergeschobenen beiden Dreiecke, das Wort aus dicken Blockbuchstaben gebildet, die in ihrer Isoliertheit und in der breiten Überbetontheit ihrer Horizontalen hebräische Schriftzeichen vortäuschen.
Die Beschreibung ist zu lang? Aber nein, im Gegenteil! Mir fehlt nur die Kunst zu genauerer, eindringlicherer Beschreibung. Wie oft, wenn ein neuer Stern auf ein neues (vielmehr alt aus der jüdischen Kleiderkammer erworbenes) Stück, eine Jacke oder einen Arbeitsmantel, anzunähen war, wie oft habe ich den Lappen unter der Lupe betrachtet, die Einzelparzellen des gelben Gewebes, die Ungleichheiten des schwarzen Aufdrucks — und alle diese Einzelfelder hätten nicht ausgereicht, hätte ich an jedes eine der erlebten Sterntorturen knüpfen wollen.
Ein bieder und gutmütig aussehender Mann kommt mir entgegen, einen kleinen Jungen sorgsam an der Hand führend. Einen Schritt vor mir bleibt er stehen: „Sieh dir den an, Horstl! — der ist an allem schuld!" ... Ein weißbärtiger, gepflegter Herr überquert die Straße, grüßt tief, reicht mir die Hand: „Sie kennen mich nicht, ich muß Ihnen nur sagen, daß ich diese Methoden verurteile." ... Ich will auf die Trambahn steigen, ich darf nur den Vorderperron benutzen, und nur wenn

ich zur Fabrik fahre, und nur wenn die Fabrik mehr als sechs Kilometer von meiner Wohnung entfernt ist, und nur wenn der Vorderperron fest abgetrennt ist vom Inneren des Wagens; ich will aufsteigen, es ist spät, und wenn ich nicht pünktlich zur Arbeit erscheine, kann der Meister mich der Gestapo melden. Jemand zerrt mich von hinten zurück: „Lauf doch zu Fuß, ist dir viel gesünder!" Ein SS-Offizier, grinsend, gar nicht brutal, macht sich bloß einen Spaß, so wie man einen Hund ein bißchen neckt ... Meine Frau sagt: „Es ist so hübsches Wetter, und ausnahmsweise habe ich heute gar nichts einzukaufen, gar nirgends Schlange zu stehen — ich begleite dich ein Stückchen!" — „Unter keinen Umständen! Soll ich auf der Straße mitansehen, wie du um meinetwillen beleidigt wirst? Und dann: wer weiß, wem du dich verdächtig machst, der dich bisher nicht kennt, und wenn du meine Manuskripte fortschaffst, läufst du ihm in die Arme!" ... Ein Möbelträger, der mir von zwei Umzügen her zugetan ist — gute Leute alle, riechen sehr nach KPD —, steht in der Freiberger Straße plötzlich vor mir und packt meine Hand mit seinen beiden Tatzen und flüstert, daß man es über den Fahrdamm weg hören muß: „Nu, Herr Professor, lassen Sie bloß den Kopf nicht hängen! Nächstens haben sie doch abgewirtschaftet, die verfluchten Brüder!" Es soll ein Trost sein, es ist auch eine Herzwärmung; aber wenn es drüben der richtige Mann hört, dann kostet es meinen Tröster Gefängnis und mich via Auschwitz das Leben ... Ein Auto bremst im Vorbeifahren auf leerer Straße, ein fremder Kopf beugt sich heraus: „Lebst du immer noch, du verdammtes Schwein? Totfahren sollte man dich, über den Bauch! ..."

Nein, alle Einzelfelder reichen nicht aus, die Bitterkeiten des Judensterns zu notieren.

Am Georgplatz stand eine Gutzkowstatuette in der Grünanlage, jetzt ist nur noch der Sockel in dem zerfurchten Erdstreifen vorhanden; zu dieser Büste hatte ich ein besonderes Freundschaftsverhältnis. Wer kennt heute noch die „Ritter vom Geist"? Ich habe zu meiner Doktordissertation alle neun Bände mit Vergnügen gelesen, und viel früher einmal hat mir die Mutter erzählt, wie sie als Mädchen den Roman als modernste und eigentlich verbotene Lektüre in sich hineingeschlungen habe. Aber nicht an die „Ritter vom Geist" denke ich zuerst, wenn ich die Gutzkowbüste passiere. Sondern an den „Uriel Acosta", den ich als Sechzehnjähriger bei Kroll sah. Er war damals schon fast ganz aus dem regulären Spielplan verschwunden, und für jeden Kritiker war es durchaus Pflicht, das Stück schlecht zu finden und einzig auf seine Schwächen hinzuweisen. Mich aber erschütterte es, und ein Satz daraus hat mich durchs Leben begleitet. Ein paarmal beim Zusammenstoß mit irgendwelch antisemitischen Regungen glaubte ich ihn besonders lebhaft nachempfinden zu können, aber wirklich in mein eigenes Leben eingegangen ist er erst an jenem 19. September. Er lautet: „Ins Allgemeine möcht' ich gerne tauchen und mit dem großen Strom des Lebens gehn!" Gewiß, vom Allgemeinen abgeschnitten war ich schon seit 1933, und auch ganz Deutschland war seitdem davon abgeschnitten; aber trotzdem: sobald ich die Wohnung hinter mir hatte und die Straße, in der man mich kannte, war es doch ein Untertauchen im großen allgemeinen Strom, ein angstvolles zwar, denn in jedem Augenblick konnte mich ja ein Böswilliger erkennen und belästigen, doch immerhin ein Untertauchen; nun aber war ich in jedem Augenblick für jeden kenntlich und durch die Kennzeichnung isoliert und vogelfrei; denn die Begründung der Maßnahme hieß, die Juden müßten abgesondert werden, da sich ihre Grausamkeit in Rußland erwiesen habe.

Jetzt erst war die Gettoisierung eine vollkommene; vorher tauchte das Wort Getto nur auf, wo auf Briefstempeln etwa „Getto Litzmannstadt" zu lesen stand, es war dem eroberten Ausland vorbehalten. In Deutschland gab es einzelne Judenhäuser, in die man die Juden zusammendrängte und die man bisweilen auch mit der Außenanschrift „Judenhaus" versah. Aber diese Häuser lagen inmitten arischer Wohnviertel, und auch selber waren sie nicht ausschließlich von Juden bewohnt; weswegen man denn an anderen gelegentlich die Mitteilung lesen konnte: „Dies Haus ist judenrein." Der Satz blieb dick und schwarz an manchen Mauern haften, bis sie selber im Bombenkrieg zuschanden gingen, während die Schilder „rein arisches Geschäft" und die feindseligen Schaufensterbemalungen „Judengeschäft!" genauso wie das Verbum „arisieren" und die beschwörenden Worte an der Ladentür: „Völlig arisiertes Unternehmen!" sehr bald verschwanden, weil es keine Judengeschäfte mehr gab und gar nichts mehr zu arisieren.

Jetzt, da der Judenstern eingeführt war, tat es nichts mehr zur

Sache, ob die Judenhäuser zerstreut lagen oder ein eignes Viertel bildeten, denn jeder Sternjude trug sein Getto mit sich, wie eine Schnecke ihr Haus. Und es war auch gleichgültig, ob in seinem Hause nur Juden oder auch Arier lebten, denn über seinem Namen mußte der Stern an der Tür kleben. War seine Frau arisch, so hatte sie ihren Namen abseits vom Stern anzuschlagen und das Wort „arisch" dahinterzusetzen.

Und bald tauchten auch da und dort noch andere Zettel an den Korridortüren auf, medusenhafte Zettel: „Hier wohnte der Jude Weil." Dann wußte die Briefträgerin, daß sie sich nicht mehr um seine neue Adresse zu bemühen brauchte; der Absender erhielt sein Schreiben zurück mit dem euphemistischen Vermerk: „Adressat abgewandert." So daß also „abgewandert" in grausamer Sonderbedeutung durchaus ins Lexikon der LTI gehört, in die Judensparte.

Diese Sparte ist reich an amtlichen Ausdrücken und Wendungen, die allen Betroffenen geläufig waren und ständig in ihren Unterhaltungen auftraten. Das begann natürlich mit „nichtarisch" und „arisieren", dann gab es die „Nürnberger Gesetze zur Reinhaltung des deutschen Blutes", dann waren da „Volljuden" und „Halbjuden" und „Mischlinge ersten Grades" und anderer Grade und „Judenstämmlinge". Und vor allem: es gab „Privilegierte".

Dies ist die einzige Erfindung der Nazis, von der ich nicht weiß, ob sich die Urheber der ganzen Diabolie ihrer Erfindung bewußt waren. Die Privilegierten traten nur in den jüdischen Arbeitergruppen der Fabriken in Erscheinung; ihre Bevorzugung bestand gerade darin, daß sie keinen Stern zu tragen und nicht im Judenhaus zu wohnen brauchten. Man war privilegiert, wenn man in Mischehe lebte und aus dieser Mischehe Kinder hatte, die „deutsch erzogen", das hieß: nicht als Angehörige der jüdischen Gemeinde eingetragen waren. Vielleicht ist dieser Paragraph, dessen Auslegung wiederholt zu Schwankungen und grotesken Spitzfindigkeiten führte, wirklich nur deshalb geschaffen worden, um nazistisch brauchbare Volksteile zu schützen; sicherlich aber hat nichts auflösender und demoralisierender auf die Judengruppe selber gewirkt als gerade diese Bestimmung. Wieviel Neid und Haß ist durch sie erregt worden! Ich habe wenige Sätze häufiger und mit mehr Bitterkeit aussprechen hören als diesen einen: „Er ist privilegiert." Das heißt: „Er zahlt weniger Steuern als wir, er

braucht nicht im Judenhaus zu wohnen, er trägt nicht den Stern, er kann halbwegs untertauchen..." Und wieviel Hochmut, wieviel jämmerliche Schadenfreude — jämmerliche, denn schließlich waren sie doch in derselben Hölle wie wir, wenn auch in einem besseren Höllenkreise, und zuletzt hat der Gasofen auch Privilegierte gefressen —, wieviel betonte Distanz lag oft in den drei Wörtern: „Ich bin privilegiert." Wenn ich jetzt von Beschuldigungen der Juden untereinander höre, von folgenschweren Racheakten, denke ich immer zuerst an den allgemeinen vorhandenen Zwiespalt zwischen Sternträgern und Privilegierten. Natürlich hat es im engen Zusammenleben des Judenhauses — gleiche Küche, gleiches Bad, gleiche Diele für mehrere Parteien — und in der engen Gemeinsamkeit der jüdischen Fabrikgruppen auch ungezählte andere Reibungsgründe gegeben; aber an Privilegiert und nicht Nichtprivilegiert entzündeten sich doch die giftigsten Feindseligkeiten, weil es hier um das Verhaßteste ging, um den Stern.
Wiederholt und mit geringen Varianten finde ich in meinem Tagebuch Sätze wie diese: „Alle bösen Eigenschaften der Leute treten hier zutage, man könnte zum Antisemiten werden!" Vom zweiten Judenhaus an aber — ich habe drei kennengelernt — fehlt solchen Ausbrüchen nie der Zusatz: „Gut, daß ich nun Dwingers ‚Hinter Stacheldraht' gelesen habe. Was da im sibirischen Compound des ersten Weltkrieges zusammengepfercht ist, hat nichts mit Judentum zu tun, ist reinrassig arisches Volk, ist deutsche Mannschaft, ist deutsches Offizierskorps, und doch geht es in diesem Compound eigentlich genauso zu wie in unseren Judenhäusern. Es ist nicht die Rasse, es ist nicht die Religion, es ist die Pferchung und die Versklavung..." „Privilegiert" ist das zweitschlimmste Wort der Judensparte meines Lexikons. Das schlimmste bleibt der Stern. Manchmal betrachtet man ihn mit Galgenhumor: ich trage den *Pour le Sémite* ist ein verbreiteter Witz; manchmal behauptet man, nicht nur vor anderen, sondern auch vor sich selber, man sei stolz auf ihn; erst ganz zuletzt setzt man Hoffnungen auf ihn: er wird unser Alibi sein! Aber die längste Zeit hindurch leuchtet doch sein grelles Gelb durch alle qualvollsten Gedanken.
Und am giftigsten phosphoresziert der „verdeckte Stern". Der Stern, lautet die Gestapovorschrift, muß unverdeckt an der Herzseite getragen werden, auf dem Jackett, auf dem Straßen-

mantel, auf dem Arbeitsmantel, er muß an jedem Ort getragen werden, wo die Möglichkeit eines Zusammentreffens mit Ariern besteht. Wenn du an schwülen Märztagen den Mantel geöffnet hast, so daß die Rockklappe über die Herzseite zurückgeschlagen ist, wenn du eine Aktenmappe unter den linken Arm geklemmt hältst, wenn du als Frau einen Muff trägst, dann ist dein Stern verdeckt, vielleicht absichtslos und auf Sekunden, vielleicht auch absichtlich, um einmal ohne Brandmal durch die Straßen zu gehen. Ein Gestapobeamter nimmt immer die Absicht des Verdeckens an, und darauf steht das KZ. Und wenn ein Gestapobeamter Pflichteifer beweisen will und du läufst ihm gerade über den Weg, dann mag der Arm mit der Aktenmappe oder dem Muff bis zum Knie herabhängen, dann kann der Mantel noch so ordentlich zugeknöpft sein: dann hat der Jude Lesser oder die Jüdin Winterstein „den Stern verdeckt", und spätestens ein Vierteljahr nachher liegt der Gemeinde ein ordnungsgemäßer Totenschein aus Ravensbrück oder Auschwitz vor. Darauf ist die Todesursache präzis und sogar abwechslungsreich oder individuell angegeben; sie heißt umschichtig „Insuffizienz des Herzmuskels" und „bei Fluchtversuch erschossen". Aber die wahre Todesursache ist der verdeckte Stern.

XXVI

Der jüdische Krieg

Mein Nebenmann auf dem Vorderperron sieht mich scharf an und sagt leise, aber im Befehlston an meinem Ohr: „Du steigst an der Haltestelle Hauptbahnhof ab und kommst mit." Mir begegnet das zum erstenmal, doch ich weiß natürlich aus Erzählungen anderer Sternträger Bescheid. Es läuft glimpflich ab, man ist zum Scherzen aufgelegt und hält mich für harmlos. Aber da ich das nicht vorauswissen kann und da auch glimpfliche und scherzhafte Behandlung durch die Gestapo kein Genuß ist, so nimmt mich der Zwischenfall immerhin mit. „Ich will den mal flöhen", sagt mein Hundefänger zum Portier, „laß ihn hier mit dem Gesicht zur Wand stehen, bis ich ihn rufe." Ich stehe also etwa eine Viertelstunde im Treppenhaus, das Gesicht an der Wand, und Vorübergehende werfen mir Schimpfworte und Ratschläge zu, wie: „Häng dich doch endlich auf, Judenhund, worauf wartest du denn noch?" ... „Noch nicht genug Prügel bezogen?" ... Endlich heißt es: „'raufkommen, aber fix ... Laufschritt!" Ich öffne und bleibe vor dem nahen Schreibtisch stehen. Freundliche Anrede: „Du warst wohl noch nie hier oben? Wirklich nicht? Dein Glück — hast noch viel zu lernen ... Auf zwei Schritt an den Tisch heran, Hände an die Hosennaht und stramm gemeldet: ‚Hier ist der Jude Paul Israel Dreckvieh oder so.' Also zurück und hinaus, marsch, marsch, und wehe dir, wenn die Meldung nicht zackig ausfällt! ... Na, sehr zackig war's nicht, aber fürs erstemal mag's gelten. Also los mit dem Flöhen. Kennkarte her und Papiere und die Taschen ausgeleert, etwas Gestohlenes und Erschobenes habt ihr ja immer bei euch ... Was, Professor bist du? Mensch, du willst unsereinem was beibringen? Na für solche Unverschämtheit allein gehörste schon nach Theresienstadt ... Nein! Du bist ja noch lange nicht 65, da kommste nach Polen. Noch nicht 65 — und dabei so grün und so klapprig und so nach Luft schnappen! Gott, mußt du dich amüsiert haben in deinem Schlemmerleben, siehst aus wie 75!" Der Inspektor ist gut gelaunt. „Hast Glück gehabt, daß wir nichts

Verbotenes bei dir finden. Aber Gnade dir, wenn es das nächstemal anders in deinen Taschen aussieht; die kleinste Zigarette und du kommst weg, und wenn du drei arische Weiber hast ... Wegtreten, dalli!"
Ich habe die Türklinke schon in der Hand, da ruft er mich zurück: „Jetzt wird zu Haus für den jüdischen Sieg gebetet, nicht? — Glotz mich nicht so an, antworte auch gar nicht, ich weiß, daß du 's tust. Es ist ja euer Krieg — was, du schüttelst den Kopf? Mit wem führen wir denn Krieg? Mach 's Maul auf, wenn du gefragt wirst, willst ja Professor sein." — „Mit England, Frankreich und Rußland, mit..." — „Nu hör schon auf, das ist alles Quatsch. Mit dem Juden führen wir Krieg, der jüdische Krieg ist es. Und wenn du jetzt noch einmal den Kopf schüttelst, hau' ich dir eine, daß du gleich zum Zahnarzt laufen kannst. Es ist der jüdische Krieg, der Führer hat's gesagt, und der Führer hat immer recht ... 'raus!"
Der jüdische Krieg! Der Führer hat das nicht erfunden, er hat auch bestimmt nichts vom Flavius Josephus gewußt, er hat nur einmal aus einer Zeitung oder aus dem Schaufenster eines Buchladens aufgeschnappt, daß der Jude Feuchtwanger einen Roman „Der jüdische Krieg" geschrieben hat. Es ist wohl mit allen besonders charakteristischen Worten und Wendungen der LTI so: England keine Insel mehr, Vermassung, Versteppung, Einmaligkeit, Untermenschentum usw. — alles ist übernommen, und doch ist alles neu und gehört der LTI für immer an, denn es ist aus den abgeschiedenen Winkeln des persönlichen oder fachwissenschaftlichen oder Gruppensprachgebrauchs ins Allgemeine übernommen und ganz durchgiftet worden mit nazistischer Grundtendenz.
Der jüdische Krieg! Ich habe den Kopf dazu geschüttelt und die einzelnen Kriegsgegner Deutschlands aufgezählt. Und doch ist die Bezeichnung unter dem Gesichtspunkt des Nazismus zutreffend, ja in viel umfassenderem Sinn zutreffend, als sie angewandt wurde; denn der jüdische Krieg hat mit der „Machtübernahme" am 30. Januar 1933 begonnen und am 1. September 1939 nur, um es mit dem späteren zeitweiligen Modewort der LTI zu bezeichnen, eine Kriegserweiterung erfahren. Ich habe mich lange dagegen gesträubt, die Annahme, daß wir — und eben weil ich „wir" sagen mußte, hielt ich dies für eine enge und eitle Selbsttäuschung —, daß wir derart im Zentrum des Nazismus stehen sollten. Aber es ist

doch wirklich so gewesen, und die Entstehung dieser Situation liegt deutlich am Tage.
Man muß nur die Seiten des Kapitels „Wiener Lehr- und Leidensjahre“ sorglich zu Rate ziehen, auf denen Hitler im Kampfbuch seine „Wandlung zum Antisemiten“ schildert. So vieles hier auch verschleiert, frisiert und konstruiert sein mag, eines drängt sich als Wahrheit auf: Der ganz ungebildete und haltlose Mensch lernt Politik zuerst unter dem Gesichtspunkt der österreichischen Antisemiten Lueger und Schönerer kennen, die von ihm aus der Perspektive der Gasse und Gosse gesehen werden. In primitivistischer Weise faßt er den Juden schlechthin — er wird zeitlebens sagen: das jüdische Volk — unter dem Bilde des galizischen Hausierers, in primitivistischer Weise beschimpft er die äußere Erscheinung des schmierigen Kaftanträgers; in primitivistischer Weise lädt er dem zur allegorischen Gestalt, zum „jüdischen Volk“ eben, Erhöhten die Summe aller Unsittlichkeiten auf, über die er sich in der Verbitterung seiner Erfolglosigkeit während der Wiener Epoche entrüstet. In jeder geöffneten „Geschwulst des kulturellen Lebens“ findet er unweigerlich „wie die Made im faulenden Leibe ... ein Jüdlein“. Und die gesamte jüdische Tätigkeit auf den verschiedensten Gebieten bedeutet ihm Pestilenz, „schlimmer als der schwarze Tod von einst“ ...
„Jüdlein“ und „schwarzer Tod“, Ausdruck des verächtlichen Hohns und Ausdruck des Entsetzens, der panischen Angst: es sind die beiden Stilformen, die man bei Hitler immer antreffen wird, sooft er von den Juden spricht, und also in jeder seiner Reden und Ansprachen. Über die zugleich kindliche und infantile Anfangshaltung dem Judentum gegenüber ist er nie hinausgekommen. In ihr liegt ein wesentlicher Teil seiner Stärke, denn sie verbindet ihn mit der dumpfesten Volksmasse, die im Maschinenzeitalter nicht etwa aus dem industriellen Proletariat, auch nur zum Teil aus Landbevölkerung, vielmehr aus der Menge des zusammengedrängten Kleinbürgertums besteht. Für sie ist der anders Gekleidete, der anders Sprechende nicht der andere Mensch, sondern das andere Tier aus dem anderen Stall, mit dem es kein Einvernehmen geben kann, das man hassen und wegbeißen muß. Rasse, als Begriff der Wissenschaft und der Pseudowissenschaft, existiert erst seit der Mitte des 18. Jahrhunderts. Als Gefühl aber einer instinktiven Abneigung gegen den Fremden, einer blutmäßi-

gen Feindseligkeit gegen ihn, gehört das Rassenbewußtsein zur untersten Menschheitsstufe, die im selben Maße überwunden wird, als die einzelne Menschenhorde es lernt, in der Nachbarhorde nicht mehr ein andersgeartetes Tierrudel zu sehen.

Doch wenn auf solche Weise der Antisemitismus für Hitler ein Grundgefühl bedeutet, das in der geistigen Primitivität des Mannes begründet ist, so besitzt der Führer gleichermaßen, und wohl von Anfang an und im höchsten Grade, jene berechnende Schlauheit, die so gar nicht zum Zustand der Unzurechnungsfähigkeit zu passen scheint und doch so oft mit ihm verbunden ist. Er weiß, daß er Treue nur von denen zu erwarten hat, die sich im gleichen Zustand der Primitivität befinden wie er; und das einfachste und sicherste Mittel, sie darin zu erhalten, ist die Pflege, die Legitimierung und sozusagen Verherrlichung des instinktmäßigen Judenhasses. Er stößt ja hier auf die schwächste Stelle im kulturellen Denken des Volkes. Wie lange ist es denn her, daß die Juden aus ihrer Absonderung, aus ihrem Sonderstall herausgetreten sind und in die Allgemeinheit der Nation aufgenommen wurden? Die Emanzipation geht auf den Anfang des 19. Jahrhunderts zurück, ihre völlige Durchführung erfolgt in Deutschland erst in den sechziger Jahren, und im galizischen Österreich will eine gedrängte Judenmasse ihr Sonderdasein durchaus nicht aufgeben und liefert denjenigen, die von dem uneuropäischen Volk, von der asiatischen Rasse der Juden reden, immer wieder konkretes Anschauungs- und Beweismaterial. Und gerade in dem Augenblick, da Hitler seine ersten politischen Erwägungen anstellt, bringen ihn die Juden selber auf den ihm gemäßesten Weg: es ist die Zeit des aufsteigenden Zionismus; in Deutschland merkt man noch wenig von ihm, aber im Wien der Hitlerschen Lehr- und Leidensjahre ist er schon sehr spürbar. Er bildet hier — ich zitiere wieder den „Kampf" — eine „große Bewegung, die nicht wenig umfangreich war". Stützt man den Antisemitismus auf die Rassenidee, so gibt man ihm nicht nur eine wissenschaftliche oder scheinwissenschaftliche Grundlage, sondern auch eine ursprünglich volkstümliche Basis, und so macht man ihn unausrottbar: denn sein Kleid, seine Sitte, seine Bildung und seinen Glauben kann der Mensch wechseln, sein Blut nicht.

Was aber ist mit der Pflege solch eines unausrottbaren und in die Dumpfheit des Instinkts zurückverlagerten Judenhasses gewonnen? Ungemeines. So Ungemeines, daß ich den Antisemitismus der Nationalsozialisten nicht etwa für eine Sonderanwendung ihrer allgemeinen Rassenlehre halte, vielmehr überzeugt bin, daß sie die allgemeine Rassendoktrin nur übernommen und ausgesponnen haben, um den Antisemitismus dauerhaft und wissenschaftlich zu fundieren. Der Jude ist der wichtigste Mann in Hitlers Staat: er ist der volkstümlichste Türkenkopf und Sündenbock, der volkstümlichste Gegenspieler, der einleuchtendste Generalnenner, die haltbarste Klammer um die verschiedenartigsten Faktoren. Wäre dem Führer wirklich die angestrebte Vernichtung aller Juden gelungen, so hätte er neue erfinden müssen, denn ohne den jüdischen Teufel — „wer den Juden nicht kennt, kennt den Teufel nicht", stand auf den Stürmertafeln —, ohne den finstern Juden hätte es nie die Lichtgestalt des nordischen Germanen gegeben. Übrigens wäre dem Führer die Erfindung neuer Juden nicht schwergefallen, wurden doch wiederholt die Engländer von nazistischen Autoren als Nachkommen des verschollenen biblischen Judenstammes angesprochen.

Hitlers Besessenenschlauheit zeigt sich in seinen perfiden und schamlos offenen Anweisungen für die Propagandisten der Partei. Das oberste Gesetzt lautet überall: Laß deine Hörer nicht zu kritischem Denken kommen, behandle alles simplistisch! Wenn du von mehreren Gegnern sprichst, so könnte mancher auf die Idee verfallen, daß du, der einzelne, vielleicht im Unrecht seist — bringe die vielen also auf einen Nenner, klammere sie zusammen, gib ihnen Gemeinsamkeit! Alles das besorgt anschaulich und volksnah der Jude. Wobei auf den personifizierenden und allegorisierenden Singular zu achten ist. Wiederum nicht etwa eine Erfindung des Dritten Reichs. Im Volkslied, in der historischen Ballade, auch noch in der volkstümlichen Soldatensprache des ersten Weltkriegs heißt es mit Vorliebe: der Russe, der Brite, der Franzos. Aber die LTI dehnt den Gebrauch des allegorisierenden Singularartikels in Anwendung auf den Juden weit über den einstigen Landsknechtsbezirk aus.

Der Jude — das Wort nimmt einen noch größeren Raum im Sprachgebrauch der Nazis ein als „fanatisch", aber noch häufiger als der „Jude" kommt das Adjektiv „jüdisch" vor, denn vor allem durch das Adjektiv läßt sich jene Klammer bewirken, die alle Gegner zu einem einzigen Feind zusammenbindet: die jüdisch-marxistische Weltanschauung, die jüdisch-bolschewistische Kulturlosigkeit, das jüdisch-kapitalistische Ausbeutungssystem, die jüdisch-englische, die jüdisch-amerikanische Interessiertheit an Deutschlands Vernichtung: so führt von 1933 an buchstäblich jede Gegnerschaft, woher sie auch komme, immer wieder auf ein und denselben Feind, auf die verborgene Hitlersche Made zu, auf den Juden, den man in gesteigerten Momenten auch „Juda" nennt, und in ganz pathetischen Augenblicken „Alljuda". Und was man immer unternimmt, vom allerersten Augenblick an, ist Abwehrmaßnahme in dem einen aufgezwungenen Krieg, dem jüdischen Krieg — „aufgezwungen" ist seit dem 1. September 1939 das stetige Beiwort des Krieges, und im letzten bringt ja auch dieser 1. September gar nichts Neues, sondern nur eine Fortsetzung der jüdischen Mordanfälle gegen Hitlerdeutschland, und wir, wir friedliebenden Nazis, tun nichts anderes, als was wir vorher getan haben, wir verteidigen uns: Seit heute morgen „erwidern wir das Feuer des Feindes", heißt unser erstes Kriegsbulletin.

Geboren aber ist diese jüdische Mordgier im tiefsten nicht aus irgendwelchen Reflexionen und Interessen, nicht einmal aus Machtgier, sondern aus eingeborenem Instinkt, aus „abgrundtiefem Haß" der jüdischen Rasse gegen die nordisch-germanische. Der abgrundtiefe Haß des Juden ist ein Klischeewort, das durch all die zwölf Jahre im Umlauf war. Gegen eingeborenen Haß gibt es keine andere Sicherheit als die Beseitigung des Hassenden: also gelangt man folgerichtig von der Stabilisierung des Rassenantisemitismus zur Notwendigkeit der Judenausrottung. Vom „Ausradieren" der englischen Städte hat Hitler nur einmal gesprochen, es war eine vereinzelte Äußerung, die sich wie alles Superlativische an ihm aus der Hemmungslosigkeit seines Größenwahns erklärt. „Ausrotten" dagegen ist ein oft gebrauchtes Verbum, es gehört dem allgemeinen Sprachschatz der LTI an, es ist in ihrer Judensparte beheimatet, es bezeichnet dort ein Ziel, dem man eifrig nachstrebt.

Der Rassenantisemitismus, in Hitler zuerst ein seinem Primitivismus entsprechendes Gefühl, ist die wohlüberlegte, bis ins einzelne zum System ausgesponnene zentrale Angelegenheit des Nazismus. In Goebbels' „Kampf um Berlin" heißt es:

„Man könnte den Juden als den fleischgewordenen verdrängten Minderwertigkeitskomplex bezeichnen. Man trifft ihn deshalb auch nicht tiefer, als wenn man ihn mit seinem eigentlichen Wesen bezeichnet. Nenne ihn Schuft, Lump, Lügner, Verbrecher, Mörder und Totschläger. Das wird ihn innerlich kaum berühren. Schaue ihn scharf und ruhig eine Zeitlang an und sage dann zu ihm: Sie sind wohl ein Jude! Und du wirst mit Erstaunen bemerken, wie unsicher, wie verlegen und schuldbewußt er im selben Augenblick wird ..." Eine Lüge (das hat sie mit dem Witz gemein) ist um so stärker, je mehr Wahrheit sie enthält. Goebbels' Bemerkung ist richtig bis auf das verlogene „schuldbewußt". Nicht einer Schuld wurde sich der so Angesprochene bewußt, aber seine vorherige Sicherheit wandelte sich zu völliger Hilflosigkeit, weil ihm die Feststellung seines Judentums den Boden unter den Füßen entzog und ihn um jede Möglichkeit einer Verständigung oder eines Kampfes von Gleich zu Gleich brachte.

Alles und jedes in dem den Juden geltenden Teil der LTI ist darauf abgestellt, sie ganz und unüberbrückbar weit vom Deutschtum abzusondern. Bald werden sie als das Volk der Juden, als die jüdische Rasse zusammengefaßt, bald als die Weltjuden oder das internationale Judentum bezeichnet; in beiden Fällen kommt es auf ihr Nichtdeutschtum an. Die Ausübung des Arzt- und Anwaltberufes ist ihnen nicht mehr gestattet; da man für sie selber immerhin einige Ärzte und Anwälte braucht, die aus ihren eigenen Reihen stammen müssen, weil ja jede Berührung der Deutschen mit ihnen aufhören soll, so führen diese nur für Juden zugelassenen Mediziner und Juristen besondere Namen, sie heißen Krankenbehandler und Rechtskonsulenten. In beiden Fällen spielt die Absicht mit, nicht nur abzusondern, sondern auch verächtlich zu machen. Beim Konsulenten ist das deutlicher, denn man sprach früher schon von Winkelkonsulenten im Unterschied von akademischen und staatlich konzessionierten Anwälten; Krankenbehandler klingt nur deshalb herabsetzend, weil es eine Vorenthaltung des amtlichen und üblichen Berufstitels bedeutet.

Es ist manchmal nicht leicht festzustellen, weswegen ein Ausdruck wegwerfend klingt. Warum ist die nazistische Bezeichnung „Judengottesdienst" verächtlich, sie besagte doch nichts anderes als das neutrale „jüdischer Gottesdienst"? Ich vermute, weil sie irgendwie an exotische Reiseberichte erinnert, an irgendwelche afrikanische Eingeborenenkulte. Und hier bin ich wohl dem wahren Grund auf der Spur: Judengottesdienst gilt dem Judengott, und Judengott ist Stammesgott und Stammesgötze und nicht, noch nicht die eine und allgemeine Gottheit, der der jüdische Gottesdienst gilt. Erotische Beziehungen zwischen Juden und Ariern heißen Rassenschande, die Nürnberger Synagoge, die er in einer „Feierstunde" zerstören läßt, nennt der Frankenführer Streicher die Schande von Nürnberg, er nennt auch Synagogen im allgemeinen Räuberhöhlen — da bedarf es keiner Untersuchung, weswegen das nicht nur distanzierend, sondern auch wegwerfend klingt. Ausdrückliche Beschimpfung des Judentums ist durchweg üblich; kaum jemals begegnet man bei Hitler und Goebbels dem Juden, ohne daß ihm Eigenschaftsworte wie gerissen, listig, betrügerisch, feige mitgegeben sind, es fehlt auch nicht an Schimpfworten, die sich volkstümlich auf Physisches beziehen, wie plattfüßig, krummnasig, wasserscheu. Für den gebildeten Geschmack sind parasitär und nomadisch vorhanden. Will man einem Arier das Schlimmste nachsagen, so nennt man ihn Judenknecht, will eine arische Frau sich nicht von ihrem jüdischen Mann trennen, so ist sie eine Judenhure, will man der gefürchteten Intelligenzschicht an den Leib, so spricht man von krummnasigem Intellektualismus.

Läßt sich im Gebrauch dieser Beschimpfung im Lauf der zwölf Jahre irgendein Wechsel, ein Fortschritt, eine Gliederung entdecken? Ja und nein. Die Armut der LTI ist groß, sie bedient sich genau derselben Unflätigkeiten im Januar 1945, die sie schon im Januar 1933 gebraucht hat. Und doch ist trotz aller Gleichheit der Bestandteile eine Änderung deutlich, sogar furchtbar deutlich, wenn man das Ganze einer Rede, eines Zeitungsartikels ins Auge faßt.

Ich erinnere an das Jüdlein und den schwarzen Tod in Hitlers „Kampf", den Ton der Verachtung und den Ton der Angst. Eine der besonders häufig wiederholten und paraphrasierten Führerphrasen ist seine Drohung, das Lachen werde den Juden schon vergehen, woraus später die ebensooft wiederholte Äußerung wird, daß es ihnen wirklich vergangen sei. Das stimmt und wird durch den bitteren jüdischen Witz bekräftigt, die Juden seien die einzigen, denen Hitler wirklich Wort gehalten habe. Aber auch dem Führer, auch der gesamten LTI vergeht allmählich das Lachen, vielmehr es verzerrt sich ins Krampfhafte, es wird zur Maske, hinter der sich Todesangst und schließlich Verzweiflung vergeblich zu verstecken suchen. Das lustige Diminutiv Jüdlein wird man in den späteren Kriegsjahren nirgends mehr antreffen, das Grauen vor dem schwarzen Tod hinter allen Ausdrücken der Verachtung und der gespielten Überheblichkeit, durch alle Prahlereien hindurch spüren.

Stärkster Ausdruck dieses Zustandes mag der Aufsatz sein, den Goebbels am 21. Januar 1945 im „Reich" veröffentlichte: „Die Urheber des Unglücks der Welt." Da sind die Russen, die schon vor Breslau stehen, und die Alliierten an der Westgrenze sind nichts als „Söldner dieser Weltverschwörung einer parasitären Rasse". Da treiben die Juden Millionen von Menschen in den Tod, aus Abscheu gegen unsere Kultur, „die sie als weit über ihrem nomadischen Weltbild stehend empfinden", aus Abscheu gegen unsere Wirtschaft und unsere sozialen Einrichtungen, „weil sie ihrem parasitären Treiben keine Bewegungsfreiheit mehr" lassen ... „Wohin ihr faßt, ihr werdet Juden fassen!" Aber das Lachen ist ihnen schon mehrmals „gründlich" vergangen! Und so wird auch jetzt „die jüdische Macht stürzen". Immerhin: die jüdische Macht und die Juden — kein Jüdlein mehr.

Man könnte fragen, ob dieses ständige Betonen der jüdischen Niedertracht und Minderwertigkeit und der alleinigen jüdischen Gegnerschaft nicht abstumpfend gewirkt und schließlich zum Widerspruch gereizt habe. Die Frage würde sich sofort zu der umfassenderen nach dem Wert und der Wirkungsdauer der gesamten Goebbelsschen Propaganda erweitern, und zuletzt liefe sie auf die Frage nach der Richtigkeit der nazistischen Grundmeinungen auf dem Gebiete der Massenpsychologie hinaus. Mit aller Eindringlichkeit und einer ins einzelne gehenden Genauigkeit predigt Hitlers Kampfbuch die Dummheit der Masse und die Notwendigkeit, ihr diese Dummheit zu erhalten und sie von allem Nachdenken abzuschrecken. Ein Hauptmittel dazu besteht in der Einhämmerung ständig gleicher simplistischer Lehren, denen von keiner Seite widersprochen werden darf. Und mit wieviel Parzellen seiner Seele gehört auch der Intellektuelle (der immer vereinzelte) zu der ihn umgebenden Masse!

Mir fällt die kleine Apothekerin mit dem litauisch-ostpreußischen Namen aus dem letzten Vierteljahr des Krieges ein. Sie hatte ihr schwieriges Staatsexamen hinter sich, sie hatte ein gute Allgemeinbildung, sie war eine leidenschaftliche Gegnerin des Krieges und gar keine Anhängerin der Nazis, sie wußte genau, daß es mit ihnen zu Ende ging, und sehnte das Ende herbei. Wenn sie Nachtdienst hatte, pflegten wir lange Gespräche zu führen, sie spürte unsere Gesinnung und wagte sich langsam mit der ihren hervor. Es war auf unserer Flucht vor der Gestapo, wir führten einen falschen Namen, unser Freund in Falkenstein hatte uns für eine Weile Unterschlupf und Ruhe geschenkt, wir schliefen im Hinterzimmer seiner Apotheke unter dem Hitlerbild...
„Ich habe seine Überheblichkeit den anderen Völkern gegenüber nie gemocht", sagte die kleine Stulgies, „meine Großmutter ist Litauerin — warum soll sie, warum soll ich deshalb weniger wert sein als irgendwelche reindeutsche Frau?" — „Ja, auf die Blutreinheit, auf das germanische Privileg ist nun einmal ihre ganze Lehre aufgebaut, den Antisemitismus ..." — „Mit den Juden", unterbrach sie mich, „mag er recht haben, da ist es doch wohl etwas anders." — „Kennen Sie persönlich..." — „Nein, ich bin ihnen immer aus dem Weg gegangen, sie sind mir unheimlich. Man hört und liest so vieles über sie."
Ich suchte nach einer Antwort, die Vorsicht und Aufklärung vereinen sollte. Das junge Mädchen war höchstens dreizehn gewesen, als die Hitlerei ausbrach — was konnte sie wissen, wo ließ sich anknüpfen? ...
Indem kam, wie üblich, Vollalarm. In den Keller ging man besser nicht, dort standen Ballons mit explosiven Flüssigkeiten. Wir kauerten uns unter die festen Stützpfeiler des Treppenhauses. Übermäßig gefährdet waren wir kaum, das Ziel der Flieger war meistens das ungleich wichtigere Plauen. Heute aber gab es doch eine böse und grausam lange Minute. In ganz kurzen Abständen überflogen uns starke Geschwader, so dicht gedrängt und so tief, daß uns Zittern und Schüttern umdröhnten. In jedem Augenblick konnten Bomben schmettern. Ich sah Bilder der Dresdener Nacht vor mir, dachte immerfort den einen Satz: die Fittiche des Todes rauschen, es ist keine Phrase, die Fittiche des Todes rauschen wirklich. Das junge Mädchen, eng an den Pfeiler gepreßt und ganz in sich zusam-

mengedrängt, atmete laut und schwer, es war ein kaum noch unterdrücktes Stöhnen.
Endlich waren sie vorüber, wir konnten uns aufrichten und aus dem dunklen und kalten Treppenhaus in die Helle und Wärme der Apotheke wie ins Leben zurückkehren. „Wir machen jetzt Nacht", sagte ich, „erfahrungsgemäß kommt ja nun kein Alarm vor morgen früh." Unvermittelt und so energisch, als beende sie einen langen Disput, erwiderte das sonst so sanftmütige kleine Fräulein: „Und es ist doch der jüdische Krieg."

XXVII

Die jüdische Brille

Meine Frau pflegte den Heeresbericht aus der Stadt mitzubringen, ich selber blieb vor keinem Aushang oder Lautsprecher stehen, und in der Fabrik waren wir Juden auf den Bericht des Vortages angewiesen, denn einen Arier nach den neuesten Telegrammen zu fragen, wäre politisches Gespräch gewesen und hätte schnurgerade ins KZ führen können.
„Ist Stalingrad endlich über?" — „Jawohl! Eine Dreizimmerwohnung mit Bad wurde in heldenhaftem Ringen erobert und trotz siebenmal wiederholter Gegenangriffe behauptet." — „Warum spottest du?" — „Weil sie es nie kriegen, weil sie daran verbluten." — „Du siehst eben alles durch die jüdische Brille." — „Jetzt nimmst auch du schon die Judensondersprache an!"
Ich war beschämt. Als Philologe ständig bemüht, das sprachlich Besondere jeder Situation und jedes Zirkels zu beachten und selber ganz ungefärbt neutral zu sprechen, hatte ich nun doch von meiner Umgebung abgefärbt. (Man verdirbt sich auf solche Weise das Gehör, die Registriergabe.) Aber ich war zu entschuldigen. Es ist ganz unmöglich, daß eine Gruppe in die gleiche Lage gepreßt wird, besonders wenn es sich um ein wirkliches Pressen, um Feinddruck handelt, ohne Sprachbesonderheiten aus sich heraus zu bilden; der einzelne kann sich dem nicht entziehen. Wir gehörten den verschiedensten Provinzen, Schichten, Berufen an, keiner war mehr biegsam jung, mancher schon Großvater. So wie ich dreißig Jahre zuvor mit der Idee eines Hotel-Labruyères spielte — ich hatte ein Lektorat an der Universität Neapel, und wir waren Dauergäste eines Küstenhotels, durch das die Touristen unablässig strömten —, so und mit größerem Recht dachte ich jetzt an eine Folge jüdischer „Charaktere". Da waren zwei Ärzte und ein Landgerichtsrat und drei Anwälte und ein Maler und ein Gymnasiallehrer und ein Dutzend Kaufleute und ein Dutzend Fabrikanten und mehrere Techniker und Ingenieure und — größte Seltenheit unter den Juden! — ein ganz ungelernter

Arbeiter, fast ein Analphabet; da waren Anhänger der Assimilation und Zionisten, da waren Leute, deren Vorfahren seit Jahrhunderten in Deutschland saßen und die beim besten Willen nicht aus ihrer deutschen Haut herausgekonnt hätten, und andere wieder, die eben erst aus Polen zugewandert waren und deren noch nicht im entferntesten abgelegte Muttersprache der Jargon bildete und nicht etwa das Deutsche. Aber nun waren wir eben die Gruppe der Dresdener Sternträger und die Gruppe der Fabrikarbeiter und Straßenkehrer und waren die Bewohner der Judenhäuser und die Gefangenen der Gestapo; und wie im Gefängnis und wie beim Heer gab es sofort eine Gemeinsamkeit, die frühere Gemeinsamkeiten und Individualitäten übertünchte und mit Naturnotwendigkeit neue Sprachgewohnheiten hervorbrachte.
Am Abend des Tages, der die erste verschleierte Nachricht vom Sturz Mussolinis gebracht hatte, klopfte Waldmann an Stühlers Tür. (Wir teilten mit Stühlers und Cohns die Küche, die Diele, das Badezimmer — Geheimnisse gab es da kaum.) Waldmann war „vorher" ein wohlhabender Pelzhändler gewesen, jetzt machte er den Portier des Judenhauses, hatte auch beim Abtransport der Leichen aus den Judenhäusern und dem Gefängnis mitzuhelfen. „Ist es gestattet einzutreten?" rief er. „Seit wann bist du denn so höflich?" kam von drinnen die Antwort. Und Waldmann erwiderte sofort: „Es geht ja nun zu Ende, da muß ich mich wieder an den Umgangston mit meinen Kunden gewöhnen und fange gleich bei Ihnen an." Er sprach völlig ernst, er hatte gewiß nicht die Absicht zu scherzen; in der Hoffnung seines Herzens verlangte es ihn nach der alten Sozialschicht seiner Sprache zurück. „Du hast wieder mal die jüdische Brille auf der Nase", sagte Stühler auf der Türschwelle (er war ein schwerblütiger und oft enttäuschter Mensch), „du wirst sehen, er ist über Röhm weggekommen und über Stalingrad — er wird auch über Mussolini nicht fallen."
Du und Sie gingen bei uns merkwürdig durcheinander. Die einen, besonders wohl die Teilnehmer am ersten Weltkrieg, gebrauchten das Du, so wie sie es damals im Heer gebraucht hatten; die andern hielten am Sie fest, als vermöchten sie dadurch ihren alten Zustand zu bewahren. Mir selber ist das affektische Doppelwesen des Du in diesen Jahren ungemein deutlich geworden; wenn mich ein arischer Arbeiter mit Selbstverständlichkeit duzte — es brauchte gar kein besonderer

Trost von ihm ausgesprochen zu werden —, dann empfand ich es immer als einen Zuspruch, als ein Anerkennen der menschlichen Gleichheit zwischen uns; wenn es von der Gestapo kam, die uns grundsätzlich duzte, war es mir immer wieder ein Schlag ins Gesicht. Das Du des Arbeiters wiederum war mir auch nicht nur deshalb erfreulich, weil es einen Protest gegen die Sternschranke in sich schloß; sondern wenn es in der Fabrik selber zur Anwendung kam, wo sich ja die völlige Abschließung der jüdischen Belegschaft doch nicht gänzlich durchführen ließ, trotz aller dahin zielenden Gestapovorschriften, dann nahm ich es auch immer als Zeichen des geschwundenen oder mindestens verringerten Mißtrauens dem Bourgeois und Akademiker gegenüber.

Die Verschiedenartigkeit des Sprechens je nach der Sozialschicht ist ja keineswegs nur von ästhetischer Bedeutsamkeit. Vielmehr bin ich überzeugt davon, daß das unselige Mißtrauen zwischen den Gebildeten und den Proletariern zu einem sehr großen Teil gerade auf den Unterschieden der Sprachgewohnheit beruht. Wie oft in diesen Jahren habe ich mir gesagt: Wie soll ich's nur anstellen? Der Arbeiter liebt es, in jedem Satz die saftigen Ausdrücke der Verdauung zu verwenden. Tue ich desgleichen, so merkt er, daß mir das nicht vom Herzen kommt, und hält mich für einen Heuchler, der sich anschmieren will; red' ich aber, wie mir der Schnabel gewachsen oder in der Kinderstube und Schule geformt worden ist, dann hält er mich für hochmütig, für einen feinen Pinsel. Nur in einer teilweisen Anpassung an die größte Derbheit der Arbeitersprache bestand aber die gruppenmäßige Veränderung unseres Sprechens keineswegs. Wir übernahmen Ausdrücke, die mit der Sozialordnung und den Gewohnheiten des Arbeiters verbunden sind. Fehlte jemand an seinem Arbeitsplatz, so fragte man nicht, ob er krank, sondern ob er „krank geschrieben" sei, denn erst aus der Buchung durch den Kassenarzt ergab sich das Recht auf Krankheit. Die Frage nach seinem Einkommen pflegte man vordem zu beantworten: ich verdiene im Monat soundso viel, oder: mein Gehalt beträgt im Jahr das und das. Jetzt sagte jeder: dreißig Mark bring' ich wöchentlich nach Haus; und von einem Bessergestellten hieß es: er hat eine dickere Lohntüte. Wenn wir von jemandem sagten, er tue schwere Arbeit, so hatte schwer immer und ausschließlich physische Geltung; der Mann schleppte schwere

Kisten oder schob schwere Karren ...
Neben diesen der üblichen Arbeitersprache entnommenen Ausdrücken waren andere im Umlauf, die teils dem Galgenhumor, teils dem notwendigen Versteckspiel unserer Lage entstammten. Bei ihnen ist nicht jedesmal mit Sicherheit anzugeben, wieweit sie nur lokale, wieweit, um es philologisch zu benennen, gemeingermanische Bedeutung hatten. Man war, besonders im Anfang, als Verhaftung und Lager noch nicht unbedingt mit Tod identisch waren, nicht gefangen, sondern „verreist“; man war nicht im Konzentrationslager und noch nicht in dem vereinfachten und allgemeinüblichen KZ, sondern im „Konzertlager“. Eine scheußliche Spezialbedeutung erhielt das Verbum „melden“. Er muß sich melden, hieß: er ist zur Gestapo bestellt, und eine solche Meldung war bestimmt mit Mißhandlungen und immer häufiger mit Nimmerwiederkehr verbunden. Ein beliebter Vorwand zu diesem Hinbestellen war neben dem Vorwurf des verdeckten Sterns die Anklage, Greuelnachrichten verbreitet zu haben. Hierfür hatte sich ein einfaches Verbum herausgebildet, greueln. Hatte einer Nachrichten der Auslandssender gehört (und das war täglich der Fall), so kamen sie bei uns aus Kötzschenbroda. Kötzschenbroda hieß in unserer Sprache geradezu London, Moskau, Beromünster und Freiheitssender. Wurde ein Nachricht angezweifelt, so stammte sie aus dem Mundfunk oder der JMA, was Jüdische Märchenagentur bedeutete. Sprach man von dem dicken Gestapobeamten, der die jüdischen Angelegenheiten — nein, Belange, auch eines der schmutzig gewordenen Worte — innerhalb des Dresdener Bezirks zu verwalten hatte, so hieß er durchweg der Judenpapst.
Allmählich tritt zu der Angleichung an das Arbeiterdeutsch und zu den neuen der Situation entsprungenen Ausdrücken ein drittes Charakteristikum hinzu. Die Zahl der Juden wird immer kleiner, einzeln und in Gruppen verschwinden die Jungen nach Polen und Litauen, die Alten nach Theresienstadt. Ganz wenige Häuser genügen, den in Dresden verbliebenen Rest einzuschließen. Auch das kommt in der Judensprache zum Ausdruck; es ist nicht mehr nötig, die volle Adresse der einzelnen Juden anzugeben, man nennt nur die Straßennummer der paar in verschiedenen Stadtteilen gelegenen Häuser: er wohnt in der 92, in der 56. Dann wird der zusammengeschmolzene Judenrest noch einmal — mehr, viel

mehr als — dezimiert: die meisten müssen die Judenhäuser verlassen, man pfercht sie in die Baracken des Judenlagers Hellerberg, und von da geht es wenige Wochen später in die eigentlichen Vernichtungslager. Was jetzt zurückbleibt, sind nur die in Mischehe lebenden, also die besonders stark eingedeutschten Juden, die zum großen Teil gar nicht mehr der jüdischen Gemeinde angehören, Dissidenten oder — ein später nicht mehr genehmigter und verschwundener Name — nichtarische Christen. Es versteht sich, daß die Kenntnis jüdischer Bräuche und Riten, und nun gar die Kenntnis der hebräischen Sprache, unter ihnen nur sehr wenig oder gar nicht mehr vorhanden ist. Und nun, dies eben ist das dritte wenig fixierbare und doch stark vorhandene Charakteristikum ihrer Sprache, wenden sie sich mit einer gewissen Sentimentalität, die durch Freude am Witz gemildert wird, Jugenderinnerungen zu und suchen Vergessenes sich gegenseitig aufzufrischen. Mit Frömmigkeit oder mit Zionismus hat das gar nichts zu tun, es ist nur eine Flucht aus der Gegenwart, eine Erholung.

In der Frühstückspause steht man beisammen; einer erzählt, wie er 1889 bei der Getreidefirma Liebmannsohn in Ratibor als Lehrling eintrat und welch seltsames Deutsch sein Chef sprach. Die seltsamen Ausdrücke — einige Zuhörer strahlen auf, sie erinnern sich; andere lassen sich dies und jenes erklären. „Als ich in Krotoschin lernte", sagte Wallerstein, aber ehe er berichten kann, fällt ihm Grünbaum, der Obmann, ins Wort: „Krotoschin — kennt ihr die Geschichte des Schnorrers aus Krotoschin?" Grünbaum ist der beste Erzähler jüdischer Witze und Anekdoten, er ist unerschöpflich und unbezahlbar, er verkürzt den Tag, er hilft über die schlimmsten Depressionen fort. Die Geschichte des Zugewanderten, der in Krotoschin nicht Synagogendiener werden konnte, weil ihm die deutsche Schrift nicht geläufig war, und der es dann in Berlin zum Kommerzienrat brachte, wird Grünbaums Schwanengesang, denn am nächsten Morgen fehlt er, und ein paar Stunden danach weiß man, daß sie ihn „geholt" haben.

Holen ist in philologischer Hinsicht eng verwandt mit melden, aber es ist seit längerer Zeit und umfassender im Gebrauch. Der LTI-Sinn des Reflexivums „sich melden" hat nur zwischen Gestapo und Juden seine Geheimgeltung; geholt dagegen werden Jud und Christ, und die Arier sogar besonders massenhaft durch die Militärbehörde im Sommer 1939. Denn holen bedeutet im Spezialsinn der LTI: unauffällig fortschaffen, sei es ins Gefängnis, sei es in die Kaserne, und da wir doch am 1. September 1939 die unschuldig Überfallenen sein werden, so ist die ganze vorherige Mobilmachung ein heimliches nächtliches Holen. Die Verwandtschaft aber von holen und sich melden innerhalb der LTI besteht darin, daß zwei folgenschwere und grausame Vorgänge unter farblosen und alltäglichen Benennungen versteckt werden und daß andererseits diese Geschehnisse so abstumpfend alltäglich geworden sind, daß man sie eben als alltägliche und allgemeinübliche Vorgänge bezeichnet, statt sie in ihrer düsteren Schwere herauszuheben.

Grünbaum also wurde geholt, und drei Monate danach schickte Auschwitz seine Urne, und sie wurde auf dem jüdischen Friedhof beigesetzt. Im letzten Kriegsabschnitt, als die Massenvergasungen allgemein wurden, hörte das höfliche Heimsenden der Urnen natürlich auf, aber lange Zeit hindurch war es einigermaßen unsere Sonntagspflicht und auch fast ein bißchen unser Sonntagsvergnügen, an den Beisetzungen teilzunehmen. Zwei, drei Urnen waren häufig eingetroffen; indem man die Toten ehrte, hatte man Gelegenheit, mit den Schicksalsgefährten aus den anderen Judenhäusern und anderen Betriebsgruppen zusammenzukommen. Einen Geistlichen gab es längst nicht mehr, aber der zum Friedhofsverwalter bestellte Sternjude las einen Nachruf vor, der übliche Predigtklischees aneinanderreihte und natürlich so tat, als sei der Mann eines ganz natürlichen Todes gestorben; und dann wurde ein hebräisches Totengebet gesprochen, an dem sich die Anwesenden beteiligten, soweit sie es vermochten. Die Mehrzahl vermochte es nicht. Und wurde ein Kundiger nach dem Inhalt gefragt, so erwiderte er: „Der Sinn ist wohl dieser ..." — „Können Sie es nicht wörtlich übersetzen?" unterbrach ich ihn. — „Nein, mir ist nur noch der Klang im Gedächtnis geblieben, es ist so lange her, daß ich es gelernt habe, ich war so ganz außer Zusammenhang mit alledem ..."

Als Grünbaum an der Reihe war, hatte er ein besonders großes Gefolge. Während wir der Urne aus der Halle zum Begräbnisplatz folgten, flüsterte mir mein Nebenmann zu: „Wie hieß doch der Posten, den der Kommerzienrat in Krotoschin nicht bekommen konnte — Schammes, nicht wahr? Ich werde die Geschichte dem armen Grünbaum nie vergessen!" Und er memorierte im Takt des Schreitens: „Schammes in Krotoschin, Schammes in Krotoschin.“

Die Rassendoktrin der Nazis hat den Begriff des Aufnordens geprägt. Ob ihr die Aufnordung geglückt ist, liegt außerhalb meiner Kompetenz. Aber eine Aufjudung hat sie bestimmt zuwege gebracht — sogar bei denen, die sich dagegen wehrten. Man war völlig außerstande, die jüdische Brille abzulegen, jede Begebenheit sah, jeden Bericht, jedes Buch las man durch sie. Nur daß diese Brille sich nicht gleichblieb. Im Anfang und noch sehr lange hatten ihre Gläser die betrachteten Dinge mit rosiger Hoffnung umkleidet. „Es ist nicht halb so schlimm!“ Wie oft habe ich diese tröstliche Wendung zu hören bekommen, wenn ich die Siegesmeldungen und Gefangenenziffern des Heeresberichts allzu trostlos ernst nahm! Aber dann, als es den Nazis wirklich schlecht ging, als sie ihre Niederlage nicht mehr verschleiern konnten, als sich die Alliierten den deutschen Grenzen näherten und sie überschritten, als Stadt um Stadt von den feindlichen Bombern zerschmettert wurde — nur Dresden schien tabu —, gerade da wechselten die Juden ihre Gläser. Mussolinis Sturz war das letzte Ereignis gewesen, das sie durch das alte Glas betrachtet hatten. Als der Krieg dennoch weiterging, war ihre Zuversicht gebrochen und verkehrte sich in das vollkommene Gegenteil. Sie glaubten nicht mehr an das nahe Kriegsende, sie trauten dem Führer wider allen Augenschein magische Kräfte zu, magischere als seine schwankend gewordenen Anhänger.

Wir saßen im Judenkeller unseres Judenhauses, das auch einen besonderen Arierkeller enthielt; es war kurz vor dem Dresdener Katastrophentag. Wir saßen mehr gelangweilt und fröstelnd als geängstigt den Vollalarm ab. Uns geschah ja erfahrungsgemäß doch nichts, bestimmt galt der Angriff wieder dem gepeinigten Berlin. Wir waren weniger deprimiert als seit langem; am Nachmittag hatte meine Frau bei treuen arischen Freunden London gehört, dazu und vor allem war ihr Thomas Manns letzte Rede bekannt geworden, eine siegesgewisse, eine menschlich schöne Rede. Für Predigten sind wir im allgemeinen nicht zu haben, sie pflegen verstimmend zu wirken — aber diese war wirklich erhebend.

Ich wollte etwas von meiner guten Stimmung auf die Leidenskameraden übertragen, ich trat an diese und jene Gruppe heran: „Haben Sie schon das heutige Bulletin gehört?

Kennen Sie schon Manns jüngste Rede?" Überall stieß ich auf Ablehnung. Die einen hatten Angst vor verbotenen Gesprächen: „Behalten Sie das für sich, ich mag nicht ins KZ." Die anderen waren verbittert: „Und wenn die Russen vor Berlin stünden", sagte Steinitz, „der Krieg dauert noch Jahre, alles andere ist hysterischer Optimismus!"

So viele Jahre lang hatte man bei uns die Menschen in Optimisten und Pessimisten wie in zwei Rassen eingeteilt. Auf die Frage: Was ist er für ein Mensch? erhielt man unweigerlich die Antwort: Er ist Optimist, oder: er ist Pessimist, was im jüdischen Mund natürlich gleichbedeutend war mit: Hitler fällt in Kürze, und: Hitler behauptet sich. Jetzt gab es nur noch Pessimisten. Frau Steinitz übertrumpfte ihren Mann: „Und wenn sie Berlin nehmen — das ändert auch nichts. Dann geht der Krieg in Oberbayern weiter. Noch drei Jahre mindestens. Und uns kann es gleich sein, ob noch drei oder sechs Jahre. Wir überleben ihn doch nicht. Zerbrechen Sie endlich Ihre alte jüdische Brille!"

Drei Monate später war Hitler ein toter Mann und der Krieg zu Ende. Aber freilich, erlebt hat es das Ehepaar Steinitz nicht und noch mancher andere nicht, der damals mit uns im Judenkeller saß. Sie liegen unter den Trümmern der Stadt begraben.

XXVIII

Die Sprache des Siegers

Jeden Tag war es mir von neuem ein Schlag ins Gesicht, schlimmer als das Du und die Schimpfworte der Gestapo, nie bin ich mit Protest und Belehrung dagegen aufgekommen, nie bin ich dagegen abgestumpft, nie unter all meinen Labruyère-Typen habe ich auch nur einen gefunden, der diese Schmach vermieden hätte.

Du warst doch wirklich denkgeschult und eine brave und leidenschaftlich interessierte Germanistin, arme Elsa Glauber, eine wirkliche Assistentin deines Professors und Helferin und Beraterin seiner Studenten im Seminar; und als du dann heiratetest und Kinder hattest, bliebst du Philologin und Sprachreinigerin und Lehrerin — beinahe allzusehr, Bösewichter nannten dich hinter deinem Rücken „Herr Geheimrat!".

Und wie lange hast du mir mit deiner schönen, auf so komische Weise bewahrten Klassikerbibliothek aushelfen können! Juden — soweit man ihnen überhaupt Bücher beließ — durften ja nur jüdische Bücher besitzen, und die Frau Geheimrat hing an ihren in schönsten Ausgaben zusammengestellten deutschen Klassikern. Seit einem Dutzend Jahren war sie aus dem Hochschulbetrieb heraus und die Frau eines sehr kultivierten Kaufmanns, dem die Gestapo jetzt das qualvolle Amt übertragen hatte, Vorsteher der jüdischen Gemeinde und damit verantwortlicher, hilfloser und von beiden Seiten gepeinigter Mittelsmann zwischen den Henkern und ihren Opfern zu sein. Nun begannen schon Elsas Kinder unter ihrer Leitung in den kostbaren Büchern zu lesen. Wie hatte sie den Schatz vor der immer wieder nachstöbernden Gestapo gerettet? Sehr einfach und moralisch! Durch gewissenhafte Ehrlichkeit. Hieß der Herausgeber eines Bandes Richard M. Meyer, so hob Elsa Glauber den Schleier des M. und setzte für die Abkürzung den Vornamen Moses ein; oder sie machte auf das Judentum des Germanisten Pniower aufmerksam, oder sie belehrte die Suchenden darüber, daß der eigentliche Name des berühmten

Gundolf der Judenname Gundelfinger sei. Es gibt unter den Germanisten so viele Nichtarier, daß unter dem Schutz dieser Herausgeber sich Goethes und Schillers Werke und viele andere in „jüdische Bücher" verwandelten.
Auch ihre Ordnung und Ausbreitung war Elsas Bibliothek erhalten geblieben, denn die geräumige Villa des Vorstehers war zum Judenhaus erklärt worden, und so hatte sich die Familie zwar auf wenige Zimmer beschränken müssen, lebte aber doch in ihren vier Wänden. Von den jüdischen Klassikern habe ich reichlichen Gebrauch machen dürfen, und mit Elsa ließ es sich tröstlich und ernstlich fachsimpeln.
Wobei natürlich auch viel über unsere verzweifelte Situation gesprochen wurde. Ich wüßte wirklich nicht zu sagen, ob Elsa eine bessere Jüdin oder bessere deutsche Patriotin war. Beide Denk- und Fühlweisen steigerten sich unter dem Druck der Lage. Pathetischer Ausdruck stellte sich leicht selbst in nüchternen Alltagsgesprächen ein. Elsa erzählte oft, wie sehr sie darauf achte, daß ihre Kinder im rechten jüdischen Glauben aufwüchsen, daß sie zugleich aber trotz aller gegenwärtigen Schmach den Glauben an Deutschland — sie sagte nie anders als „an das ewige Deutschland" — in sich einatmeten. „Sie müssen denken lernen wie ich, sie müssen im Goethe lesen wie in der Bibel, sie müssen fanatische Deutsche sein!"
Da war er, der Schlag ins Gesicht. „Was müssen sie werden, Frau Elsa?" — „Fanatische Deutsche, so wie ich eine bin. Nur fanatisches Deutschtum kann unser Vaterland rein waschen von der jetzigen Undeutschheit." — „Ja, wissen Sie denn gar nicht, was Sie da sagen? Wissen Sie nicht, daß fanatisch und deutsch — ich meine Ihr deutsch — zusammenpassen wie Faust und Auge, daß, daß ...", ich warf ihr mit einiger Erbitterung, lückenhaft und ungeordnet natürlich, aber um so heftiger, alles das entgegen, was ich hier in meinem Abschnitt „Fanatisch" notiert habe. Und zuletzt sagte ich ihr: „Wissen Sie denn nicht, daß Sie die Sprache unserer Todfeinde sprechen und sich damit besiegt geben und sich damit ausliefern und damit Verrat üben gerade an Ihrem Deutschtum? Wenn Sie es nicht **wissen**, Sie, die Studierte, Sie, die Sie für das ewige, das unbefleckte Deutschtum eintreten —, wer soll es dann spüren und vermeiden? Daß wir in unserer bedrängten Isoliertheit eine Sondersprache ausbilden, daß auch wir behördliche auf uns gemünzte Bezeichnungen aus dem nazistischen Lexikon ge-

brauchen müssen, daß sich da und dort eine Ausdehnung des Jargons, mit Hebraïsmen bemerkbar macht, das alles ist natürlich. Aber diese Unterwerfung unter die Sprache des Siegers, dieses Siegers!"...

Elsa war ganz bestürzt über meinen Ausbruch, sie verlor durchaus ihre geheimrätliche Überlegenheit, sie gab zu, sie versprach Besserung. Und wenn sie das nächste Mal wieder ihre „fanatische Liebe", diesmal zur Iphigenie betonte, korrigierte sie sofort begütigend: „Ach so, das darf ich ja nicht sagen; ich hab' es mir nur eben seit dem Umbruch so angewöhnt."

„Seit dem Umbruch?" — „Das verpönen Sie auch? Aber da haben Sie gewiß unrecht. Ein so schönes poetisches Wort, es riecht förmlich nach frisch umgebrochener Ackererde, es ist bestimmt nicht von den Hitlerleuten gefunden worden, es stammt gewiß irgendwo aus der Georgegegend." — „Sicherlich, aber die Nazis haben es übernommen, weil es so schön zu Blut und Boden, zur Verherrlichung der Scholle, der Bodenständigkeit paßt, sie haben es so mit dem Zugriff ihrer verseuchten Hände infiziert, daß die nächsten fünfzig Jahre kein anständiger Mensch..."

Sie unterbrach mich, ging zum Gegenangriff über: ich sei ein Purist, ein Schulmeister, ein Intransigent, ein — „seien Sie nicht allzu böse — ein Fanatiker".

Arme Elsa Glauber — von ihr und ihrer gesamten Familie hat man nichts mehr erfahren können; „sie sind von Theresienstadt fortgebracht worden", das ist das letzte, was man von ihr gehört hat. Und wenn ich nun ihrer unter unverschleiertem Namen gedenken will, weil sie trotz ihrer Neigung zu Ästhetentum und Geheimratsallüren eine Persönlichkeit war, vor der man Respekt haben durfte und deren tapferer Geistigkeit ich manches verdanke, so wird dieser Nachruf zur Anklage.

Aber die Anklage gegen die eine, die Philologin, entlastet einigermaßen alle die anderen, die bei geringerem Nachdenken über Sprachliches derselben Sünde verfielen. Denn verfallen sind sie ihr alle, und jeder einzelne haftet mit einer anderen ihm eigentümlichen Vokabel im Schuldbuch meiner Erinnerung.

Da war der junge K., ganz unliterarischer Kaufmann, aber ganz in seinem Deutschtum aufgegangen, in der Wiege getauft und mit Selbstverständlichkeit Protestant, ohne alle Bindung

an jüdische Religion, ohne das geringste Verständnis und nun gar Wohlwollen für zionistische Bestrebungen — aber den Ausdruck „das Volk der Juden" übernahm er und gebrauchte es immer wieder, genauso wie ihn der Hitlerismus gebrauchte, als gebe es solches Volk von heute im gleichen Sinn, wie es ein Volk der Deutschen, der Franzosen usw. gibt, und als bildete die „Weltjudenschaft" — auch diese fragwürdige Zusammenfassung der Nazis sprach er nach — wissentlich und willentlich diese Volkseinheit.
Und da war K.s vollkommenes Gegenspiel in jeder physischen und psychischen Hinsicht, der in Rußland geborene S., dem Gesichtsschnitt nach Mongole, unerbittlicher Feind Deutschlands, aller Deutschen, da er in allen Deutschen überzeugte Nationalsozialisten sah, zionistischer Nationalist der schroffsten Richtung — und wenn er für die Rechte dieses jüdischen Nationalismus eintrat, dann sprach er von seinen „völkischen Belangen".
Zahnarzt, nein: Zahnbehandler F. wiederum, ein ungeheuer gesprächiger Mann seinen wehrlosen Patienten gegenüber — denn was soll man bei aufgeschraubtem Munde entgegnen? —, ebenso tödlicher Feind ausnahmslos aller Deutschen und alles Deutschen wie S., aber ohne jede Beziehung zum Zionismus und zum Judentum überhaupt, war ganz und gar bestimmt von einer närrischen Anglophilie, die auf einen Englandaufenthalt unter glücklichen Privatumständen zurückging. Jedes Instrument, jedes Kleidungsstück, jedes Buch, jede Meinung mußte aus England stammen, sonst waren sie durchweg nicht gut, und wenn sie aus Deutschland stammten, auch aus dem Deutschland früherer Zeit, so waren sie absolut verworfen. Denn die Deutschen waren nun einmal „charakterlich minderwertig". Daß er mit diesem Lieblingswort „charakterlich" einer Neuprägung der Nazis zur Weiterverbreitung half, kam ihm nicht zum Bewußtsein (wie das ja auch jetzt den Anhängern der neuen Zeit nicht bewußt geworden scheint). Der Nazipädagogik kam alles so ausschließlich auf die Gesinnung, auf den unverfälschten Nazismus ihrer Schüler an, daß die Gesinnung in allem und jedem an entscheidend erster Stelle vor jeder Befähigung und Geschicklichkeit, vor allen Kenntnissen geschätzt wurde. Aus der Schulsprache, aus dem Bedürfnis der Prüfungs- und Abgangszeugnisse heraus erkläre ich mir das Umsichgreifen des neuen Adjektivs; die Note „cha-

rakterlich gut", das hieß also: einwandfrei nazistisch, öffnete allein die Tür zu jeder Laufbahn.
Den stärksten und am wortreichsten geäußerten Widerwillen empfand unser Zahnbehandler gegen unsern Krankenbehandler. Dessen große Zeit war der erste Weltkrieg gewesen, den er als Stabsarzt mitgemacht hatte. Er bewegte sich ganz und gar in der Offizierssprache von 1914 und bereicherte sie ahnungslos um jede Wendung, die Goebbels im Umlauf setzte. Wie viele „Engpässe" hat er bewältigt, wie viele „Krisen gemeistert"!
Aus völlig anderen Motiven und in ganz anderer Weise bediente sich ein Kollege unseres Judenarztes der LTI. Dr. P. hatte sich vor 1933 ganz und gar als Deutscher und als Arzt gefühlt und keine Zeit an Probleme der Religion und der Rasse vergeudet, er hatte den Nazismus für eine Verirrung oder eine Erkrankung gehalten, die ohne Katastrophe vorübergehen würde. Jetzt war er ganz aus seinem Beruf geworfen, tat zwangsweise Fabrikarbeit und war der Obmann einer Gruppe, der ich selbst längere Zeit angehörte.
Hier äußerte sich seine Verbitterung auf eine merkwürdige Weise. Er eignete sich alle judenfeindlichen Äußerungen der Nazis, speziell Hitlers, an und bewegte sich immerfort derart in dieser Ausdrucksweise, daß wahrscheinlich er selber nicht mehr beurteilen konnte, wieweit er den Führer, wieweit er sich selber verspottete und wieweit ihm diese Sprechart der Selbsterniedrigung zur Natur geworden war.
So hatte er die Gewohnheit, keinen Mann seiner Judengruppe anzureden, ohne die Bezeichnung Jude vor seinen Namen zu setzen. „Jude Löwenstein, du sollst heute die kleine Schneidemaschine bedienen." — „Jude Mahn, hier ist dein Krankenschein für den Zähnejuden" (womit er unsern Zahnarzt meinte). Die Angehörigen der Gruppe gingen erst scherzhaft, dann gewohnheitsmäßig auf diesen Ton ein. Einige von ihnen hatten die Erlaubnis, die Trambahn zu benutzen, andere mußten zu Fuß gehen. Man unterschied entsprechend zwischen Fahrjuden und Laufjuden. Die Waschgelegenheit in der Fabrik war sehr wenig bequem. Einige benutzten sie, andere zogen es vor, sich erst zu Hause zu säubern. Hiernach unterschied man zwischen Waschjuden und Saujuden. Den später zu dieser Gruppe Versetzten mochte das wenig geschmackvoll erscheinen, aber sie nahmen es nicht ernst genug, einen Streit-

fall daraus zu machen.
Unterhielt man sich in den Eßpausen über irgendein Problem unserer Lage, so zitierte unser Obmann die einschlägigen Sätze Hitlers mit solcher Überzeugung, daß man sie für seine eigenen Worte und Überzeugungen halten mußte. Mahn erzählte etwa, gestern bei der Abendkontrolle sei es in der 42 sehr glimpflich zugegangen. Die Polizei stehe ja in offenem Gegensatz zur Gestapo, die älteren Beamten zum mindesten seien durchweg alte Sozialdemokraten. (Wir mußten sommers um neun, winters um acht Uhr zu Hause sein; es war Sache der Polizei, darüber zu wachen.) Sofort erklärte Dr. P.: „Der Marxismus trachtet danach, die Welt planmäßig in die Hand des Judentums überzuführen." Ein andermal war von einem Aktienunternehmen die Rede. In überzeugtem Ton sagte der Doktor: „Auf dem Umweg der Aktie schiebt sich der Jude in den Kreislauf der nationalen Produktion ein und macht sie zum Schacherobjekt." Als ich später Gelegenheit fand, das Kampfbuch gründlich zu studieren, kamen mir lange Sätze ungemein bekannt vor; sie stimmten eben genau mit dem überein, was ich für mein Tagebuch an Aussprüchen unseres Obmanns auf Zetteln festgehalten hatte. Er hat lange Sätze des Führers auswendig gekonnt.
Wir nahmen die Schrullen, um nicht zu sagen: diese Besessenheit des Obmanns manchmal belustigt, manchmal resigniert hin. Mir selber schien sie symbolisch für die gänzliche Unterworfenheit der Juden. Dann kam Bukowzer zu uns, und nun hatte der Friede ein Ende. Bukowzer war ein alter, schwerleidender und jähzorniger Mann, der das Deutschtum, den Liberalismus und Europäismus seiner Vergangenheit bereute und in heftigste Erregung geriet, wenn er von jüdischer Seite ein Wort der Abneigung oder auch nur der Lauheit dem Judentum gegenüber hörte. Die Äußerungen unseres Obmanns trieben ihm jedesmal die Adern an den Schläfen und auf dem gänzlich kahlen Schädel strangdick hervor, und immer wieder schrie er: „Ich lasse mich nicht diffamieren, ich dulde nicht, daß unsere Religion diffamiert wird!" Seine Wut reizte den Doktor zu weiteren Zitaten, und manchmal befürchtete ich einen Schlaganfall Bukowzers. Aber er schrie, er keuchte nur immer wieder das Lieblings-, das Renommierfremdwort Hitlers: „Ich lasse mich nicht diffamieren!" Erst der 13. Februar hat die Feindschaft der beiden LTI-Hörigen

beendet: sie liegen unter den Trümmern des Judenhauses in der Sporergasse begraben...

Wäre nun diese Hörigkeit nur im Alltagssprechen zutage getreten, so wäre sie noch allenfalls begreiflich gewesen; man beobachtet sich da weniger, ist abhängiger von dem, was einem ständig vor Augen steht, ständig in den Ohren klingt. Aber wie verhielt es sich denn mit der gedruckten und so mit der mehrfach kontrollierten und voll verantwortlichen Sprache der Juden? Autoren legen ihre Worte beim Niederschreiben auf die Waagschale und wägen sie dann noch zweimal beim Korrekturlesen.

Ganz im Anfang, als noch einige jüdische Zeitschriften erschienen, las ich einmal als Titel einer Grabrede: „Unserem Führer Levinstein zum Gedenken." Als Führer war hier der Vorsteher einer Gemeinde bezeichnet. Peinliche Geschmacklosigkeit, sagte ich mir — immerhin einem Redner, sogar einem Grabredner, mag man mildernde Umstände zubilligen, wenn er nach Aktualität hascht.

Jetzt, in den vierziger Jahren, gab es längst keine jüdischen Zeitschriften und öffentlichen jüdischen Predigten mehr. Dafür fand man in den Judenhäusern spezifisch jüdische moderne Literatur. Gleich nach dem ersten Weltkrieg hatte ja in Deutschland das Sichauseinanderleben der Deutschen und der deutschen Juden begonnen, der Zionismus hatte Fuß gefaßt im Reich. Es entstanden allerhand betont jüdische Verlagsbuchhandlungen und Buchgemeinschaften, die ausschließlich jüdische Geschichts- und philosophische Werke, dazu Belletristik jüdischer Autoren über jüdische und deutschjüdische Themen herausgaben. All das wurde häufig in Subskription und serienweise im Abonnement abgesetzt — ich glaube, ein künftiger Literarhistoriker, der das kulturgeschichtliche und soziologische Moment in Betracht ziehen will, wird sich mit dieser Verlags- und Vertriebsart befassen müssen —, und von diesen Publikationen, die eben nichtarisch waren, gab es noch stattliche Reste bei uns. Besonders Freund Steinitz hatte eine reiche Auswahl solcher Dinge; ihm war es als eine Art Bildungs- und Glaubenspflicht erschienen, jede derartige Serie, die ihm angeboten wurde, zu abonnieren. Bei ihm fand ich Schriften von Buber, Gettoromane, die jüdische Geschichte von Prinz, die von Dubnow usw.

Das erste Buch, auf das ich hier stieß, war ein Band der

Jüdischen Buchvereinigung: Arthur Eloesser: „Vom Getto nach Europa; das Judentum im geistigen Leben des 19. Jahrhunderts, Berlin 1936.“ Mit Arthur Eloesser war ich, ohne ihn je persönlich kennengelernt zu haben, buchstäblich aufgewachsen. Als in den neunziger Jahren mein literarisches Interesse sich zu regen begann, war er der Theaterkritiker der „Vossischen Zeitung“, und ein solcher Posten schien mir damals einer der höchsten und beneidenswertesten. Sollte ich heute Eloessers Leistung zusammenfassend beurteilen, so würde ich sagen, sie stimmte genau zur damaligen (noch nicht Ullsteinschen) „Tante Voß“; es war keine aufregende, aber eine gediegene, keine revolutionäre, aber eine brav liberale Leistung. Und weiter ist von diesen Kritiken mit aller Bestimmtheit zu sagen, daß sie ohne jede nationalistische Enge und immer mit dem Blick auf Europa — wie denn Eloesser meiner Erinnerung nach eine tüchtige Doktorarbeit über Dramatik der französischen Aufklärung geschrieben hat —, daß sie immer durchaus und in aller Selbstverständlichkeit deutsch gehalten waren; niemand hätte auf den Gedanken kommen können, daß sie etwa von einem Nichtdeutschen herrührten. Und jetzt, welche Veränderung! Trostlosigkeit des Gescheiterten, des Ausgestoßenen von der ersten bis zur letzten Zeile. Das ist buchstäblich zu nehmen. Denn das Motto, von einem amerikanischen Verwandten des Autors übernommen, lautet: *We are not wanted anywhere*, zu deutsch: Juden überall unerwünscht! (In den ersten Hitlerjahren las man an den Türscheiben der Restaurants umschichtig den Anschlag: „Juden unerwünscht“ und „für Juden verboten“. Später verstand sich das Verbot ohne allen Anschlag durchgängig von selbst.) Und ganz am Ende ist von dem Begräbnis Berthold Auerbachs die Rede, des frommen Juden und warmherzigen deutschen Patrioten, der Anfang 1882 starb. Lebend werde er aus dem Grabe auferstehen, heißt es in Fr. Theodor Vischers Gedächtnisrede auf ihn, doch Eloesser setzt abschließend hinzu: „Aber die Zeit des Dichters und seiner Freunde, die des Liberalismus als Weltanschauung, die des mit ihr hoffenden deutschen Juden war schon unter derselben Scholle begraben.“

Es ist nicht die wehrlose Resignation, mit der dieser liberale und ganz assimilierte Literat seine Ausschaltung hinnimmt, es ist nicht einmal die halbe und notgedrungene Hinwendung

zum Zionismus, was mich an Eloessers Buch am stärksten frappierte und erschütterte. Die Verzweiflung und das Suchen nach einem neuen Halt waren allzu verständlich. Aber der Schlag ins Gesicht, der ständig wiederholte Schlag! In diesem gepflegten Buch ist die Sprache des Siegers in einer Unterwürfigkeit übernommen, die alle charakteristischen Formen der LTI wieder und wieder anwendet. Die simplistische Zusammendrängung im Singular: der hoffende deutsche Jude, die simplistische Zerlegung der Menschheit: der deutsche Mensch, sind wiederholt anzutreffen ... Wenn man in Berlin von der Aufklärung Nicolais zur kritischen Philosophie übergeht, so bedeutet das „einen starken Umbruch“ ... Die Juden glaubten sich in Sachen der Kultur den Deutschen „gleichgeschaltet“... Der „Paria“ Michael Beers ist ein „getarntes“ Stück und Heines „Almansor“ ein „getarnter“ Jude ... Wolfgang Menzel strebt nach einer umfassenden „Autarkie“ des geistigen Lebens in Deutschland ... Börne durchlebt „kämpferische“ Mannesjahre, ihn beirrten keine Melodie und kein mystischer „Anruf des Blutes“, wie ihn Heine und Disraëli gehört hatten ... Den Weg der modernen realistischen Dramatik hat die Überzeugung von der Schuld der gesellschaftlichen Verhältnisse „ausgerichtet“ ... Und natürlich ist auch „das Gesetz des Handelns“ vorhanden, der wohl von Clausewitz stammende, von den Nazis zu Tode gehetzte Ausdruck. Und „aufziehen“ und „volkhaft“ und „Halbjude“ und „Mischling“ und „Vortrupp“ *e tutti quanti* ...
Unmittelbar neben dem Buche Eloessers, weil der gleichen Serie und dem gleichen Jahrgang angehörend, stand ein „Roman in Erzählungen“ von Rudolf Frank: „Ahnen und Enkel.“ Hier ist die LTI nach innen gerutscht, heißt es in meinem Tagebuch, und wenn ich das jetzt druckfähiger ausdrückte, würde ich es nicht besser aussagen. Gewiß, das Vokabular der Nazis machte sich auch bemerkbar mit „Sippe“, „Gefolgschaft“, „aufziehen“ usw., und das wirkte um so seltsamer, als der Autor ausdrücklich Goethesches Erzählen im Stil nachahmte. Aber er war der Sprache des Siegers in einem tieferen Sinn als dem formalen verfallen. Er berichtete (übrigens in einer poetisch meist recht unzulänglichen Weise) von deutschen Emigranten des Jahres 1935, die sich in Birma ansiedeln und ihr Heimweh mit Erinnerungen an die heimatlichen Erlebnisse ihrer Voreltern nähren und

stillen ... Die unmittelbare deutsche Gegenwart kam mit einem einzigen kurzen Satz zu Wort; der Autor beantwortete darin die Frage, weswegen seine Leute aus dem geliebten Rheinland ins Exotische fuhren: „Sie hatten ihre Gründe, denn sie waren Juden." Alles andere war, soweit es Deutschland betraf, historische Novellistik, die jedesmal von ebenso eifrig traditionstreuen wie schwärmerisch deutschen, ja deutschtümelnden Juden berichtete. Man sollte nun meinen, irgendwo in den Gesprächen und Gesinnungen dieser Auswanderer, die eine ererbte Liebe zu Deutschland in sich trugen, hätte verdienter Haß gegen ihre Vertreiber spürbar sein müssen. Nein, und im Gegenteil! Man nahm es als tragisches Schicksal, daß man nun einmal die Liebe zum klassischen Deutsch und klassischen Hebräisch gemeinsam im Herzen hegte. Daß man aus dem deutschen Paradies vertrieben worden war, ließ sich den Nazis kaum verdenken, da man ja in wesentlichsten Punkten genauso empfand und urteilte wie sie.

Mischehen zwischen Deutschen und Juden? „Naa, naa! Was Gott ausanand tan hat, soll der Mensch net zamme fügen!" — Wir singen „das Heimatlied des Düsseldorfer Dichters", das sehnsüchtige „Ich weiß nicht, was soll es bedeuten?" helf' er sich! „Wir waren Nomaden und bleiben Nomaden. Nomaden wider Willen." Wir vermögen auch keine Häuser aus uns heraus zu bauen, da passen wir uns dem Stil der andern an (parasitär nennt man das auf nazistischer Seite), jetzt z. B. werden wir eine Synagoge im Pagodenstil bauen, und unsere Nomadensiedlung wird „Laubhüttenland" heißen. — Deine Hand dem Handwerk! hieß in den ersten nazistischen Jahren ein Spruchband der LTI, und daß die Juden Händler und Intelligenzbestien seien, wurde ihnen von Hitler und den Seinen immer wieder vorgeworfen. Das Franksche Buch verherrlicht eine Judenfamilie, in der ein Handwerk seit vier Generationen erblich ist, stellt sie als sittliches Vorbild hin, predigt ausdrücklich das Zurück „zur Natur und zum Handwerk" und brandmarkt den Filmregisseur, der auch in Birma zu filmen gedenkt — „was meinst du, was ich denen für eine Produktion aufziehe!" —, als einen Abtrünnigen und Verkommenen. — Ein der Brunnenvergiftung beschuldigter Jude in den historischen Novellen trinkt, um sich rein zu waschen, aus allen Wässern seiner Umgebung, trinkt vierzehn Becher,

„und das Wasser der Flüsse und Quellen ging in ihn ein. Es floß durch seine Adern, den Leib und in sein Wesen und Fühlen." Und als er gerechtfertigt ist und ein rheinisches Haus zum Leben erhält, da gelobt er, es nie zu verlassen, „und neigt sich tief hinab zu der Erde, deren Säfte er in sich getrunken". Kann man die Blubodoktrin noch poetischer anerkennen? — Und wenn am Schluß von einer jugendlichen Mutter und ihrer sehr jungen Tochter erzählt wird, daß beide Frauen im Begriff sind, der neuen Heimat ein Kind zu schenken, und nun heißt es mit einer Feierlichkeit, deren peinliche Komik der Autor nicht empfindet: „Zwei Mütter ... wie Schwestern schreiten sie dahin ... sie tragen ein neues Geschlecht in ihr fruchtbares Land" — spürt man nicht wieder den vollkommenen Einklang mit der Zuchtlehre und Frauenwertung des Dritten Reichs?
Nur mit Widerwillen las ich das Buch zu Ende. Der Literarhistoriker hat nun einmal nicht das Recht, ein Werk wegzuwerfen, weil es ihm widerstrebt. Die einzige Gestalt, die mir darin zusagte, war der sündhafte Fred Buchsbaum, der in Birma genauso seinem Filmberuf Treue hielt wie in der Heimat; er ließ sich nicht aus seinem esse stoßen, aus seinem Europäertum, aus seiner Gegenwart; er drehte Komödien, aber er spielte keine Komödie vor sich selber und mit sich selber. Nein, wenn man auch überall in den Judenhäusern die Sprache des Siegers angenommen hatte — es war doch wohl nur ein gedankenloses Versklavtsein, es war doch kein Anerkennen seiner Lehren, kein Glaube an seine Lügen.
Mir ging das an einem Sonntagvormittag durch den Kopf. Wir standen zu viert in der Küche, Stühler und ich halfen unsern Frauen beim Aufwaschen. Frau Stühler, die brave Bayerin, der man die robuste bayerische Herkunft ansah, tröstete ihren ungeduldigen Mann: „Wenn du erst wieder für deine Konfektionsfirma reisen kannst — einmal kommt es schon wieder! —, dann werden wir auch wieder ein Dienstmädchen haben." Stühler trocknete eine Weile stumm mit heftigen Bewegungen seine Teller ab. Dann sagte er, leidenschaftlich betonend: „Ich werde nie wieder reisen ... sie haben ganz recht, es ist unproduktiv, es ist geschachert ... gärtnern will ich oder so etwas ... naturnah will ich sein!"
Sprache des Siegers ... man spricht sie nicht ungestraft, man atmet sie ein und lebt ihr nach.

XXIX

Zion

Mit Seliksohn standen wir auf Tauschfuß: er war Diabetiker und brachte uns Kartoffeln gegen winzige Fleisch- und Gemüsemengen. Ich habe nie recht begriffen, weswegen, und es hat mich immer ein bißchen gerührt, daß er uns beiden bald wirkliche Sympathie entgegenbrachte, obschon er alles Deutschtum haßte und jeden deutschen Patrioten unter den Sternträgern — es gab nur noch wenige darunter — für einen Narren oder Heuchler hielt. Er selber war in Odessa geboren und erst mit vierzehn Jahren während des ersten Weltkrieges nach Deutschland gekommen; sein Ziel hieß Jerusalem, trotzdem oder, wie er es ausdrückte, weil er eine deutsche Schule und Hochschule besucht hatte. Mich suchte er immer wieder von der Sinnlosigkeit meiner Stellungnahme zu überzeugen. Bei jeder Verhaftung, jedem Selbstmord, jeder Todesnachricht aus den Lagern, also sooft wir zusammenkamen, und das geschah immer häufiger, da wir immer eifriger diskutierten, jedesmal hieß es: „Und Sie wollen noch immer Deutscher sein und sogar Deutschland lieben? Nächstens werden Sie noch Hitler und Goebbels eine Liebeserklärung machen!"
„Die sind nicht Deutschland, und Liebe — das trifft auch nicht den Kern der Sache. Heute habe ich übrigens was Hübsches zur Sache gefunden. Ist Ihnen einmal der Name Julius Bab unterlaufen?"
„Ja; einer von den Berliner Literaturjuden, Dramaturg und Kritiker, nicht wahr?"
„Also von dem steht in Steinitz' Bücherschrank, Gott weiß wie dahin verschlagen, ein Privatdruck. Ein halbes Hundert Gedichte, nur für seine Freunde als Manuskript veröffentlicht, weil er sich nicht als wahrhaft schöpferischer Lyriker fühle und immer die übernommene Melodie hinter den eigenen Versen spüre. Eine sehr anständige Bescheidenheit und wirklich am Platze; man merkt durchweg bald George, bald Rilke, der Schnabel ist ihm mehr geformt als gewachsen. Aber eine Strophe hat mich doch so angefaßt, daß ich die ge-

künstelte Abhängigkeit beinahe ganz vergaß. Ich habe sie im Tagebuch notiert, ich lese sie Ihnen vor und werde sie bald auswendig kennen, so oft denke ich daran; zwei an Deutschland gerichtete Gedichte, das eine von 1914, das andere von 1919, beginnen beidemal mit demselben Bekenntnis:

Und liebst du Deutschland? — Frage ohne Sinn!
Kann ich mein Haar, mein Blut, mich selber lieben?
Ist Liebe nicht noch Wagnis und Gewinn?!
Viel wahllos tiefer bin ich mir verschrieben
und diesem Land, das ich, ich selber bin.

Wenn die Wagnis- und Gewinnzeile nicht so sehr georgelte, könnt' ich neidisch werden. Genauso liegt es, und nicht nur für den Dichter und mich, sondern für viele tausend andere auch."

„Autosuggestion, Selbstbelügung im ehrlichsten Fall, oft genug glatte Lüge, und dazwischen natürlich zahllose Zwischenstufen."

„Und wer hat das schönste deutsche Gedicht des ersten Weltkrieges geschrieben?"

„Sie meinen doch nicht etwa Lissauers affektierten Haßgesang?"

„Unsinn! Aber: ‚Unten am Donaustrand hocken zwei Raben' ... (hoffentlich zitiere ich richtig); ist es nicht ein ganz echtes deutsches Volkslied, was der Jude Zuckermann da gedichtet hat?"

„Genauso echt, d. h. genauso kunstvoll nachgebildet und genauso anempfunden wie die Lorelei, und Heines Rückbekehrung zum Judentum wird Ihnen ja bekannt sein, aber von Zuckermanns Zionismus und zionistischen Gedichten werden Sie wahrscheinlich nichts wissen. Es ist wirklich schon so, wie es am Schwarzen Brett Ihrer Hochschule stand und auch sonst zu lesen war: ‚Wenn der Jude deutsch schreibt, lügt er!'"

„Es ist zum Verzweifeln, keiner von Euch entgeht der Sprache des Siegers, nicht einmal Sie, der Sie in allen Deutschen nur Feinde sehen!"

„Er spricht viel mehr unsere Sprache als wir die seine! Er hat von uns gelernt. Nur, daß er alles ins Verlogene, ins Verbrecherische verzerrt."

„Wie das? Er von uns? Wie meinen Sie das?"

„Erinnern Sie sich noch der Anfangsauftritte 1933? Als die

Nazis hier den großen Demonstrationszug gegen die Juden machten? ‚Einbahnstraße nach Jerusalem!' und ‚Der weiße Hirsch verjagt die Juden', und wie die Spruchbänder und die mitgeführten Bilder und Plakate alle hießen? Da ging auch ein Jude mit im Zug, der trug ein Schild an großer Stange, und auf dem Schild stand: ‚Hinaus mit uns!'"

„Ich habe davon erzählen hören und es für einen bitteren Witz gehalten."

„Nein, es war wirklich so, und dieses ‚Hinaus mit uns' ist älter als die Hitlerei, und nicht wir sprechen die Sprache des Siegers, sondern Hitler hat von Herzl gelernt."

„Glauben Sie etwa, daß Hitler etwas von Herzl gelesen hat?"

„Ich glaube überhaupt nicht, daß er irgend etwas ernstlich gelesen hat. Er hat immer nur Brocken von Allerweltsbildung aufgeschnappt, nur immer wirr nachgebetet und übertrieben, was er für sein Irrsinnssystem gebrauchen konnte, aber das ist eben das Genie oder die Dämonie seines Wahnsinns oder das Verbrechertum in ihm — nennen Sie's, erklären Sie's nach Belieben —, daß er alles Aufgeschnappte unweigerlich so darstellt, wie es mitreißende Wirkung auf primitive Menschen tut und wie es darüber hinaus Menschen, die eigentlich schon ein gewisses Denkvermögen besitzen oder besaßen, in primitive Herdentiere zurückverwandelt. Und wo er im ‚Kampf' zuerst von seiner Judenfeindschaft redet, von seinen Wiener Erfahrungen und Erkenntnissen, da hat er es auch sofort mit dem Zionismus, der ja in Wien nicht zu übersehen war. Noch einmal, er verzerrt alles in der schmutzigsten, der lächerlichsten Hintertreppenart; der schwarzhaarige Judenjunge lauert mit satanischem Grinsen der arischen Blondine auf, um in ihr die germanische Rasse zu schänden, und das mit der Absicht, die eigene niedrige Rasse, das Volk der Juden zur angestrebten Weltherrschaft zu führen — wahrhaftig, ich zitiere, wenn auch aus dem Gedächtnis, so doch bestimmt in allen entscheidenden Punkten wörtlich!"

„Ich weiß das, ich könnte Ihnen die Stelle sogar genauer hersagen, denn unser Obmann ist groß in Hitlerzitaten, und das ist eine seiner Lieblingspassagen. Sie geht dann weiter, die Juden hätten nach dem ersten Weltkrieg den Neger an den Rhein gebracht, um durch zwangsläufige Bastardierung die weiße Herrenrasse zu stören. Aber was hat das mit den

Zionisten zu tun?"
„Sicherlich hat er von Herzl gelernt, die Juden als Volk, als politische Einheit zu sehen und als ‚Weltjudentum' zusammenzufassen."
„Ist es nicht ein furchtbarer Vorwurf, den Sie damit gegen Herzl erheben?"
„Was kann Herzl dafür, daß ihn ein Bluthund bestohlen hat und daß ihn die Juden in Deutschland nicht beizeiten gehört haben? Jetzt ist es zu spät, und jetzt kommt ihr zu uns."
„Ich nicht."
„Sie! Nächstens werden Sie wie Rathenau behaupten, Sie hätten ein blondes germanisches Herz, und die deutschen Juden seien eine Art deutscher Stamm, so etwa in der Mitte zwischen Norddeutschen und Schwaben."
„Die Geschmacklosigkeit des blonden germanischen Herzens mache ich bestimmt nicht mit, aber eine Art deutscher Stamm, das könnte, rein geistig genommen, wirklich auf unsereinen zutreffen, ich meine: auf Leute, deren Muttersprache deutsch und deren ganze Bildung deutsch ist. ‚Sprache ist mehr als Blut!' Ich kann sonst wenig mit Rosenzweig anfangen, dessen Briefe mir Geheimrat Elsa gegeben hat — aber Rosenzweig gehört ins Buberkapitel, und wir halten bei Herzl."
„Es hat keinen Zweck, mit Ihnen zu reden, Sie kennen Herzl nicht. Sie müssen ihn kennenlernen, das gehört jetzt notwendig zu Ihrer Bildung, ich will sehen, Ihnen etwas von ihm zu verschaffen." —
Das Gespräch verfolgte mich tagelang. War es wirklich Unbildung, daß ich nie eine Zeile von Herzl gelesen hatte, und wie war es gekommen, daß ich ihm nie zugedrängt worden war? Von ihm sprechen hören hatte ich natürlich längst, und der zionistischen Bewegung war ich ein paarmal im Leben begegnet. Zuerst im Anfang des Jahrhunderts, als mich in München eine schlagende jüdische Verbindung einfangen wollte. Da hatte ich nur die Achseln gezuckt, wie über etwas ganz Weltfernes. Dann ein paar Jahre vor dem ersten Weltkrieg in Schnitzlers „Weg ins Freie" und gleich darauf bei einem Vortrag, den ich in Prag hielt. In Prag, wo ich einige Stunden mit zionistischen Studenten im Kaffeehaus zusammensaß, sagte ich mir noch entschiedener als zuvor bei der Schnitzlerlektüre, es handle sich um eine österreichische Angelegenheit. Dort, wo man gewohnt war, den Staat in Na-

tionalitäten zu gliedern, die sich gegenseitig befehdeten und allenfalls tolerierten, mochte es auch eine jüdische Nationalität geben; und dort, wo man im galizischen Bezirk noch eine massierte kleinbürgerliche Judenbevölkerung besaß, die in freiwilliger Gettoabgeschiedenheit bei eigener Sprache und Sitte beharrte, ganz ähnlich den benachbarten polnischen und russischen Judengruppen, denen Bedrückung und Verfolgung die Sehnsucht nach einer besseren Heimat nahelegten, dort war der Zionismus etwas derart Begreifliches, daß nur eines an ihm unverständlich blieb: wie nämlich sein Entstehen erst in den neunziger Jahren des vorigen Jahrhunderts und erst durch Herzl hatte zustande kommen können. Und tatsächlich war er ja dort überall schon viel früher existent gewesen, zum Teil sogar keimhaft in seiner politischen Form, und nur die entscheidende Herausarbeitung des politischen Momentes und die Einbeziehung der im Westen und unter eigentlich europäischen Bedingungen hausenden, der emanzipierten Juden in die Volksidee und Rückwanderungsabsicht waren das Neue, das Herzl von sich aus einer vorhandenen Bewegung hinzufügte.
Aber was ging das mich, was ging es Deutschland an? Ich wußte wohl, daß der Zionismus in der Provinz Posen Anhänger hatte, daß es auch bei uns in Berlin eine Zionistengruppe, sogar eine zionistische Zeitschrift gab — aber in Berlin gab es allerhand exzentrische und exotische Merkwürdigkeiten, gewiß auch einen chinesischen Klub. Was ging das meinen Lebenskreis, meine Person an? Ich war meines Deutschtums, meines Europäertums, meines Menschentums, meines zwanzigsten Jahrhunderts so sicher. Das Blut? Rassenhaß? Heute doch nicht, hier doch nicht — in der Mitte Europas! Auch Kriege waren gewiß nicht mehr zu erwarten, in der Mitte Europas nicht ... allenfalls irgendwo in Balkanzipfeln, in Asien, in Afrika. Bis in den Juni 1914 hinein habe ich alles für Phantasie gehalten, was von der Möglichkeit einer Rückkehr zu mittelalterlichen Zuständen geschrieben wurde, und für mittelalterliche Zustände nahm ich alles, was nicht mit Frieden und Kultur zu vereinen war.
Dann kam der erste Weltkrieg, und mein Vertrauen in die unerschütterliche Festigkeit der europäischen Kultur war gewiß erschüttert. Und natürlich spürte ich von Tag zu Tag stärker das Anwachsen der antisemitischen, der nazistischen Flut — ich saß ja unter Professoren und Studenten, und

manchmal glaube ich, die waren schlimmer als das Kleinbürgertum — (schuldiger waren sie bestimmt). Und daß sich nun aus Abwehr, aus Notwehr auch bei uns die zionistische Bewegung verstärkte, blieb mir ebenso natürlicherweise auch nicht ganz verborgen. Aber ich kümmerte mich nicht darum, ich las rein gar nichts von all der jüdischen Sonderpublikation, die ich mir nachher in den Judenhäusern mühselig zusammensuchte. War dieses Michverschließen Trotz, war es Stumpfheit? Ich glaube, keines von beiden. War es ein Sichanklammern an Deutschland, ein Lieben, das nichts wissen wollte von seinem Verschmähtsein? Bestimmt nicht, es war nichts Pathetisches, nur etwas Selbstverständliches. Wahrhaftig, die Verse von Bab sagen alles, was sich von mir aus dazu sagen läßt. (Ob er wohl selber auch heute noch zu ihnen steht? Ob er noch lebt? — Ich habe ihn gekannt, als wir Jungen von zwölf, dreizehn Jahren waren, und nachher nicht wiedergesehen.) Aber ich komme zu tief in mein Tagebuch von 1942 und zu weitab vom Notizbuch des Philologen.
Nein, doch nicht; das gehört zum Thema; denn ich machte mir damals Gedanken darüber, ob ich allein diese Dinge in Deutschland falsch oder unvollständig gesehen hatte; war das der Fall, dann mußte ich auch meinen jetzigen Beobachtungen mißtrauen, dann war ich mindestens für die Behandlung des jüdischen Themas ungeeignet. Ich kam darauf zu sprechen, als ich Markwald den üblichen Wochenbesuch machte. Markwald war ein fast völlig gelähmter, aber geistig vollkommen reger Mann gegen Ende der Sechzig. Alle paar Stunden, wenn die Schmerzen zu peinigend wurden, machte ihm seine tapfere Frau eine Morphiumeinspritzung. Das ging schon seit Jahren so, konnte noch jahrelang so weitergehen. Er wollte seine emigrierten Söhne wiedersehen und seine Enkelkinder kennenlernen. „Aber wenn sie mich nach Theresienstadt bringen, gehe ich drauf, denn dort bekomme ich kein Morphium.“ Er ist nach Theresienstadt verladen worden, ohne seinen Krankenstuhl, und ist dort draufgegangen, seine Frau mit ihm. In gewissem Sinne bildete er genauso eine Ausnahme unter den Sternträgern wie der ungelernte Arbeiter und Angestellte in der Fabrik: sein Vater war schon als Gutsbesitzer in Mitteldeutschland ansässig gewesen, und er selber hatte das väterliche Gut als studierter Landwirt übernommen und bewirtschaftete es, bis ihm im Weltkrieg ein hoher Posten im säch-

sischen Landwirtschaftsministerium übertragen worden war. Er hat mir manchmal — auch das gehört in die Sparte Juda — von dem Schweinemord erzählt, den nach immer wiederholtem Vorwurf die Juden begingen, um die Deutschen in den Hungertod zu treiben, und von ganz analogen Maßnahmen der Nazis unter verändertem Titel: Was im ersten Weltkrieg jüdischer Mord hieß, nannte sich jetzt deutsche Vorausschau und volksverbundene Planwirtschaft. Die Gespräche mit dem Gelähmten drehten sich aber keineswegs ausschließlich um Agrarisches: beide Markwalds waren politisch und literarisch stark interessiert und belesen und waren durch die Ereignisse der letzten Jahre naturgemäß so dringend auf die Probleme der deutschen Juden hingelenkt worden wie ich selber. Wobei auch sie der Sprache des Siegers durchaus nicht entgangen waren. Sie gaben mir eine kostbar ausgeführte umfassende Handschrift zu lesen, die Geschichte ihrer seit mehreren Jahrhunderten in Deutschland nachweisbaren Familie, und darin war das nazistische Vokabular weitgehend verwendet, und das Ganze war ein Beitrag zur „Sippenkunde", der manchen „autoritären" Gesetzen des neuesten Staatsregimes nicht ohne Sympathie gegenüberstand.
Mit Markwald also sprach ich über den Zionismus, ich wollte wissen, ob er ihm wesentliche Bedeutung für Deutschland beigelegt habe. Verwaltungsbeamten liegt ja ein statistisches Abschätzen der Dinge nahe. Ja, er war dieser „österreichischen Bewegung" natürlich auch begegnet; er habe auch bemerkt, daß sie unter der Pression des Antisemitismus seit dem Ende des Weltkrieges bei uns im Wachsen gewesen sei; aber es sei doch nie eine wirklich reichsdeutsche Bewegung daraus geworden, es habe sich bei uns immer nur um eine kleine Minderheit, um einen Klüngel gehandelt, die überwiegende Zahl der deutschen Juden sei vom Deutschtum nicht mehr ablösbar gewesen. Von gescheiterter oder rückgängig zu machender Assimilation könne keine Rede sein; ausrottbar seien die deutschen Juden wohl — aber zu entdeutschen nicht, auch dann nicht, wenn sie selber an ihrer Entdeutschung arbeiteten.
Nun erzählte ich, was mir Seliksohn über Herzls Wirkung auf den Nazismus berichtet hatte...
„Herzl? Wer war oder ist das?"
„Auch Sie haben nie etwas von ihm gelesen?"
„Ich höre sogar seinen Namen zum allererstenmal."

Ihr sei er auch vollkommen unbekannt, bestätigte Frau Markwald.
Ich notiere dies zu meiner Entlastung. Es muß mehr, reichlich viel mehr Leute als bloß mich gegeben haben, die in Deutschland bis zuletzt dem Zionismus ganz fremd gegenüberstanden. Und man sage nicht, ein so extremer Parteigänger der Assimilation, ein „nichtarischer Christ", ein Agrarier, sei in dieser Angelegenheit ein schlechter Zeuge. Im Gegenteil! Ein besonders guter Zeuge ist er, noch dazu, wo er auf hohem, Überblick schenkendem Posten saß. *Les extrêmes se touchent:* Der Satz gilt auch insofern, als extrem gegensätzliche Parteien immer das meiste voneinander wissen. Als ich 1916 im Paderborner Lazarett lag, wurde ich vom erzbischöflichen Seminar auf das allerbeste mit französischer Aufklärungsliteratur versorgt...
Aber Hitler hat ja seine Lehrjahre in Österreich durchgemacht, und wie er die „Verlautbarung" in die reichsdeutsche Behördensprache von drüben eingeschleppt hat, so mußte er auch Herzlsche Sprach- und Denkformen — der Übergang von der einen zur anderen ist kaum festzustellen, besonders kaum bei primitiven Naturen — drüben in sich aufgenommen haben, falls sie wirklich in ihm vorhanden waren. Kurze Zeit nach diesen Gesprächen und Erwägungen brachte mir Seliksohn zwei Bände von Herzl, die Zionistischen Schriften und den ersten Band der Tagebücher, beide 1920 und 1922 im Jüdischen Verlag in Berlin erschienen. Ich habe sie mit einer Erschütterung gelesen, die an Verzweiflung grenzte. Meine erste Tagebuchnotiz darüber lautet: „Herr, beschütze mich vor meinen Freunden! In diesen zwei Bänden läßt sich bei entsprechendem Willen Beweismaterial für vieles finden, was Hitler und Goebbels und Rosenberg gegen die Juden vorbringen, es bedarf dazu nicht übermäßiger Geschicklichkeit im Auslegen und Verdrehen."
Später habe ich mir in einigen Stichworten und Zitaten die Ähnlichkeiten und Unähnlichkeiten Hitlers und Herzls vor Augen gestellt. Es gab Gott sei Dank auch Unähnlichkeiten zwischen ihnen.
Vor allem: Herzl geht nirgends auf Unterdrückung und nun gar Ausrottung fremder Völker aus, er verficht nirgends die allem nazistischen Greuel zugrunde liegende Idee von der Auserwähltheit und dem Herrschaftsanspruch einer Rasse

oder eines Volkes der gesamten niedrigeren Menschheit gegenüber. Er verlangt nur Gleichberechtigung für eine Gruppe Unterdrückter, nur einen bescheiden bemessenen sicheren Raum für eine Gruppe Mißhandelter und Verfolgter. Das Wort „untermenschlich" gebraucht er nur, wo er von der untermenschlichen Behandlung galizischer Juden spricht. Und dann: er ist nicht engstirnig und stur, er ist nicht geistig und seelisch ungebildet wie Hitler, er ist kein Fanatiker. Er möchte nur einer sein und bringt es bloß zum halben Fanatiker und kann nie die Vernunft und das Wägen und die Menschlichkeit in sich ersticken und kann sich immer nur auf Augenblicke als den gottgesandten Mann des Schicksals fühlen und fragt sich immer wieder, ob er nicht doch bloß ein phantasiebegabter Feuilletonist und kein zweiter Moses ist. Unabänderlich fest steht nur dies eine in seinen Absichten, und ganz eindeutig ausgeführt ist auch nur dies eine in seiner Planung: daß den nicht emanzipierten, den Volk gebliebenen, den wahrhaft bedrängten ostjüdischen Massen eine Heimat geschaffen werden müsse. Sobald er auf die Westseite des Problems gelangt, verwickelt er sich in Widersprüche, die er vergeblich auszugleichen sucht. Die Definition des Begriffes Volk gerät ins Schwanken, es läßt sich nicht eindeutig feststellen, ob der Gestor, der Leiter der Regierungsgeschäfte, Diktator oder Parlament ist; die Rassenunterscheidung sagt ihm nicht zu, aber Mischehen will er verboten wissen; er hängt mit „wehmütiger" Freude an deutscher Bildung und deutscher Sprache, die er wie alles Westliche nach Palästina hinüberretten will, aber das Volk der Juden wird eben doch gebildet durch die gleichförmige Masse der östlichen Gettobewohner usw. usw. In all diesen Schwankungen ist Herzl kein genialer, aber ein warmherziger und interessanter Mensch.

Sobald er sich aber zum Gottgesandten steigert und sich verpflichtet fühlt, seiner Mission gewachsen zu sein, nimmt die gedankliche, sittliche, sprachliche Ähnlichkeit des Messias der Juden mit dem der Deutschen einen bald grotesken, bald erschreckenden Grad an. Er „entrollt die nationalsoziale Fahne" mit den sieben Sternen, die den siebenstündigen Arbeitstag symbolisieren, er zerschmettert, was sich ihm widersetzt, er demoliert, was sich ihm entgegenstemmt, er ist der Führer, der seinen Auftrag vom Schicksal hat und verwirklicht, was unbewußt in der Masse seines Volkes schlummert, der von ihm zum Volk zu bildenden Masse, und der Führer „muß einen harten Blick haben". Er muß aber auch Sinn für die Psychologie und die Bedürfnisse der Masse besitzen. Er wird unbeschadet des eigenen Freidenkertums und der Förderung aller Wissenschaft dem Kinderglauben der Menge Wallfahrtsorte schaffen, er wird auch die eigene Aureole ausnutzen. „Ich sah und hörte zu (notiert er nach einer erfolgreichen Massenversammlung), wie meine Legende entstand. Das Volk ist sentimental; die Massen sehen nicht klar. Ich glaube, sie haben schon jetzt keine klare Vorstellung von mir. Es beginnt ein leichter Dunst um mich herum aufzuwallen, der vielleicht zur Wolke werden wird, in der ich schreite." Propaganda ist mit allen Mitteln zu betreiben: kommt man der kindlichen Masse mit Orthodoxie und Wallfahrtsorten bei, so läßt sich assimilierten und gebildeten Kreisen gegenüber „auf dem Weg des Snobismus eine Propaganda für den Zionismus" betreiben, indem man etwa im Wiener Frauenverein auf Börries von Münchhausens Juda-Balladen und Mosche Liliens Illustrationen dazu hinweist. (Wenn ich jetzt darauf hinweise, daß Münchhausen, der vor dem ersten Weltkrieg in vielen jüdischen Vereinen selber seine Juda-Poesien vortrug, im Hitlerreich als großer deutscher Dichter gefeiert wurde und sich mit den Nazis als Blubomann aufs beste verstand, so bin ich schon da, wo ich hinkommen muß; aber das ist Vorwegnahme.) Äußerer Prunk und aufdringliche Symbole sind eine gute und unentbehrliche Sache, auf Uniformen, Fahnen und Feste ist Wert zu legen. Unbequeme Kritiker werden als Staatsfeinde behandelt. Widerstand gegen wichtige Maßnahmen ist „mit schonungsloser Härte" zu brechen, von Verdächtigungen und Beschimpfungen Andersdenkender braucht man nicht abzusehen. Wenn sich die sogenannten Protestrabbiner aus entscheidenden geistigen Gründen gegen den politischen und den Westen einbegreifenden Zionismus wenden, so erklärt Herzl: Übers Jahr in Jerusalem! „In den letzten Jahrzehnten des nationalen Verkommens" — er meint: der Assimilation — hätten einige Rabbiner der uralten Wunschformel die „wässerige Deutung" gegeben, das Jerusalem dieses Spruches solle eigentlich heißen London, Berlin oder Chikago. „Wenn man die jüdischen Überlieferungen in dieser Weise auslegt, dann bleibt freilich vom Judentum nicht mehr viel anderes übrig als das Jahresgehalt, das diese Herren beziehen." Lockung und

Drohung müssen gut dosiert nebeneinanderstehen: niemand soll zur Mitemigration gezwungen werden; immerhin, die Zögernden, die Nachzügler, werden hüben und drüben ungut daran sein, das Volk in Palästina „wird seine wahren Freunde suchen unter jenen, die für die Sache stritten und litten, als man damit keine Ehren, sondern Beschimpfungen erntete".
Sind dies allgemeine Wendungen und Tonarten, die den beiden Führern gemeinsam sind, so liefert Herzl mehrmals furchtbare Waffen in die Hände des anderen. Er will die Rothschilds zwingen, ihr Vermögen zugunsten des jüdischen Volkes zu verwenden, wo sie jetzt nur zur eigenen Bereicherung die Armeen aller Großmächte für sich arbeiten lassen. Und wie wird das zusammengeballte jüdische Volk — und immer wieder: wir sind eine einzige Einheit, wir sind ein Volk! —, wie wird es sich behaupten und Geltung verschaffen? Es wird sich bei den Friedensschlüssen kriegführender europäischer Mächte als Geldmacht einschalten. Es wird das um so eher vermögen, als ja sicherlich auch nach der Errichtung des Judenstaates noch Juden genug im europäischen Ausland wohnen werden, die sich nun an den eigenen Staat lehnen und ihm von außen her dienen können. Welche Auslegungsmöglichkeiten eröffnen sich hier für den Nazismus!
Und immer wieder die persönliche Verwandtschaft, das sprachliche Zusammenklingen der beiden. Man zähle einmal nach, wie viele Empfänge, wie viele Reden, wie viele Armseligkeiten des Hitlerregimes als historisch bezeichnet werden. Und wenn Herzl dem Chefredakteur der „Neuen Freien Presse" auf einem Spaziergang seine Gedanken entwickelt, dann ist das „eine historische Stunde", und wenn er den kleinsten diplomatischen Erfolg hat, dann geht das gleich in die Weltgeschichte ein. Und es gibt auch einen Augenblick, in dem er seinem Tagebuch anvertraut, hier ende seine private Existenz, hier beginne sein geschichtliches Dasein...
Wieder und wieder Übereinstimmungen der beiden — gedankliche und stilistische, psychologische, spekulative, politische, und wie sehr haben sie sich gegenseitig gefördert! Von allem, worauf Herzl eine Volkseinheit basiert, paßt völlig auf die Juden nur eines: die Gemeinsamkeit eines Gegners und Verfolgers; unter diesem Gesichtspunkt sind freilich die Juden aller Nationen Hitler gegenüber zum „Weltjudentum" verschmolzen, er selber, sein Verfolgungswahn und die sich über-

schlagende Schlauheit seiner Manie haben konkretisiert, was vorher nur ideell bestand, und dem Zionismus und dem Judenstaat hat er mehr Anhänger zugeführt als Herzl selber. Und wiederum Herzl — von wem konnte Hitler für seine Zwecke Wesentlicheres und Brauchbareres lernen?

Was ich da mit einer bequemen rhetorischen Frage abtue, wird zur genauen Beantwortung mehr als eine Doktorarbeit beanspruchen. Sicher ist die nazistische Doktrin wiederholt vom Zionismus angeregt und bereichert worden, aber es wird nicht immer einfach sein, mit Bestimmtheit festzustellen, was der Führer und was der und jener Mitschöpfer des Dritten Reichs gerade dem Zionismus entnommen haben.

Die Schwierigkeit liegt darin, daß beide, Hitler und Herzl, sehr weitgehend vom gleichen Erbe zehren. Ich habe die deutsche Wurzel des Nazismus schon genannt, es ist die verengte, die bornierte, die pervertierte Romantik. Setze ich hinzu: die verkitschte Romantik, so ist die geistige und stilistische Gemeinsamkeit der beiden Führer aufs exakteste bezeichnet. Herzls mehrfach liebevoll genanntes Vorbild ist Wilhelm II. Daß er die psychische Herkunft der Wilhelminischen Heldenpose deutlich erkennt — ihm ist der verkrüppelte Arm unter dem aufgesträubten Schnurrbart kein Geheimnis —, bringt ihm den Kaiser nur noch herzensnäher. Auch der neue Moses der Juden träumt von einer Garde in silbernen Kürassen. Hitler seinerseits hat in Wilhelm einen Volksverderber gesehen, aber die heldischen Allüren und die Vorliebe für eine verkitschte Romantik hat er mit ihm geteilt, vielmehr, er hat ihn darin ungeheuerlich übertroffen. —

Natürlich sprach ich über das Thema Herzl auch mit Geheimrat Elsa, und natürlich kannte sie ihn. Aber sie brachte wenig Gefühlswärme für ihn auf, keine sonderliche Liebe und keine starke Abneigung. Er war ihr zu „vulgär", zu wenig „geistig". Den armen Ostjuden habe er es gut gemeint, und um sie habe er fraglos Verdienste. „Aber uns deutschen Juden hat er nichts zu sagen; übrigens ist er durchaus überholt in der zionistischen Bewegung. Die politischen Spannungen da drüben interessieren mich nicht sehr; mit dem gemäßigten Bourgeois Herzl sind beide Parteien nicht einverstanden, die strikten Nationalisten nicht und die Kommunisten und Sowjetfreunde auch nicht. Mir ist die rein geistige Führerschaft des Zionismus das Wesentliche, und die liegt heute fraglos bei Buber. Martin

Buber verehre ich, und wäre ich nicht so fanatisch — Pardon! —, so völlig an Deutschland gebunden, dann müßte ich mich ganz zu ihm bekennen. Was Sie von Herzls verkitschter Romantik sagen, trifft genau zu, Buber dagegen ist echter Romantiker, ganz reiner, ganz tiefer, ich möchte beinahe sagen, ganz deutscher Romantiker, daß er schließlich doch für einen besonderen Judenstaat optiert — zur Hälfte ist es gewiß Hitlers Schuld und zur anderen Hälfte — lieber Gott, er war in Wien zu Hause, und eigentlicher Deutscher wird man ja doch nur bei uns im Reiche. Bubers Bestes, und dabei doch ganz reines Deutschtum finden Sie bei Bubers Freund Franz Rosenzweig. Ich gebe Ihnen Rosenzweigs Briefe mit" — sie hat mir den kostbaren Band, den sie doppelt besaß, nachher sogar geschenkt, und ich betraure ihn immer wieder, so viel Einblick in die Geistesgeschichte seiner Zeit gab er —, „und hier sind ein paar Sachen von Buber"...

Zwischenbemerkung zur Beruhigung meines philologischen Gewissens: Meine Livianischen Reden sind nur sehr gemäßigt livianisch: sie stammen aus meinem Tagebuch, und das habe ich wirklich von Tag zu Tag unter dem frischen Eindruck der Dinge und mit dem Klang des Gehörten im Ohr geschrieben. Buber war mir nicht ganz fremd, er wurde ja schon seit zwanzig, dreißig Jahren unter den Religionsphilosophen genannt; dem weniger bekannten und früh verstorbenen Rosenzweig begegnete ich das erstemal.

Buber ist so sehr Romantiker und Mystiker, daß er das Wesen des Judentums in sein Gegenteil verkehrt. Alle Entwicklung hat gezeigt, daß schärfster Rationalismus, daß äußerstes Entsinnlichen der Gottesidee den Kern dieses Wesens ausmachten und daß die Kabbala und spätere Aufwallungen der Mystik nur Reaktionserscheinungen der ständig herrschenden und entscheidenden Hauptveranlagung gegenüber bedeuten. Für Buber dagegen ist jüdische Mystik das Wesentliche und Schöpferische, jüdische Ratio nur Erstarrung und Entartung. Er ist umfassender Religionsforscher; der östliche Mensch ist ihm der religiöse Mensch schlechthin, unter allen östlichen Menschen aber haben die Juden die höchste Stufe des Religiösen erreicht. Und da sie jahrhundertelang in engster Berührung mit dem anders veranlagten, dem aktiven Abendland gelebt haben, so ist es nun ihre Aufgabe, die besten geistigen Dinge des Orients und Okzidents zu verschmelzen und hinüber und herüber zu vermitteln. An dieser Stelle mischt sich der Romantiker, auch der romantische Philologe ins Spiel (nicht wie bei Herzl der Politiker): ihr Höchstes im Punkte der Religion haben die Juden in Palästina gefunden, sie sind keine Nomaden, sie sind ursprünglich ein Bauernvolk, alle Bilder, alle Bilder der Bibel weisen darauf hin, ihr „Gott war der Lehnsherr des Ackers, seine Feste waren Ackerfeste und sein Gesetz ein Ackergesetz". Und „zu welcher Höhe allgemeinen Geistes sich die Prophetie auch erhob ... immer wollte ihr allgemeiner Geist einen Leib aus dieser besonderen kanaanäischen Erde anziehen..." In Europa hat die jüdische Seele („durch alle Himmel und Höllen des Abendlandes hindurchgegangen"), besonders die Seele der „angepaßten" Juden, Schaden erlitten; aber „wenn sie ihren mütterlichen Boden berührt, wird sie wieder schöpferisch sein". Es sind die Gedankengänge und Gefühle der deutschen Romantik, es ist auch die romantische Sprachwelt, insbesondere neuromantischer Poesie und Philosophie, mit ihrer Absonderung vom Alltag und ihrer priesterlichen Feierlichkeit und Neigung zum geheimnisvollen Dunklen, worin sich Buber ergeht.

Bei Franz Rosenzweig liegt es ähnlich, doch verliert er sich nicht ganz so weit ins Mystische und gibt auch die räumliche Verbindung mit Deutschland nicht auf.

Ich will bei dem Schusterleisten meiner LTI bleiben. Das Wesen des Judentums, die Berechtigung des Zionismus sind nicht mein Thema. (Ein gläubiger Jude könnte sehr wohl zu dem Schluß kommen, die zweite, die weltweitere Diaspora unserer Gegenwart sei gottgewollt wie die erste; von einem Gott des Ackers freilich sei weder die erste noch die zweite ausgegangen, denn der eigentliche Auftrag dieses Gottes an sein Volk laute eben dahin, kein Volk zu sein, an keine Schranke des Raums, des Körpers gebunden zu sein, wurzellos der nackten Idee zu dienen. Darüber und über den Sinn des Gettos als „Zaun" um die geistige Eigenart, und über den Zaun, der zum Würgeband wurde, und über das Ausbrechen der entscheidenden Missionsträger — der „große Spinoza" sagt Buber im klaren Widerspruch zu seiner eigenen Lehre —, und über das Ausbrechen und über das Hinausgeschleudertwerden aus neuen nationalen Schranken — ach lieber Himmel, wieviel haben wir darüber philosophiert! Und wie entsetzlich wenige von denen, die dies Wir umschließt, sind noch am Leben!)

Ich bleibe bei meinem Leisten. Derselbe Stil, der für Buber charakteristisch ist, dieselben Worte, die bei ihm einen besonders feierlichen Glanz haben, so wie Bewährung, das Einmalige und die Einmaligkeit: wie oft bin ich alledem auf nazistischer Seite begegnet, bei Rosenberg und bei manchem Kleineren, in Büchern und Zeitungsartikeln. Sie kamen von Zeit zu Zeit gern als Philosophen daher, sie wandten sich von Zeit zu Zeit gern an die Gebildeten allein; auf die Masse wirkte das imponierend.

Verwandtschaft des Stils zwischen Rosenberg und Buber, Verwandtschaft in mancher Wertung — Ackerbau und Mystik über Nomadentum und Rationalismus zu stellen, ist auch aus Rosenbergs Herzen gesprochen —: scheint sie nicht noch befremdlicher als die Verwandtschaft zwischen Hitler und Herzl? Die Erklärung des Phänomens aber ist in beiden Fällen die gleiche: Romantik, nicht nur verkitschte, sondern auch echte, beherrscht die Zeit, und aus ihrem Quell schöpfen beide, die Unschuldigen und die Giftmischer, die Opfer und die Henker.

XXX

Der Fluch des Superlativs

Einmal in meinem Leben, vor rund vierzig Jahren, habe ich etwas in einem amerikanischen Blatt veröffentlicht. Die deutschsprachige „New-Yorker Staatszeitung“ brachte zu Adolf Wilbrandts 70. Geburtstag einen Aufsatz von mir, seinem Biographen. Als ich das Belegexemplar zu Gesicht bekam, stand von diesem Augenblick an für alle Zeiten das Bild der amerikanischen Presse in ihrer Gesamtheit vor meinen Augen. Wahrscheinlich, sicher sogar, ungerechterweise, denn jede Verallgemeinerung lügt, aber trotz dieser Erkenntnis unabänderlich mit vollkommener Deutlichkeit auftauchend, sooft in mir eine noch so weitgespannte Ideenassoziation zu amerikanischem Zeitungswesen hinüberführte. Mitten durch den Satz meines Wilbrandt-Artikels, von oben bis unten in geschlängelter Linie, die Zeilen halbierend, zeigte sich ein Abführmittel an und eröffnete die Reklame mit den Worten: „Dreißig Fuß Gedärme hat der Mensch.“
Das war im August 1907. Nie habe ich dieser Gedärme intensiver gedacht als im Sommer 1937. Damals wurde im Anschluß an den Nürnberger Parteitag berichtet, die Säule der von der gesamten deutschen Presse gebildeten Tagesauflage würde mit 20 Kilometern in die Stratosphäre reichen — und dabei lüge das Ausland vom Niedergang der deutschen Presse; und um dieselbe Zeit, bei Mussolinis Besuch in Berlin, gab man an, daß die Ausschmückung der Feststraßen 40 000 Meter Fahnentuch gekostet habe.
„Verwechslung von Quantum und Quale, Amerikanismus gröbster Art“, notierte ich mir damals, und daß die Zeitungsleute des Dritten Reichs gelehrige Schüler der Amerikaner waren, ging ja auch aus dem immer reichlicheren Gebrauch immer dickerer Schlagzeilen hervor und dem immer häufigeren Fortlassen des Artikels vor den herausgeschobenen Substantiven — „‚Völkischer Beobachter‘ baut größtes Verlagshaus der Welt“ —, worin sich militärischer, sportlicher und geschäftlicher Hang zu straffer Knappheit zusammenfanden.

Aber sahen sich die Zahlenschwelgereien der Amerikaner und der Nazis wirklich gleich? Schon damals kamen mir Zweifel daran. Steckte nicht in den dreißig Fuß Gedärm ein bißchen Humor, war nicht in übertreibenden Zahlen amerikanischer Reklame immer eine gewisse ehrliche Naivität zu spüren? War es nicht jedesmal, als sagte sich der Annoncierende: Ich und du, lieber Leser, wir haben beide die gleiche Freude am Übertreiben, wir wissen beide, wie es gemeint ist — also lüge ich ja gar nicht, du subtrahierst schon von selber das Nötige, und von meiner Anpreisung geht keine Täuschung aus, sie prägt sich dir durch superlativische Form nur fester und angenehmer ein!

Einige Zeit später stieß ich auf das Erinnerungsbuch eines amerikanischen Journalisten, auf Webb Millers „Ich fand keinen Frieden", das deutsch bei Rowohlt 1938 erschienen war. Hier war die Zahlenfreudigkeit eine offenkundig ganz ehrliche; Rekorde zu erzielen gehörte zum Beruf: den zahlenmäßigen Beweis der schnellsten Nachrichtenübermittlung zu erbringen, den zahlenmäßigen Nachweis auch der exaktesten Übermittlung: das brachte mehr Ehre als irgendeine tiefe Reflexion. Miller erwähnt mit besonderem Stolz, daß er den Anfang des Abessinischen Krieges in den genauesten Einzelheiten (3. Oktober 1935, 4.44, 4.55, 5 Uhr) vierundvierzig Minuten vor allen anderen Korrespondenten angekündigt habe, und die sehr knappe Naturschilderung eines Flugzeuges über den Balkan gipfelt in dem Satz: „Die weißen Massen (der schweren Wolkenbänke) schossen an uns mit einer Stundengeschwindigkeit von hundert Meilen vorbei."

Das Schlimmste, was sich dem amerikanischen Zahlenkult nachsagen ließ, war naive Ruhmredigkeit und Überzeugtheit vom eigenen Wert. Ich erinnere noch einmal an das international gestellte Elefantenthema. „Wie ich meinen tausendsten Elefanten schoß", erzählt der Amerikaner. Der Deutsche in ebendiesem Scherz gehört mit seinen karthagischen Kriegselefanten noch zu dem Volk der Denker und Dichter und weltfremden Gelehrten einer anderthalb Jahrhundert zurückliegenden Epoche. Der Deutsche des Dritten Reichs hätte, vor dieselbe Aufgabe gestellt, die größten Elefanten der Welt in unvorstellbarer Menge mit der besten Waffe der Welt erlegt.

Der Zahlengebrauch der LTI mag von amerikanischen Gepflogenheiten gelernt haben, unterscheidet sich aber weit und doppelt von ihnen, nicht nur durch Übersteigerung des Superlativismus, sondern auch durch seine bewußte Böswilligkeit, denn er geht überall skrupellos auf Betrug und Betäubung aus. In den Wehrmachtsberichten reihen sich unkontrollierbare Beute- und Gefangenenzahlen dicht aneinander, Geschütze, Flugzeuge, Panzerwagen werden zu Tausenden und Zehntausenden, Gefangene zu Hunderttausenden aufgezählt, und am Ende eines Monats erhält man langreihige Zusammenstellungen noch phantastischerer Zahlen; ist aber von den Toten des Feindes die Rede, so hören die bestimmten Zahlen überhaupt auf, und an ihre Stelle treten die Ausdrücke versagender Phantasie: „unvorstellbar" und „zahllos". Im ersten Weltkrieg war man stolz auf die nüchterne Exaktheit der Heeresberichte. Berühmt wurde die kokette Bescheidenheit des Satzes aus den ersten Kriegstagen: „Die vorgeschriebene Linie wurde erreicht". Bei solcher Nüchternheit vermochte man freilich nicht zu bleiben, aber sie schwebte doch immer als Stilideal vor, und absolut wirkungslos ist dieses Ideal nie geworden. Die Bulletins des Dritten Reichs dagegen setzten sofort superlativisch ein und steigern sich dann, je mißlicher die Lage wird, ins so buchstäblich Maßlose, daß sie das Grundwesen der Militärsprache, die disziplinierte Exaktheit, in das genaue Gegenteil verkehren, ins Phantastische, ins Märchenhafte. Die Märchenhaftigkeit der Beutezahlen wird noch dadurch erhöht, daß von eigenen Verlusten kaum je die Rede ist, wie denn auch auf den Schlachtenbildern der Filme nur Feindleichen getürmt liegen.

Daß die Heeres- und Kriegssprache in den Zivilgebrauch überging, wurde schon in und nach dem ersten Weltkrieg viel beobachtet; das Charakteristikum des zweiten Weltkriegs besteht darin, daß die Sprache der Partei, daß die eigentliche LTI zerstörend in die Heeressprache eindringt. Jene völlige Zerstörung, die in der ausdrücklichen Aufhebung der Zahlengrenze liegt, die Einführung der Worte „unvorstellbar" und „zahllos" wurde in Absätzen erreicht: anfangs durften es sich nur die Berichterstatter und Kommentatoren erlauben, diese äußersten Worte anzuwenden, dann gestattete es sich der Führer im Schwung seiner Ansprachen und Aufrufe, und erst ganz zuletzt machte der offizielle Wehrmachtsbericht davon Gebrauch.

Erstaunlich war dabei die schamlose Kurzbeinigkeit der

Lügen, die in den Zahlen zutage trat; zum Fundament der nazistischen Doktrin gehört die Überzeugung von der Gedankenlosigkeit und der absoluten Verdummbarkeit der Masse. Im September 1941 meldete der Heeresbericht, in Kiew seien 200000 Mann eingeschlossen; wenige Tage später wurden aus dem gleichen Kessel 600000 Gefangene herausgeholt — wahrscheinlich rechnete man jetzt die gesamte Zivilbevölkerung zu den Soldaten. Man lächelte früher in Deutschland gern über das Ausschweifende ostasiatischer Zahlen; in den letzten Kriegsjahren war es erschütternd zu sehen, wie japanische und deutsche Berichte im unsinnigsten Übertreiben wetteiferten; man fragte sich, wer von dem andern lerne, Goebbels vom Japaner oder umgekehrt.

Das Übermaß der Zahl tritt nicht nur innerhalb der eigentlichen Kriegsberichte auf: Im Frühjahr 1943 steht in allen Blättern, daß von den Leseheften, die man den Soldaten hinausschickt, von den sogenannten Feldpostbuchausgaben, bereits 46 Millionen verschickt sind. Manchmal imponieren auch kleinere Zahlen. Ribbentrop erklärt im November 1941, wir könnten den Krieg noch dreißig Jahre führen; Hitler sagt im Reichstag am 26. April 1942, Napoleon habe in Rußland bei 25 Grad Frost gekämpft, er dagegen, der Feldherr Hitler, bei 45 Grad, einmal sogar bei 52 Grad. In diesem Übertrumpfen des großen Vorbildes — es war die Zeit, da er sich noch gern als Strategen feiern und mit Napoleon vergleichen ließ — scheint mir bei unfreiwilliger Komik eine besonders enge Annäherung an die amerikanische Art des Rekordschlagens zu liegen.

Tout se tient, sagen die Franzosen, alles hängt ineinander. Unmittelbar amerikanischen Ursprungs, auf den Titel eines in deutscher Sprache weitverbreiteten Romans Upton Sinclairs zurückgehend, ist der Ausdruck hundertprozentig; er war all die zwölf Jahre über in jedermanns Mund, ich hörte auch oft die Weiterbildung: „Hüten Sie sich vor dem Kerl, er ist ein Hundertfünfzigprozentiger!" Und gerade diesen unbestreitbarsten Amerikanismus muß man andererseits dicht zu der Grundforderung und dem Schlüsselwort des Nazismus stellen, zu „total".

Auch „total" ist ein Zahlenhöchstwert, in seiner realistischen Übersehbarkeit so bedeutungsschwer wie „zahllos" und „unvorstellbar" als romantische Ausschweifungen. Die für

Deutschland grauenvollen Folgen des deutscherseits programmatisch angekündigten totalen Krieges sind in aller Gedächtnis. Aber auch überall außerhalb des Krieges begegnet man in der LTI dem Totalen: ein Aufsatz im „Reich“ rühmte die „totale Erziehungssituation“ in einer streng nazistischen Mädchenschule; in einem Schaufenster sah ich ein Brettspiel als „das totale Spiel“ bezeichnet.
Tout se tient. Hängen die Zahlensuperlative mit dem Totalitätsprinzip zusammen, so greifen sie ebenso in den Bezirk des Religiösen über, und Glaube zu sein, germanische Religion an Stelle des semitischen und unheroischen Christentums, ist gleichfalls ein Grundanspruch des Nazismus. Ewig, die religiöse Entgrenzung der Dauer, wird häufig angewendet — die ewige Wache, das ewige Vorhalten der nazistischen Institutionen —, und das „Tausendjährige Reich“, ein noch entschiedener kirchlich-religiös geprägter Name als das Dritte Reich, kommt häufig genug vor. Es versteht sich, daß die volltönige Zahl 1 000 auch außerhalb des Religiösen gern gebraucht wird: Propagandaversammlungen, die den Mut für das Jahr 1941 stärken sollen, nachdem die erhoffte Blitzkriegsentscheidung ausgeblieben, werden sogleich als tausend Versammlungen angekündigt.
Man kann den Superlativ der Zahl auch von der anderen Seite her erreichen: einmalig ist genauso superlativisch wie tausend. Als Synonym für außerordentlich der eigentlichen Zahlenbedeutung entkleidet, ist das Wort am Ausgang des ersten Weltkrieges noch ein ästhetenhaft modischer Ausdruck der neuromantischen Philosophie und Dichtung; Leute, die viel auf exklusive Eleganz und Neuheit ihres Stils geben, so Stefan Zweig, so Rathenau, wenden ihn an. Die LTI, und mit besonderer Vorliebe der Führer selber, gebrauchen ihn so häufig und oft so unvorsichtig, daß man in komischer Weise an seinen Zahlenwert erinnert wird. Wenn nach dem Polenfeldzug ein Dutzend Generalfeldmarschälle zum Lohn für einmalige Heldentaten ernannt werden, so fragt man sich, ob jeder nur in einer Schlacht seine Fähigkeit bewiesen habe, und sagt sich auch, daß zwölf einmalige Taten und zwölf einmalige Marschälle auf ein Dutzend gehen.
(Worauf dann die Entwertung des Generalfeldmarschalls, des bisher höchsten Titels, die Kreierung eines allerhöchsten, des Reichsmarschalls, nach sich zieht.)

All die Zahlensuperlative aber bilden nur eine reich versehene Sondergruppe des Superlativgebrauchs überhaupt. Ihn kann man die meistverwendete Sprachform der LTI nennen, und das versteht sich ohne weiteres, denn der Superlativ ist das nächstliegende Wirkungsmittel des Redners und Agitators, er ist die Reklameform schlechthin. Deshalb hat ihn auch die NSDAP unter Ausschaltung aller Konkurrenz im Verfügungswege sich allein vorbehalten: Im Oktober 1942 erzählte mir unser damaliger Zimmernachbar Eger, früherer Inhaber eines der angesehensten Dresdener Konfektionsgeschäfte, damals Fabrikarbeiter, bald darauf „bei Fluchtversuch erschossen", es sei durch Rundschreiben verboten gewesen, in Geschäftsanzeigen Superlative zu benutzen. „Wenn Sie z. B. schrieben: ‚Sie werden durch geschulteste Fachkräfte bedient', mußten Sie ‚geschulte' daraus machen, allenfalls ‚gut geschulte'."

Neben den Superlativen der Zahl und der zahlähnlichen Wörter lassen sich drei Arten des Superlativgebrauchs unterscheiden, und alle drei werden in gleichem Überfluß angewandt: die regulären Superlativformen von Adjektiven, Einzelausdrücke, denen superlativer Wert innewohnt oder beigelegt werden kann, und ganz superlativisch durchtränkte Satzgebilde.

Den regulären Superlativen läßt sich durch Häufung ein besonderer Reiz abgewinnen. Wenn ich vorhin den Elefantenscherz nazisierte, so hatte ich dabei den Satz im Ohr, den der Generalissimus Brauchitsch seinerzeit zur Würze eines Armeebefehls machte: den besten Soldaten der Welt seien die besten Waffen der Welt von den besten Arbeitern der Welt zur Ausrüstung geliefert.

Hier steht neben der regulären Superlativform das mit superlativem Sinn erfüllte Wort, das die LTI Tag für Tag im Munde führte. Wo höfische Dichter bei besonders feierlicher Gelegenheit den Ruhm des Sonnenkönigs im Perückenstil des siebzehnten Jahrhunderts priesen, da sagten sie, *l'univers*, das All, blickte auf ihn. Bei jeder Rede, bei jeder Äußerung Hitlers, all die zwölf Jahre hindurch, denn ganz zuletzt erst verstummt er —, immer taucht als vorschriftsmäßiges Klischee die Schlagzeile auf: „Die Welt hört auf den Führer." Sooft eine große Schlacht gewonnen wird, ist es „die größte Schlacht der Weltgeschichte". Schlacht allein genügt selten, es werden

„Vernichtungsschlachten“ geschlagen. (Wieder das schamlos sichere Rechnen mit der Vergeßlichkeit der Masse: wie oft wird derselbe Gegner, der schon totgesagte, noch einmal vernichtet!)

„Welt“ tut überall Dienst als superlatives Präfix: das verbündete Japan avanciert von einer Großmacht zur Weltmacht, Juden und Bolschewisten sind Weltfeinde, Begegnungen zwischen dem Führer und Duce welthistorische Stunden. Ein ähnlicher Superlativismus wie in dem Wort Welt liegt in dem Worte „Raum“. Gewiß, man sagt schon im ersten Weltkrieg nicht mehr: die Schlacht bei Königgrätz oder Sedan, sondern: die Schlacht im Raume von ..., und das hängt einfach mit der Ausdehnung der Kampfhandlungen zusammen; und sicherlich ist auch die dem Imperialismus günstige Wissenschaft der Geopolitik an dem häufigen Auftreten der Vokabel Raum schuld. Aber es liegt in der Raumvorstellung an sich etwas Unbegrenztes, und das verführt. Ein Reichskommissar behauptet in seinem Rechenschaftsbericht für 1942, daß „der ukrainische Raum in den letzten tausend Jahren noch niemals so gerecht, großzügig und modern verwaltet wurde wie unter großdeutsch-nationalsozialistischer Führung“. Ukrainischer Raum paßt besser als bloß Ukraine zu den Superlativen des Jahrtausends und des spanischen Dreiklangs der Adverbien.

Großzügig und großdeutsch sind schon viel zu alt und abgegriffen, um die Geschwollenheit des Satzes noch sonderlich weiter aufzublasen. Doch hat die LTI von sich aus eine solche Wucherung der Zusatzsilbe groß hervorgebracht — Großkundgebung, Großoffensive, Großkampftag usw. —, daß noch während der Nazizeit von dem guten Nationalsozialisten Börries von Münchhausen dagegen protestiert wurde.

Ebenso superlativgeladen und ebenso oft benutzt wie Welt und Raum ist das Wort „historisch“. Historisch ist, was dauernd im Gedächtnis eines Volkes oder der Menschheit lebt, weil es unmittelbare und dauernde Wirkung auf das Volksganze oder die ganze Menschheit ausübt. So gehört denn das Epitheton historisch allen, auch den selbstverständlichsten Taten der nazistischen Friedensleitung und Generalität, und für Hitlers Reden und Erlasse liegt der Übersuperlativ welthistorisch bereit.

Für das Durchtränken ganzer Satzgebilde mit superlativischem Geist ist jede Art von Prahlerei geeignet. Ich höre in der Fabrik ein paar Radiosätze aus einer Veranstaltung im Berliner Sportpalast. Sommer 1943, Speer und Goebbels sprechen. Das beginnt: „Die Großkundgebung wird übertragen auf den Reichs- und Deutschlandsender, angeschlossen sind die Sender des Protektorats, Hollands, Frankreichs, Griechenlands, Serbiens ..., der verbündeten Staaten Italien, Ungarn, Rumänien ..." Es geht noch eine ganze Weile so fort. Damit erzielte man ganz gewiß eine superlativischere Wirkung auf die Phantasie des Publikums als mit der Zeitungsüberschrift: „Die Welt hört mit", denn hier durchblätterte man den nazisierten Weltatlas.

Als dann Speer maßlose Zahlen des eigenen Rüstungsstandes vorgetragen hatte, hob Goebbels die deutsche Leistung noch weiter heraus, indem er der Exaktheit deutscher Statistik die „jüdische Zahlenakrobatik" der Feinde gegenüberstellte. Aufzählen und Verächtlichmachen: Es gibt wohl keine Führerrede, in der nicht beides langatmig enthalten wäre, das Aufzählen der eigenen Erfolge und die höhnische Beschimpfung der Gegner. Was Hitler an stilistischen Mitteln auf rohe Weise anwendet, das wird von Goebbels zu raffinierter Rhetorik ausgeschliffen. Die grausigste Höhe solcher Superlativbildung erreicht er am 7. Mai 1944. Die englisch-amerikanische Landung am Atlantikwall steht unmittelbar bevor, da heißt es im „Reich": „Im deutschen Volk hat man eher Sorge, daß die Invasion nicht kommt, als daß sie kommt ... Sollte der Feind tatsächlich die Absicht haben, mit einem so bodenlosen Leichtsinn ein Unternehmen zu starten, von dem alles abhängt, dann gute Nacht!"

Ist dies nur für den Rückschauenden grausigste Höhe, muß nicht schon damals der aufmerksame Leser hinter der Maske einer absoluten Siegesgewißheit beginnendes Verzweifeln gespürt haben? Macht sich nicht hier der Fluch des Superlativs allzu deutlich bemerkbar?

Dieser Fluch haftet ihm mit Notwendigkeit in allen Sprachen an. Denn überall führt anhaltendes Übertreiben zwangsläufig zu immer weiterem Verstärken des Übertreibens, und die Abstumpfung und die Skepsis und die schließliche Ungläubigkeit können nicht ausbleiben. Das ist gewiß überall so, aber manche Sprachen sind aufnahmefähiger für den Superlativ als andere: in der Romania, auf dem Balkan, im Fernen Osten, auch wohl in Nordamerika, in all diesen Ländern verträgt man eine reichlichere Dosis Superlativ als bei uns, empfindet man oftmals nur als angenehme Temperaturerhöhung, was bei uns schon ein Fieber bedeutet. Vielleicht ist gerade das der Grund oder doch ein zusätzlicher Grund dafür, daß der Superlativ in der LTI mit so ungemeiner Heftigkeit auftritt; Seuchen sollen ja immer dort am heftigsten wüten, wo sie zum erstenmal grassieren.

Nun könnte man wohl sagen, diese Sprachkrankheit habe Deutschland schon einmal durchgemacht: im siebzehnten Jahrhundert unter italienisch-spanischem Einfluß; aber der damalige Schwulst war eine harmlose Geschwulst, ganz ohne das Gift der willentlichen Volksverführung.

Der bösartige Superlativ der LTI ist für Deutschland eine erstmalige Erscheinung, deshalb wirkt er vom ersten Augenblick an verheerend, und danach liegt es eben zwanghaft in seiner Natur, daß er sich immerfort bis zur Sinnlosigkeit, bis zur Wirkungslosigkeit, ja bis zur Bewirkung des seiner Absicht entgegengesetzten Glaubens übersteigern muß. Wie oft habe ich in meinem Tagebuch notiert, dieser und jener Goebbelssatz sei allzu plump gelogen, der Mann sei durchaus kein Genie der Reklame; wie oft habe ich Witze über Goebbels' Maul und Stirn, wie oft erbitterte Scheltworte über die Unverschämtheit seiner Lügen als „Stimme des Volkes" aufgeschrieben, aus der Hoffnung zu schöpfen sei. –

Aber es gibt keine *vox populi,* sondern nur *voces populi,* und welche von diesen verschiedenartigen Stimmen nun die wahre, ich meine: die den Gang der Ereignisse bestimmende ist, das läßt sich immer nur hinterher feststellen. Und nicht einmal das läßt sich mit voller Sicherheit sagen, ob alle, die über Goebbels' allzu starke Lügen lachten oder schalten, nun auch wirklich unberührt von ihnen blieben. Wie oft habe ich während meiner Lektorzeit in Neapel von dem und jenem Blatt sagen hören: *è pagato,* es ist bezahlt, es lügt für seinen Auftraggeber, und am nächsten Tag wurde irgendeine offenkundige Lügennachricht desselben Blattes von den Pagatoschreiern felsenfest geglaubt. Weil sie so dick gedruckt war und weil sie von andern Menschen geglaubt wurde. 1914 stellte ich jedesmal mit ruhiger Gewißheit fest, dies entspreche eben der Naivität und dem Temperament des Neapolitaners, es heißt ja schon bei Montesquieu, in Neapel sei man in höherem Grade Volk als anderwärts, *plus peuple qu'ailleurs.* Seit 1933 weiß ich unumstößlich,

was ich seit langem ahnte und nicht wahrhaben wollte, daß es überall ein leichtes ist, solch ein *plus peuple qu'ailleurs* heranzuzüchten; und ich weiß auch, daß in jedem Gebildeten eine Seelenschicht Volk steckt, daß mir all mein Wissen um das Belogenwerden, daß mir all meine kritische Aufmerksamkeit im gegebenen Augenblick gar nicht hilft: Irgendwann überwältigt mich die gedruckte Lüge, wenn sie von allen Seiten auf mich eindringt, wenn ihr rings um mich her nur von wenigen, von immer wenigern und schließlich von keinem mehr Zweifel entgegengebracht werden.
Nein, es ist mit dem Fluch des Superlativs doch nicht so einfach, wie sich's die Logik vorstellt. Gewiß, das Prahlen und Lügen überschlägt sich, es wird als Prahlen und Lügen erkannt, und die Goebbelspropaganda wurde zuletzt für manchen zur wirkungslosen Dummheit. Aber ganz ebenso gewiß: die als Prahlen und Lüge erkannte Propaganda wirkt dennoch, wenn man nur die Stirn hat, sie unbeirrt fortzusetzen; der Fluch des Superlativs ist doch nicht immer Selbstzerstörung, sondern oft genug Zerstörung des ihm entgegenstehenden Intellekts; und Goebbels war doch vielleicht begabter, als ich ihm zugestehen wollte, und die wirkungslose Dummheit war weder ganz so dumm noch ganz so wirkungslos.
Tagebuch, *18. Dezember 1944.* Mittags ist eine Sondermeldung durchgekommen, die erste seit Jahren! Ganz im Stil der Offensivzeit und der „Vernichtungsschlachten": „Zum Großangriff aus dem Westwall heraus überraschend angetreten ... nach kurzer, aber gewaltiger Feuervorbereitung ... erste amerikanische Stellung überrannt..." Volkommen ausgeschlossen, daß hier mehr dahinter steckt als verzweifelter Bluff. Carlos-Schluß: „Dies hier sei mein letzter Betrug." — „Es ist dein letzter."
20. Dezember ... Schließlich spricht Goebbels schon seit Wochen vom erstarkten deutschen Widerstand, in der Presse der Alliierten heiße dies „das deutsche Wunder". Und es ist auch wunderbar, und der Krieg kann noch Jahre dauern ...

XXXI

Aus dem Zug der Bewegung...

Am 19. Dezember 1941 richtet der Führer und nunmehrige Generalissimus einen Aufruf an die Ostfront, dessen wichtigste Sätze derart lauten: „Die Armeen im Osten müssen nach ihren unvergänglichen und in der Weltgeschichte noch nie dagewesenen Siegen gegen den gefährlichsten Feind aller Zeiten nunmehr unter der Einwirkung des plötzlichen Wintereinbruchs aus dem Zug der Bewegung in eine Stellungsfront gebracht werden ... Meine Soldaten! Ihr werdet es ... verstehen, daß mein Herz ganz euch gehört, daß mein Verstand und meine Entschlußkraft aber nur die Vernichtung des Gegners kennen, d. h. die siegreiche Beendigung dieses Krieges ... Der Herrgott wird den Sieg seinen tapfersten Soldaten nicht verweigern!“

Dieser Aufruf bedeutet die entscheidende Zäsur nicht nur in der Geschichte des zweiten Weltkrieges, sondern auch in der Geschichte der LTI, und als Sprachzäsur ist er mit einem Doppelpfahl in das geschwollene Gewebe der üblichen, hier zum Barnumstil gesteigerten Prahlereien gerammt.

Es wimmelt von Superlativen des Triumphes — aber ein Präsens hat sich in ein Futurum verwandelt. Seit dem Anfang des Krieges sieht man überall ein fahnenreiches Plakat und darauf die zuversichtliche Aussage: „Mit unsern Fahnen ist der Sieg!“ Bisher hat man den Alliierten immer wieder versichert, daß sie bereits endgültig besiegt seien, ganz besonders den Russen ist nachdrücklich erklärt worden, daß es unmöglich für sie sei, nach ihren Niederlagen noch einmal offensiv zu werden. Und nun wird der absolute Sieg in eine unbestimmte Ferne gerückt, man muß erst den Herrgott um ihn bitten. Von nun an kommt das Wort der Sehnsucht und des Hinhaltens in Schwung, der Endsieg, und bald taucht die Formel auf, an die sich im ersten Weltkrieg die Franzosen klammerten: *on les aura.* Man übersetzt es: „Der Sieg wird unser sein“ und schreibt den Satz unter ein Plakat und eine Marke, darauf der

Reichsadler sich müht, der feindlichen Schlange Herr zu werden.
Aber nicht nur im Tempuswechsel drückt sich die Zäsur aus. Alle großen Werke verdecken nicht, daß nun das Vorwärts in ein Rückwärts verwandelt ist, daß man nach Positionen der Anklammerung sucht. „Bewegung" zu „Stellungsfront" erstarrt: innerhalb der LTI bedeutet das unvergleichlich viel mehr als in jeder andern Sprache. In so vielen Schriften und Artikeln, in so vielen Wendungen und Zusammenhängen hat man erklärt, daß Stellungskrieg ein Kunstfehler, eine Schwäche, ja eine Sünde sei, in die das Heer des Dritten Reichs niemals verfallen werde, niemals verfallen könne, weil Bewegung den Kern, die Eigenart schlechthin, das Leben des Nationalsozialismus bedeute, der nach seinem „Aufbruch" — heiliges, der Romantik entlehntes Wort der LTI! — niemals zur Ruhe kommen dürfe. Man will nicht skeptisch, nicht wägend liberal sein, will nicht willensschwach sein wie die vorangegangene Epoche; will nicht die Dinge auf sich wirken lassen, sondern selber auf die Dinge wirken; man will handeln und „das Gesetz des Handelns" (wieder eine Lieblingsformel, von Clausewitz stammend und im Kriege bis zum Überdruß und zur peinlichsten Lächerlichkeit zitiert) niemals aus den Händen geben. In gehobenem Stil und als Bildungsausweis: man will „dynamisch" sein.
Der Futurismus Marinettis hat auf die italienischen Faschisten und durch sie hindurch auf die Nationalsozialisten bestimmenden Einfluß gewonnen, und ein deutscher Expressionist, wenn auch die Mehrzahl seiner anfänglichen Literaturfreunde dem Kommunismus zugewandt ist, Johst, wird es zum Präsidenten der nazistischen Dichterakademie bringen. Tendenz, gespannte Bewegung auf ein Ziel hin, ist Pflichtgebot, elementares und allgemeines. So sehr ist Bewegung das Wesen des Nazismus, daß er sich selber geradezu als „die Bewegung" bezeichnet, und seine Geburtsstadt München als „die Hauptstadt der Bewegung", und daß er, der sonst für alles ihm Wichtige nach tönenden, nach gesteigerten Worten sucht, das Wort Bewegung in all seiner Schlichtheit beläßt.
Sein ganzer Sprachschatz ist von dem Willen zur Bewegung, zum Handeln beherrscht. Sturm ist sozusagen sein erstes und sein letztes Wort: mit der Heranbildung der SA, der Sturmabteilungen, fängt man an, mit dem Volkssturm, der im buch-

stäblichen Sinn volksnäheren Variante des Landsturms von 1813, steht man am Ende. Die SS hat ihren Reitersturm, das Heer seine Sturmtrupps und Sturmgeschütze, das Blatt der Judenhetze betitelt sich der „Stürmer“. „Schlagartige Aktionen“ sind die ersten Heldentaten der SA, und Goebbels' Blatt heißt der „Angriff“. Der Krieg muß ein Blitzkrieg sein, Sport jeder Art speist die allgemeine LTI aus seiner Sondersprache.

Der Wille zum Handeln schafft neue Tätigkeitsworte. Man will die Juden loswerden und entjudet, man will das Geschäftsleben ganz in arische Hände legen und arisiert, man will das Blut der Ahnen zur Reinheit zurückentwickeln und nordet es auf. Intransitive Verba, denen die Technik neue Bereiche zugewiesen hat, werden zu transitiven aktiviert: man fliegt eine schwere Maschine, man fliegt Stiefel und Proviant, man friert Gemüse im neuen Verfahren der Tiefenkühlung, wo man früher umständlicher von gefrieren machen sprach.

Hier wirkt wohl auch die Absicht mit, sich straffer und eiliger auszudrücken als sonst üblich, die gleiche Absicht, die den Berichterstatter zum Berichter, den Lastwagen zum Laster, das Bombenflugzeug zum Bomber macht und deren letzte Konsequenz an die Stelle des Wortes die Abbreviatur setzt. So daß also Lastwagen, Laster, LKW einer normalen Steigerung vom Positiv zum Superlativ entspricht. Und schließlich ist die gesamte Tendenz zum Superlativgebrauch und in allerletzter Erweiterung die gesamte Rhetorik der LTI auf das Prinzip der Bewegung zurückzuführen.

Und nun soll dies alles aus dem Zug der Bewegung in Stillstand (und Rückwärtsbewegung) übergeführt werden! Charlie Chaplin erzielte seine komischste Wirkung, wo er aus eiligster Flucht heraus übergangslos zur Unbeweglichkeit einer gegossenen oder geschnitzten Vestibülfigur erstarrte. Die LTI darf nicht lächerlich werden, sie darf nicht erstarren, sie darf nicht zugeben, daß ihr Aufwärts zum Abwärts geworden ist. Der Aufruf an die Ostarmee leitet das Bemühen um Verschleierung ein, das die letzte Phase der LTI charakterisiert. Natürlich hat es Verschleierung (Tarnung lautet seit dem ersten Weltkrieg der moderne Märchenausdruck dafür) von Anfang an gegeben; aber bis zu diesem Augenblick war es Verschleierung des Verbrechens — „seit heute morgen erwidern wir das Feuer des Gegners“, heißt das erste Kriegs-

bulletin —, und von nun an ist es Verschleierung der Ohnmacht.
Vor allem muß das prinzipfeindliche Wort Stellungsfront zugescharrt, muß die unselige Erinnerung an den endlosen Stellungskampf des ersten Weltkriegs vermieden werden. Sie darf diesmal sowenig auftauchen, wie die Kohlrüben von dazumal auf den Tisch kommen dürfen. So wird die LTI jetzt um die dauernde Wendung „beweglicher Verteidigungskrieg" vermehrt. Müssen wir schon zugeben, daß wir in die Verteidigung gedrängt sind, so wahren wir durch das Beiwort unsre tiefste Wesensart. Auch wehren wir uns nicht aus der Enge eines Schützengrabens heraus, wir kämpfen vielmehr mit weiter räumlicher Freiheit in und vor einer Riesenfestung. Unsere Festung heißt Europa, und eine Zeitlang ist viel die Rede vom „Vorfeld Afrika". Vorfeld ist unter dem Gesichtspunkt der LTI eine doppelt glückliche Vokabel: einmal bekundet es die uns verbliebene Bewegungsfreiheit, und zum andern deutet es schon an, daß wir die afrikanische Position vielleicht aufgeben werden, ohne damit Entscheidendes aufzugeben. Später wird aus der Festung Europa: die Festung Deutschland werden, und ganz zuletzt ist es die Festung Berlin — wahrhaftig! an Bewegung hat es dem deutschen Heer auch im späteren Krieg nicht gefehlt. Daß es sich dabei aber um ein ständiges Rückwärts handelte, wurde niemals kraß heraus gesagt, darüber breitete sich Schleier um Schleier, die Worte Niederlage und Rückzug, geschweige denn Flucht, bleiben unausgesprochen. Für Niederlage sagte man Rückschlag — das klingt weniger definitiv; statt zu fliehen, setzte man sich nur vom Feinde ab; Durchbrüche gelangen ihm nie, immer nur Einbrüche, schlimmstenfalls „tiefe Einbrüche", die „aufgefangen", die „abgeriegelt" wurden, weil wir eben eine „elastische Front" besaßen. Von Zeit zu Zeit wurde dann — freiwillig, und um dem Gegner einen Vorteil aus der Hand zu nehmen, eine „Frontverkürzung" oder „Frontbegradigung" durchgeführt.
Solange diese strategischen Maßnahmen im Ausland erfolgten, brauchte die Masse des Volkes keineswegs ihren Ernst zu erfahren. Noch im Frühjahr 1943 (im „Reich" vom 2. Mai) durfte Goebbels ein graziöses Diminutiv lancieren: „An der Peripherie unserer Kriegsführung sind wir hier und da etwas anfällig." Anfällig sagt man von Leuten, die zu Erkältungen

oder Magenverstimmungen neigen, aber bestimmt nicht von ernstlich leidenden und ernstlich gefährdeten Personen. Und selbst die Anfälligkeit wurde von Goebbels einigermaßen in eine bloße Überempfindlichkeit unserer-, und Ruhmredigkeit feindlicherseits umgelogen: die Deutschen seien eben durch eine lange Serie von Siegen so verwöhnt, daß sie seelisch allzu stark auf jeden Rückschlag reagierten, während sich die prügelgewohnten Feinde der kleinsten „peripherischen Erfolge" übermäßig laut rühmten.

Die Fülle all dieser Schleierworte ist um so erstaunlicher, als sie ja im grellen Gegensatz zu der sonstigen, der eingeborenen und prinzipiellen Armut der LTI steht. Sogar an einigen bescheidenen Bildern, natürlich nicht selbsterfundenen, hat es hier nicht gefehlt. Dem *général Danube*, der sich dem Feldherrn Napoleon bei Aspern in den Weg stellte, bildete der Feldherr Hitler den General Winter nach, der eine vielzitierte Persönlichkeit wurde und auch etliche Söhne zeugte — mir fällt nur der General Hunger ein, aber ich bin bestimmt noch anderen allegorischen Generalen begegnet. Schwierigkeiten, die sich nicht ableugnen ließen, hießen die längste Zeit Engpässe, ein Ausdruck, der fast so glücklich gewählt ist wie das Vorfeld, denn auch hier ist die Idee der Bewegung (des Sichhindurchdrängens) sofort gegeben. Einmal hebt das ein sprachfühliger Korrespondent geschickt heraus, indem er das metaphorisch verblaßte Wort in seine alte Realität zurückversetzt. Er berichtet von einer Panzerkolonne, die sich in einen Engpaß zwischen Minenfeldern gewagt habe.

Man reichte sehr lange mit dieser milden Umschreibung der Notlage, da ja die Feinde im völligen Gegensatz zur deutschen Blitzkriegsgewohnheit nur „Schneckenoffensiven" starteten und nur im „Schneckentempo" von der Stelle kamen. Erst im letzten Jahr, als die Katastrophe sich gar nicht mehr verbergen ließ, gab man ihr einen etwas deutlicheren Namen, einen verschleierten natürlich auch dann noch: jetzt hießen Niederlagen: Krisen, aber das Wort trat nie für sich allein auf, sondern entweder wurde der Blick von Deutschland auf die „Weltkrise" oder die „Krise der abendländischen Menschheit" abgelenkt, oder man bediente sich der rasch stereotyp gewordenen Wendung: „gemeisterte Krise". Man meisterte sie, indem man sich „freikämpfte". Sich freikämpfen war der Schleierausdruck für das Entkommen einiger Regimenter aus

Umklammerungen, in denen Divisionen verlorengingen. Man meisterte die Krise auch, indem man sich von den Feinden nicht etwa über die deutsche Grenze zurückwerfen ließ, sondern freiwillig loslöste und sie absichtlich „hereinließ", um die zu weit Vorgedrungenen dann um so sicherer zu vernichten. „Wir haben sie hereingelassen — am 20. April wird es anders!", das hab' ich noch im April 1945 sagen hören.
Und endlich war da, zur Formel erstarrt, zum Zauberwort geworden, die „neue Waffe", das magische steigerungsfähige Zeichen V. Wenn es V 1 nicht schaffte, wenn V 2 wirkungslos blieb —, warum sollte die Hoffnung nicht ausharren, V 3 und V 4 entgegen?
Hitlers letzter Verzweiflungsschrei heißt: „Wien wird wieder deutsch, Berlin bleibt deutsch, und Europa wird niemals russisch." Jetzt, wo er ganz am Ende ist, verwischt er sogar jenes Futurum des Endsieges, das so lange schon das ursprüngliche Präsens verdrängt hatte. Wien wird wieder deutsch — als heraufsteigende Gegenwart muß den Gläubigen suggeriert werden, was schon in die Ferne des Unmöglichen entrückt ist. Irgendein V schafft es doch noch!
Seltsame Rache des magischen Buchstabens: V war zuerst die Geheimformel, an der sich die illegalen Freiheitskämpfer der geknechteten Niederlande erkannten, V bedeutete Vrijheid, Freiheit. Die Nazis bemächtigten sich des Zeichens, deuteten es in „Victoria" um und zwangen schamlos die schlimmer als Holland tyrannisierte Tschechoslowakei, auf ihren Poststempeln, an den Türen ihrer Autos, ihrer Eisenbahnabteile, überall das prahlerische und längst schon verlogenen Siegeszeichen vor Augen zu haben. Und dann, in der letzten Kriegsphase, wurde aus V die Abbreviatur für Vergeltung, das Zeichen der „neuen Waffe", die alles Deutschland angetane Leid rächen und beenden sollte. Aber die Alliierten rückten unaufhaltsam vor, es fehlte an Möglichkeit, weitere V-Geschosse nach England zu senden, es fehlte an Möglichkeit, die deutschen Städte vor Bomben der Gegner zu schützen. Als unser Dresden zerstört wurde, fiel deutscherseits kein einziger Abwehrschuß mehr, stieg deutscherseits kein einziges Flugzeug mehr auf — die Vergeltung war da, aber sie traf Deutschland.

XXXII

Boxen

In Rathenaus Briefen heißt es einmal, er selbst sei für einen Verständigungsfrieden gewesen, Ludendorff dagegen habe seinem eigenen Ausdruck nach „auf Sieg kämpfen“ wollen. Die Wendung ist vom Rennplatz geholt, wo man auf Sieg oder auf Platz wettet. Der zum Ästhetentum neigende Rathenau setzt sie in einigermaßen naserümpfende Anführungsstriche, er hält sie offenbar für unwürdig, auf die Kriegslage angewandt zu werden, obwohl sie aus altadliger Sportart stammt; der Pferdesport war von jeher Sache der Aristokratie und des feudalsten Offizierskorps, unter den Herrenreitern befanden sich Leutnants und Rittmeister mit den tönendsten Adelsnamen. Für Rathenaus Feinfühligkeit verwischt das nicht den ungeheuren Unterschied zwischen Sportspiel und blutigem Kriegsernst.
Im Dritten Reich legt man es stark auf die Verdeckung dieses Unterschiedes an. Was nach außen das Gesicht eines unschuldigen Friedensspiels zur Erhaltung der Volksgesundheit zu wahren hat, muß tatsächlich eine Vorbereitung zum Kriege sein und auch im Bewußtsein des Volkes als etwas derart Ernstes geschätzt werden. Es gibt jetzt eine Hochschule für Sport, ein Sportakademiker ist jedem anderen Akademiker mindestens gleichgestellt — in den Augen des Führers ihm sicherlich überlegen. Die Aktualität dieser Wertschätzung dokumentiert sich um die Mitte der dreißiger Jahre in der Benennung von Zigaretten und Zigarillos und wird durch sie gefördert: man raucht „Sportstudent“ und „Wehrsport“ und „Sportbanner“ und „Sportnixe“.
Einen weiteren Faktor der Popularisierung und Glorifizierung des Sports bildete die Olympiade des Jahres 1936. Dem Dritten Reich ist soviel daran gelegen, bei dieser internationalen Veranstaltung vor den Blicken der Welt als führender Kulturstaat zu erscheinen, und es stellt, wie gesagt, seiner gesamten Mentalität nach die physische Leistung so ganz ebenbürtig neben die geistige, nein, über sie, daß es diese

Olympiade mit einem ungemeinen Glanz umgibt, einem so ungemeinen, daß er für einen Augenblick sogar Rassenunterschiede in der Blendung verschwinden läßt: die „blonde He“, die Jüdin Helene Meyer, darf ihr Florett für den Sieg des deutschen Fechtsports einsetzen, und der Hochsprung eines amerikanischen Negers wird gefeiert, als wäre ein Arier und nordischer Mensch gesprungen. So kann auch eine Phrase der „Berliner Illustrierten“ lauten: „Der Welt genialster Tennisspieler“, und gleich darauf darf sie ruhigen Ernstes eine Olympialeistung mit den Taten des ersten Napoleon vergleichen.

Eine dritte Erhöhung und Verbreitung seines Ansehens erfährt der Sport durch jene Bedeutung, die man der Automobilindustrie verleiht, durch „die Straßen des Führers“ und all die heroisierten Wagenrennen im In- und Ausland, wobei denn alle Gründe, die für den Wehrsport und die Olympiade wirken, gemeinsam ins Spiel kommen und dazu noch das Problem der Arbeitsbeschaffung ins Gewicht fällt.

Aber lange bevor Wehrsport und Olympiade und Straßen des Führers in die Erscheinung treten können, ist ein sehr einfaches und brutales Verlangen in Adolf Hitler vorhanden. Wo er im Kampfbuch die „Erziehungsgrundsätze des völkischen Staates“ auseinandersetzt und ausführlich über den Sport redet, verweilt er am längsten beim Boxen. Die Betrachtung gipfelt in diesem Satz: „Würde unsere gesamte geistige Oberschicht einst nicht so ausschließlich in vornehmen Anstandsregeln erzogen worden sein, hätte sie an Stelle dessen durchgehends Boxen gelernt, so wäre eine deutsche Revolution von Zuhältern, Deserteuren und ähnlichem Gesindel niemals möglich gewesen.“ Einen Moment vorher hat Hitler den Boxsport gegen den Vorwurf besonderer Roheit in Schutz genommen —, wahrscheinlich mit Recht, ich bin nicht Fachmann; aber so wie er selber vom Boxen spricht, macht er daraus eine proletenhafte (nicht proletarische, nicht volkstümliche) Angelegenheit, die Begleiterscheinung oder den Abschluß eines wütenden Schimpfens.

Dies alles muß man in Erwägung ziehen, wenn man die Rolle begreifen will, die der Sport in der Sprache „unseres Doktors“ spielt. Jahrelang wird Goebbels „unser Doktor“ genannt, jahrelang zeichnet er selber jeden Artikel mit dem Doktortitel, und innerhalb der Partei kommt seinem akademischen Rang keine geringere Bedeutung bei, als sie die geistlichen Doktoren in der Aufbauzeit der Kirche besaßen. Unser Doktor ist der Sprach- und Gedankenformer der Masse, mag er auch Parolen vom Führer nehmen, mag auch Rosenberg als Parteiphilosoph einer besonderen Dienststelle vorstehen, die unter anderem ein „Institut für die Erforschung des Judentums“ in sich schließt.

Seinen Leitsatz nennt Goebbels 1934 auf dem „Parteitag der Treue“, der seinen Namen zur Verwischung und Übertäubung der Röhmrevolte erhalten hatte: „Wir müssen die Sprache sprechen, die das Volk versteht. Wer zum Volke reden will, muß, wie Martin Luther sagt, dem Volke aufs Maul sehen.“ Der Ort, an dem der Eroberer und Gauleiter der Reichshauptstadt — so volltönend wird Berlin in allen offiziellen Berichten bis zuletzt bezeichnet werden, auch dann noch, als die einzelnen Stücke des Reiches längst in Feindeshand sind und Berlin nur noch eine halb zertrümmerte, von der Außenwelt abgeschnittene, sterbende Stadt ist —, der Ort, an dem Goebbels am häufigsten zu den Berlinern spricht, ist der Sportpalast, und die Bilder, die ihm die volkstümlichsten scheinen und zu denen er am leichtesten greift, entnimmt er dem Sport. Auf den Gedanken, daß es eine Herabwürdigung kriegerischen Heldentums sein könnte, mit sportlicher Leistung verglichen zu werden, verfällt er niemals; Krieger und Sportler begegnen sich im Gladiatorentum, und Gladiatorentum ist für ihn Heroismus.

Jede Sportart ist ihm recht, sich auszudrücken, und oft hat man den Eindruck, diese Vokabeln seien ihm derart geläufig, daß er gegen ihre Bildhaftigkeit ganz abgestumpft ist. Ein Satz vom September 1944: „Uns wird der Atem nicht ausgehen, wenn es zum Endspurt kommt“ — ich glaube gar nicht, daß Goebbels dabei den Läufer oder Radler in der Anstrengung des letzten Vorstoßes wirklich vor Augen hat. Anders liegt es bei der Versicherung: Sieger werde, „wer auch nur um Haupteslänge vor den anderen durchs Zielband geht“. Hier ist das Bild in seiner Ausgeführtheit ernsthaft metaphorisch angewandt. Und wird in diesem Fall der Rennsport gewissermaßen nur durch die Aufnahme einer Schlußszene herangezogen, so entwickelt sich ein andermal ein ganzes Meeting, wobei kein terminus technicus des Fußballsports gescheut wird. Am 18. Juli 1943 schreibt Goebbels im „Reich“: „Wie die Sieger eines großen Fußballkampfes in einer anderen Verfassung das Spielfeld verlassen, als sie es betreten haben, so wird auch ein Volk wesentlich anders aussehen, ob es einen Krieg beendet oder damit beginnt ... Die militärische Auseinandersetzung konnte in dieser (ersten) Kriegsphase in keiner Weise als offen angesprochen werden. Wir kämpften ausschließlich im gegnerischen Strafraum ..." Und jetzt fordere man von den Achsenpartnern Kapitulation! Das sei genau so, „wie wenn der Spielführer einer unterlegenen an den Spielführer der siegenden Mannschaft das Ansinnen stellt, das Spiel bei einem Vorsprung von etwa 9:2 abzubrechen ... Man würde eine Mannschaft, die darauf einginge, mit Recht auslachen und anspucken. Sie hat schon gesiegt, sie muß ihren Sieg nur verteidigen."

Manchmal mischt unser Doktor Ausdrücke aus verschiedenen Sportzweigen. Im September 1943 doziert er, daß sich Stärke nicht nur im Geben, sondern auch im Nehmen bewähre und daß man keinem ein Weichwerden in den Knien verraten dürfe. Denn sonst, fährt er fort, indem er aus dem Boxsport zum Radsport abschwenkt, kommt man „in Gefahr, abgehängt zu werden".

Die weitaus meisten, die einprägsamsten und dazu die allerrohesten Bilder aber sind durchweg dem Boxsport entnommen. Alles Erwägen, wie das Verhältnis zur Sport- und speziell zur Boxsprache zustande gekommen, hilft da nichts: man steht fassungslos vor dem totalen Mangel an menschlichem Gefühl, der sich hier offenbart. Nach der Katastrophe von Stalingrad, die so viele Menschenleben verschlungen hat, findet Goebbels keinen besseren Ausdruck ungebrochener Tapferkeit als diesen Satz: „Wir wischen uns das Blut aus den Augen, damit wir klar sehen können, und geht es in die nächste Runde, dann stehen wir wieder fest auf den Beinen." Und ein paar Tage darauf: „Ein Volk, das bisher nur mit der Linken geboxt hat und eben dabei ist, seine Rechte zu bandagieren, um sie in der nächsten Runde rücksichtslos in Gebrauch zu nehmen, hat keine Veranlassung, nachgiebig zu werden." Im nächsten Frühjahr und Sommer, als überall Deutschlands Städte zusammenbrechen und ihre Einwohner unter sich begraben, als die Hoffnung auf den Endsieg mit den unsinnigsten Vorspiegelungen aufrechterhalten werden muß, findet Goebbels dafür diese Bilder: „Ein Boxer pflegt nach Erringung der

Weltmeisterschaft, auch wenn sein Gegner ihm dabei das Nasenbein eingeschlagen hat, nicht schwächer zu sein als vordem." Und: „... was tut selbst der feinste Herr, wenn ihn drei ordinäre Flegel anfallen, die nicht nach Komment, sondern nach Erfolg boxen? Er zieht den Rock aus und krempelt die Ärmel hoch." Dies ist die genaueste Nachahmung der proletenhaften Boxverehrung, wie sie Hitler betreibt, und dahinter verbirgt sich nun gewollt offenkundig die Vertröstung auf die unkommentmäßige, die neue Waffe.
Ich will allen Kraßheiten der Goebbelsschen Propaganda recht geben, die Dauer und Ausgedehntheit ihrer Wirkung hat für sie gesprochen. Aber daß die Bilder vom Boxsport völlig ihren Zweck erfüllt haben, vermag ich nicht zu glauben. Gewiß, sie haben die Gestalt unseres Doktors populär gemacht, und sie haben den Krieg populär gemacht —, aber in einem anderen als dem erstrebten Sinn: sie haben ihm alles Heroische genommen, sie haben ihm die Roheit und im letzten die Gleichgültigkeit des Landsknechtsberufes aufgeprägt...
Im Dezember 1944 brachte das „Reich" einen Trostartikel zur Lage von dem damals angesehenen Literaten Schwarz van Berk. Die Betrachtung war betont leidenschaftslos gehalten. Ihre Überschrift lautete: „Kann Deutschland in diesem Krieg technisch ausgepunktet werden? Ich wette Nein." Es wäre durchaus verkehrt, hier noch von Herzensroheit reden zu wollen wie bei den Sätzen, die Goebbels für das Stalingrader Unglück fand. Nein, es ist nur jedes Gefühl dafür erstorben, daß zwischen Boxsport und Kriegführen ein unermeßlicher Unterschied besteht, der Krieg hat alle tragische Größe verloren...
Vox populi — — immer wieder die Frage des Miterlebenden, welche von den vielen Stimmen die entscheidende sein wird! In den letzten Wochen unserer Flucht und des Krieges trafen wir am Eingang eines oberbayrischen Dorfes bei Aichach auf Leute, die mit dem Ausheben tiefer Löcher beschäftigt waren. Neben den Schaufelnden standen Zuschauer, teils uniformierte Invaliden dieses Krieges, Einarmige und Einbeinige, teils grauhaarige Zivilisten in hohen Jahren. Eine allgemeine Unterhaltung war im Gang; es war klar, daß es sich um Volkssturmmänner handelte, die aus diesen Löchern heraus die Panzerfaust auf die anrollenden Wagen feuern sollten. Ich hatte in diesen Tagen, da alles zusammenbrach, wiederholt

Bekenntnisse der wundergläubigsten Siegeszuversicht gehört; hier tat sich ganz unverhüllt die Überzeugung und gar die freudige Überzeugung kund, daß aller Widerstand unnütz und der unsinnige Krieg heute oder morgen zu Ende sei. „Da hineinspringen — ins eigene Grab? ... Ich nicht!" — „Und wenn sie dich hängen?" — „Gut, ich klettere hinunter, aber ich nehme ein Handtuch mit." — „Das sollten wir alle tun. Als weiße Flagge hochhalten." — „Noch besser und eindrucksvoller (sind doch Amerikaner, sind doch Sportsleute) — das Zeug ihnen entgegenwerfen, so wie man ein Handtuch in den Ring wirft..."

XXXIII

Gefolgschaft

Immer wenn ich das Wort Gefolgschaft höre, sehe ich unsern Gefolgschaftssaal bei Thiemig & Möbius vor mir, und zwar in zwei Bildern. Dauernd auf die Wand über die Tür gemalt steht in großen Lettern „Gefolgschaftssaal". Entweder nun hängt darunter an einem Nagel im Türrahmen ein Schild mit der Aufschrift „Juden!", und am benachbarten WC hängt das gleiche Warnungsschild. In diesem Fall enthält der sehr lange Saal ein riesiges Tischhufeisen mit den dazugehörigen Stühlen, Garderobenhaken über eine halbe Längswand hin, an einer Schmalwand ein Rednerpult und einen Flügel, und sonst nichts als die gleiche elektrisch regulierte Uhr, die in allen Fabrik- und Kontorräumen hängt. Oder aber die beiden Schilder an der Saaltür und am WC sind verschwunden: dann ist das Rednerpult drinnen in Hakenkreuztuch gehüllt, und Hakenkreuzfahnen flankieren ein großes Hitlerbild über dem Podium, und eine Girlande zieht sich, mit Hakenkreuzfähnchen durchwirkt, in Manneshöhe über der Wandtäfelung rings um den Saal. Wenn das der Fall ist — die Veränderung vom kahlen zum festlichen Zustand pflegt in den Vormittagsstunden vor sich zu gehen —, dann halten wir unsere halbstündige Mittagspause vergnügter als sonst ab; denn dann dürfen wir eine Viertelstunde früher als sonst nach Hause, weil der Saal gleich nach dem allgemeinen Arbeitsschluß judenrein sein und seiner kultischen Bestimmung zurückgegeben sein muß.

Dies alles hängt einerseits mit den Vorschriften der Gestapo und andererseits mit der Menschlichkeit unseres Chefs zusammen, die ihm viele Unannehmlichkeiten und Gefahren und uns manches Stück Pferdewurst aus der arischen Kantine und zuletzt doch auch wieder dem Chef Gutes eingetragen hat. Die Gestapo hatte strengste Absonderung der Juden von den arischen Arbeitern befohlen. Bei der Arbeit selbst war das nicht oder doch nur unvollständig durchzuführen; um so strenger war es für Garderobe und Eßraum einzuhalten. Herr M. hätte uns sehr wohl in irgendeinen düsteren und engen

Kellerraum stecken können; statt dessen überließ er uns den lichten Festsaal.

Wie viele Probleme und Aspekte der LTI sind mir in diesem Saal durch den Kopf gegangen, wenn ich den ewigen Streitereien der anderen, bald um die Grundfrage Zionismus oder Deutschtum trotz alledem, bald und öfter und erbitterter um das Privileg der Sternlosen, bald um das Nichtigste, zuhörte. Aber was mich alle Tage von neuem anfaßte, was durch keinen andern Gedankengang in diesem Raum ganz verwischt, durch kein Gezänk übertönt werden konnte, das war das Wort Gefolgschaft. Die ganze Gefühlsverlogenheit des Nazismus, die ganze Todsünde des bewußten Umlügens der vernunftunterstellten Dinge in die Gefühlssphäre und des bewußten Verzerrens im Schutz der sentimentalen Vernebelung: all das drängt sich in meiner Erinnerung in diesem Saal zusammen, so wie dort bei festlichen Gelegenheiten nach unserem Verschwinden die arische Gefolgschaft der Firma zusammengestanden haben wird.

Gefolgschaft! Was waren denn die Leute, die dort zusammenstanden, in Wahrheit? Arbeiter und Angestellte waren sie, die gegen eine bestimmte Entlohnung bestimmte Pflichten erfüllten. Alles zwischen ihnen und ihren Arbeitgebern war gesetzlich geregelt; möglich, aber durchaus unnötig und vielleicht sogar störend, daß zwischen den Chefs und einzelnen von ihnen auch irgendeine Herzensbeziehung bestand. — Regulativ für alle war jedenfalls das unpersönlich kühle Gesetz. Und nun im Gefolgschaftssaal wurden sie aus der Klarheit dieses Regulativs herausgenommen und durch ein einziges Wort kostümiert und verklärt: Gefolgschaft, das belud sie mit altdeutscher Tradition, das machte sie zu Vasallen, zu waffentragenden und zur Treue verpflichteten Gefolgschaftsleuten adliger, ritterlicher Herren.

War solche Kostümierung ein harmloses Spiel?

Durchaus nicht. Es bog ein friedliches Verhältnis ins Kriegerische; es lähmte die Kritik; es führte unmittelbar zur Gesinnung jenes auf allen Spruchbändern prangenden Satzes: „Führer, befiehl, wir folgen!"

Nur eine ganz kleine Wendung ins Altdeutsche, das durch sein Alter und Nicht-mehr-im-Alltagsgebrauch-Sein poetisch wirkt, bisweilen nur die Streichung einer Silbe — und eine ganz andere Gemütslage des Angeredeten ist erreicht, seine Ge-

danken sind in eine andere Bahn gelenkt, oder sie sind ausgeschaltet, und an ihre Stelle ist eine oktroyierte gläubige Stimmung getreten. Ein Bund der Rechtswahrer ist etwas ungleich Weihevolleres als eine Vereinigung der Rechtsanwälte, Amtswalter klingt ungleich feierlicher als Beamter oder Funktionär, und wenn ich gar über einem Büro „Amtswaltung" statt Verwaltung lese, dann wirkt das einigermaßen sakral. Von einer solchen Dienststelle werde ich nicht pflichtgemäß bedient, sondern „betreut", und wer mich betreut, dem habe ich in jedem Fall dankbar zu sein und darf ihn in keinem Fall durch unbescheidene Ansprüche oder gar durch Mißtrauen kränken.
Aber gehe ich hier nicht zu weit in meiner Anklage gegen die LTI? Betreuen ist ja ein immer im Gebrauch befindlicher Ausdruck gewesen, und das Bürgerliche Gesetzbuch kennt den Treuhänder. Gewiß, aber das Dritte Reich hat betreuen in maßloser Häufigkeit und Überspannung angewandt — im ersten Weltkrieg wurden die Studenten beim Heer mit Studienmaterial versehen und in Kursen fortgebildet, im zweiten wurden sie „fernbetreut" — und hat es in ein System eingereiht.
Zentrum und Ziel dieses Systems war das Rechtsempfinden; vom Rechtsdenken ist niemals die Rede gewesen, auch nie vom Rechtsempfinden allein, sondern nur vom „gesunden Rechtsempfinden". Und gesund war, was dem Willen und Nutzen der Partei entsprach. Mit diesem gesunden Empfinden wurde nach der Grünspan-Affäre der Raub der jüdischen Vermögen motiviert, wobei die Bezeichnung „Buße" wieder einen leicht altdeutschen Klang hatte.
Zur Begründung der wohlorganisierten Brandstiftungen, denen damals die Synagogen zum Opfer fielen, bedurfte es stärkerer, tiefergreifender Worte, da war es mit dem bloßen Empfinden nicht getan. So entstand die Phrase von der kochenden Volksseele. Natürlich war dieser Ausdruck nicht für den Dauergebrauch geschaffen, dagegen blieben die damals erst so recht in Schwang kommenden Vokabeln spontan und Instinkt ein dauernder Besitz der LTI, und besonders der Instinkt spielte bis zuletzt seine dominierende Rolle. Ein wahrhafter Germane reagierte spontan, wenn sein Instinkt angerufen wurden. Nach dem 20. Juli 1944 schrieb Goebbels, das Attentat auf den Führer lasse sich nur erklären aus einem

„Überwuchern der Kräfte des Instinkts durch solche eines diabolischen Intellekts".
Hier ist denn die Bevorzugung alles Gefühlsmäßigen und Instinkthaften durch die LTI auf ihren letzten Grund gebracht: die instinktbegabte Hammelherde folgt ihrem Leithammel, auch wenn er ins Meer springt — (oder, wie bei Rabelais, hineingeschleudert wird, und wer wollte sagen, wieweit Hitler am 1. September 1939 noch freiwillig ins Blutmeer des Krieges sprang und wieweit ihn seine vorangegangenen Fehler und Verbrechen in das Wahnsinnsunternehmen hineinzwangen?). Die Betonung des Gefühlsmäßigen ist der LTI immer erwünscht; die Verknüpfung mit dem Überkommenen tut dabei nur manchmal erwünschten Dienst. Manches ist zu bedenken. Von Anfang an steht der Führer mit den Völkischen als seinen Konkurrenten auf gespanntem Fuß; wenn er sie nachher nicht mehr zu fürchten hat, so kann er ihren Konservatismus und ihre Teutschtümelei doch nur teilweise gebrauchen, er will sich ja auch auf die Industriearbeiter stützen, und Technik und Amerikanismus dürfen nicht zu kurz kommen, geschweige denn geschmäht werden. Freilich bleibt die Verherrlichung des erdgebundenen, traditionsreichen und neuerungsfeindlichen Bauern bis zuletzt die gleiche, und die Bekenntnisformel BLUBO (Blut und Boden) ist ja gerade auf ihn gemünzt, vielmehr von seiner Lebensform abgezogen.
Vom Sommer 1944 ab gewann ein in Deutschland längst historisch gewordenes niederdeutsches Wort neues, trauriges Leben: der Treck. Vordem wußte man bei uns nur noch vom Treck der landsuchenden Buren in Afrika. Jetzt zogen auf allen Landstraßen die Trecks der Umsiedler und Flüchtlinge, die aus dem Osten in deutsches Gebiet heimgeführt wurden. Natürlich steckt auch in diesem „heim" eine Affektation, eine sehr alte sogar, die aus den Zeiten des Unglücks in die der glorreichen Anfänge zurückreicht. Damals hieß es: Adolf Hitler führt die Saar heim!, und noch wohlgelaunte Berliner Schnoddrigkeit ließ Goebbels in die einstigen deutschen Kolonien reisen, um dort den Negerkindern einen Sprechchor einzustudieren: „Wir wollen heim ins Reich!" Und jetzt also zog entwurzeltes Siedlervolk mit allenfalls geretteter Habe in fragwürdigste Verhältnisse heim.
Mitte Juli las ich in einem Dresdener Blatt (ach so, es gab ja außer dem eigentlichen Parteiblatt, dem „Freiheitskampf",

nur noch ein einziges, und deshalb habe ich seinen Titelkopf nicht mitnotiert) den Artikel irgendeines Korrespondenten: „Der Treck der 350000." An dieser Schilderung, die gewiß genauso oder mit geringen Varianten in vielen Blättern erschienen ist, war ein Doppeltes beispielhaft und interessant: sie sentimentalisierte und heroisierte noch einmal das Bauerntum, so wie es in den Erntefesten auf dem Bückeberg während der Friedensjahre verherrlicht worden war, und sie häufte skrupellos alle einschlägigen Würzen der LTI, wobei denn manches im Elend der Zeit nicht mehr verwendete Schmuckwort noch einmal zutage kam. Diese 350 000 deutschen Siedler, die man aus Südrußland in den Warthegau überführte, waren „deutsche Menschen besten deutschen Blutes und aufrechten Deutschtums", sie waren von einer „biologisch unverdorbenen Leistungsfähigkeit" — unter deutscher Führung war die Zahl ihrer Lebendgeburten von 1941 zu 1943 von 17 zu 40 auf das Tausend gestiegen —, sie waren „von unvergleichlicher Bauern- und Siedlungsfreudigkeit", sie waren „erfüllt von fanatischem Eifer für die neue Heimat und Volksgemeinschaft" usw. Die Schlußbemerkung, daß sie nach alledem Anerkennung als „vollwertige Deutsche" verdienten, zumal ihre jungen Leute längst zur Waffen-SS gehörten, ließ freilich darauf schließen, daß es mit ihren deutschen Sprachkenntnissen und ihrer deutschen Kultiviertheit nicht zum besten stünde; immerhin: in diesem „einmaligen" Treck wird das Bauerntum noch einmal mit der anfangs etwas einseitigen Begeisterung für das Traditionelle romantisiert.

An dem verantwortlichen Meister der Propaganda und der LTI überhaupt aber läßt sich deutlich erkennen, wie er um des Ganzen willen die ursprüngliche Verbindung von Tradition und Gefühl aufzulösen weiß. Daß man sich des Volkes nur durch Gefühlswirkung bemächtigt, ist ihm genauso selbstverständlich wie dem Führer. „Was versteht so eine bürgerliche intellektuelle Seele vom Volk?" schreibt er in seinen (sicherlich raffiniert für die Öffentlichkeit hergerichteten) Tagebuchblättern „Vom Kaiserhof zur Reichskanzlei". Allein schon durch die obligate, überall bis zum Überdruß namentlich betonte Beziehung aller Dinge, Verhältnisse, Personen zum Volk — man ist Volksgenosse, Volkskanzler, Volksschädling, volksnah, volksfremd, volksbewußt usw. in infinitum —, allein dadurch schon ist eine ständige Gefühlsbetonung gegeben, die

einigermaßen heuchlerisch und schamlos klingt.
Wo sucht nun Goebbels das Volk, zu dem er sich zählt, um das er weiß? Man kann das negativ bestimmen. Daß ihm nach den gleichen Tagebuchseiten in Berlin die Theater nur „von einer asiatischen Horde auf märkischem Sand" bevölkert werden, will nichts besagen, denn darin tut sich nur üblicher Antiintellektualismus und Antisemitismus bildhaft kund; aufschlußreicher ist ein Wort, das er vielfältig und immer pejorativ in seinem „Kampf um Berlin" gebraucht. Dies Buch ist noch vor der Machtübernahme, doch schon bei großer Siegeszuversicht geschrieben und schildert die Jahre 1926/27, die Zeit, in der Goebbels, aus dem Ruhrgebiet kommend, seiner Partei die Hauptstadt zu erobern beginnt. Das immer wiederkehrende Wort der Abneigung heißt hier „Asphalt".
Der Asphalt ist die künstliche Decke, die den Großstadtbewohner vom natürlichen Boden trennt. Metaphorisch verwendet ihn in Deutschland zuerst (um 1890) die naturalistische Lyrik. Eine „Asphaltblume" bedeutet damals eine Berliner Dirne. Tadel ist damit kaum verbunden, denn die Dirne bildet in dieser Lyrik eine mehr oder minder tragische Persönlichkeit. Bei Goebbels nun blüht eine ganze Asphaltflora auf, und jede ihrer Blüten ist gifthaltig und will das auch zeigen. Berlin ist das Asphaltungeheuer, seine jüdischen Zeitungen, Machwerke der jüdischen „Journaille", sind Asphaltorgane, die revolutionäre Fahne der NSDAP muß man gewaltsam „in den Asphalt einrammen", den Weg ins Verderben (der marxistischen Gesinnung und Vaterlandslosigkeit) „asphaltierte der Jude mit Phrasen und gleisnerischen Versprechungen". Das atemberaubende Tempo dieses „Asphaltungeheuers hat den Menschen herz- und gemütlos gemacht"; so lebt hier eine „formlose Masse des anonymen Weltproletariats", so ist der Berliner Proletarier „ein Stück Heimatlosigkeit"...
Was Goebbels damals durchweg in Berlin vermißt, ist „jede patriarchalische Bindung". Er selber kommt eben aus dem Ruhrgebiet; mit Industriearbeitern hat er es auch dort zu tun gehabt, aber sie sind anderer und besonderer Art: es gibt da noch „urwüchsige Bodenverwurzeltheit", das Grundelement der Bevölkerung besteht aus „bodenständigen Westfalen". So hält also damals, im Anfang der dreißiger Jahre, Goebbels noch beim traditionellen Blubokult und stellt den Boden dem Asphalt gegenüber. Später wird er vorsichtiger im Ausdruck

seiner Bauernbevorzugung, aber es dauert zwölf Jahre, ehe er die Beschimpfung der Asphaltmenschen zurücknimmt, und selbst im Widerruf bleibt er noch ein Lügner, denn er sagt nicht, daß er selber die Mißachtung der Großstädter gelehrt habe. „Wir stehen", schreibt er am 16. April 1944 im „Reich" unter dem Eindruck der furchtbaren Bombenschäden, „in tiefer Ehrfurcht vor diesem unzerstörbaren Lebensrhythmus und diesem durch nichts zu brechenden Lebenswillen unserer großstädtischen Bevölkerung, die auf dem Asphalt doch nicht so wurzellos geworden sein kann, wie uns das früher oft in gutgemeinten, aber reichlich theoretischen Büchern immer wieder auseinandergesetzt wurde ... Hier liegt die vitale Kraft unseres Volkes genauso fest verankert wie im deutschen Bauerntum."

Natürlich ist es nicht so, daß man mit der gefühlsmäßigen Verklärung und Umwerbung des Arbeiterstandes solange gewartet hätte; auch um ihn hat man sich in sentimentalen Tönen bemüht. Als auf die Grünspan-Affäre das Autofahrverbot für Juden folgte, begründete der damalige Polizeiminister Himmler die Maßnahme nicht nur mit der „Unzuverlässigkeit" der Juden, sondern auch damit, daß ihr Fahren die „deutsche Verkehrsgemeinschaft" beleidige, zumal sie anmaßlicherweise auch „die von deutschen Arbeiterfäusten gebauten Reichsautostraßen" benutzt hätten. Im ganzen aber führt die Mischung Gefühl plus Traditionalismus zumeist und vor allem zum Bauern und zum ländlichen Brauchtum — auch „Brauchtum" gehört zu den sentimentalen Vokabeln auf poetisch altdeutscher Basis. Im März 1945 zerbrach ich mir täglich vor einem Bilde im Schaufenster des „Falkensteiner Anzeigers" vergebens den Kopf. Dort war ein gewiß hübsches Fachwerk-Dorfhaus zu sehen, und darunter stand als Ausspruch Rosenbergs, ein altdeutsches Bauernhaus enthalte „mehr geistige Freiheit und schöpferische Kraft als alle Wolkenkratzerstädte und Wellblechbuden zusammengenommen". Ich habe umsonst nach einer möglichen Begründung dieses Satzes gesucht; sie kann allein in der nazistisch-nordischen Hybris und ihrem Ersetzen des Denkens durch das Gefühl liegen. Das Sentimentalisieren der Dinge ist aber im Reich der LTI keineswegs notwendig mit dem Rückgriff auf irgendwelche Tradition verbunden. Es kann sich frei an das Alltägliche knüpfen, es kann zu gang und gäben Worten der

Umgangssprache, auch zu burschikosen Wortformen greifen, es kann sich einer scheinbar höchst nüchternen Neubildung bedienen. Ganz im Anfang notierte ich am gleichen Tage: „Kempinski-Reklame: ‚Delikateßkorb Preußen 50 M., Delikateßkorb Vaterland 75 M.‘ und im selben Blatt amtliche Anweisungen für den ‚Eintopf‘. Wie plump und aufreizend ist der aus dem ersten Weltkrieg stammende Versuch, mit der Erregung patriotischer Gefühle Reklame für eine Schlemmerei zu machen; wie geschickt und beziehungsreich ist die neue Essensvorschrift betitelt! Das gleiche Gericht für alle, Volksgemeinschaft im Alltäglichsten und Notwendigsten, gleiche Simplizität für reich und arm zugunsten des Vaterlandes, und das Bedeutendste im schlichtesten Wort eingekapselt! Eintopf — wir essen alle nur, was frugal in einem Topf zusammengekocht ist, wir essen alle aus ein und demselben Topf ...“ Der Ausdruck Eintopf mag als terminus technicus der Küche längst verbreitet gewesen sein: ihn gefühlsbelastet in die Amtssprache der LTI eingeführt zu haben, ist vom nazistischen Standpunkt aus eine geniale Tat. Auf derselben Ebene liegt das Wort Winterhilfe. Man log ins Freiwillige, in gemütentsprungene Schenkung um, was in Wahrheit erzwungene Abgabe war.

Und Sentimentalisierung ist auch im Spiel, wenn offiziell von Schulen für Jungen und Mädel (und nicht für Knaben und Mädchen) gesprochen wird, wenn die „Hitlerjungen“ und die „deutschen Mädel“ (der BDM) ihre fundamentale Rolle im Erziehungssystem des Dritten Reichs spielen. Gewiß, das ist hier ein Sentimentalisieren mit gewollt negativem Vorzeichen: Junge und Mädel klingt nicht nur volkstümlicher oder burschikoser als Knabe und Mädchen, sondern auch derber. Besonders Mädel gibt den Weg frei zur späteren „Waffenhelferin“, was dann ein halbes oder ganzes Schleierwort ist und beileibe nicht mit „Flintenweib“ verwechselt werden darf — ebensogut könnte man ja sonst den Volkssturm mit den Partisanen verwechseln.

Als man aber in allerletzter Minute — von Stunde ist ja nicht mehr die Rede — nun doch offen zum Bandenkampf gehen will, da wählt man hierfür eine Bezeichnung, die mit dem Schauder des Gruselmärchens wirkt: die Bandenkämpfer nennen sich im offiziellen Rundfunk „Werwölfe“. Das war nun doch wieder ein Anküpfen an Tradition, an allerälteste sogar, an den Mythus, und so offenbarte sich am Schluß noch einmal in der Sprache die ungeheuerliche Reaktion, das absolute Zurückgreifen auf die primitiven, die raubtierhaften Anfänge der Menschheit und damit das demaskiert eigentliche Wesen des Nazismus.

Harmloser zugleich, aber auch wieder mit einer stärkeren Dosis Heuchelei versetzt, machte sich das Sentimentalisieren bemerkbar, wenn man etwa in der politischen Geographie vom „Herzland Bulgarien" sprach. Scheinbar wies das nur auf eine zentrale Lage, auf eine zentrale Bedeutung des Landes in wirtschaftlicher und militärischer Beziehung zu einer umgebenden Ländergruppe hin; aber dahinter steckte, unausgesprochen und doch auch ausgesprochen, eine Freundschaftswerbung, das Sympathisieren mit einem „Herzland". Das stärkste und allgemeinste Gefühlswort schließlich, das sich der Nazismus dienstbar machte, heißt „Erlebnis". Der normale Sprachgebrauch unterscheidet scharf: Von der Geburt bis zum Tode leben wir in allen Stunden, aber zum Erlebnis werden uns nur die außerordentlichen, in denen unsere Leidenschaft schwingt, in denen wir das Wirken des Schicksals spüren. Die LTI zieht die Dinge geflissentlich in die Sphäre des Erlebens. „Jugend erlebt Wilhelm Tell", heißt eine Schlagzeile, die mir unter vielen ähnlichen im Gedächtnis geblieben ist. Den tiefsten Zweck dieses Wortgebrauchs offenbarte ein Ausspruch, den der sächsische Landesleiter der Reichsschrifttumskammer für eine Buchwoche im Oktober 1935 der Presse übergab: „Mein Kampf" sei das heilige Buch des Nationalsozialismus und des neuen Deutschlands, man müsse es „durchleben"...

All diese Dinge, bald die einen, bald die andern, gingen mir durch den Kopf, wenn ich den Gefolgschaftssaal betrat, und wirklich: sie gehörten alle zum Gefolge dieses einen Wortes, sie verdanken alle ihr Entstehen derselben Tendenz...

Gegen das Ende der Zeit hin, die ich in der Arbeitsgruppe dieser Fabrik verbrachte, stieß ich im Judenhaus auf einen Roman des Jettchen-Gebert-Dichters Georg Hermann: „Eine Zeit stirbt". Das Buch ist in der Jüdischen Buchvereinigung erschienen, es war wohl bereits in der Konzeption stark von dem aufsteigenden Nazismus beeinflußt. Ich weiß nicht, aus welchem Grund in meinem Tagebuch ein genaueres Eingehen auf das ganze Werk fehlt; ich habe mir nur eine Situation, einen Satz daraus notiert: „Gumperts Frau verläßt eilig die

Friedhofskapelle, ehe die Trauerfeier für seine Geliebte beginnt, ‚und ihre Gefolgschaft tut weniger hastig, aber doch beschleunigt, das, was eben eine Gefolgschaft tut, sie folgt ihr'." Ich nahm das damals für reine Ironie, für jene jüdische Ironie, die dem Nazismus so verhaßt war, weil sie Gefühlsheucheleien zu Leibe rückt; ich sagte mir: er sticht in das aufgeschwellte Wort hinein und läßt es kläglich zusammenschrumpfen. Heute denke ich anders über diese Stelle, ich glaube, sie ist weniger von Ironie als von tiefer Bitterkeit erfüllt. Denn worin bestand der letzte Zweck und Erfolg all jener Gefühlsaufblähungen? Das Gefühl war nicht Selbstzweck und Ziel, es war nur Mittel und Durchgang. Das Gefühl hatte das Denken zu verdrängen — es mußte selber einem Zustand der betäubten Stumpfheit, der Willens- und Fühllosigkeit weichen; wo hätte man sonst die notwendige Masse der Henker und Folterknechte hergenommen?
Was tut eine vollkommene Gefolgschaft? Sie denkt nicht, sie fühlt auch nicht mehr — sie folgt.

XXXIV

Die eine Silbe

Unmittelbar gesehen und gehört, und nicht nur im Zeitungsbild und im Radio, habe ich Demonstrationszüge der Nazis eigentlich nur im letzten Jahr. Denn selbst als ich noch nicht den Stern trug — danach war das selbstverständlich —, flüchtete ich eilig in die Sicherheit einer Nebenstraße, wenn sich solch ein Zug bemerkbar machte; ich hätte ja sonst die verhaßte Fahne grüßen müssen. Im letzten Jahr aber wurden wir in eins der beiden Judenhäuser am Zeughausplatz gesteckt, und dort ging der Blick von Dielen- und Küchenfenstern gerade auf die Carolabrücke. Sooft nun drüben am prunkvoll hergerichteten Königsufer ein Festakt stattfand, eine Rede Mutschmanns etwa oder gar eine Ansprache des Frankenführers Streicher, zogen die Kolonnen der SA und SS, der HJ und des BDM mit ihren Fahnen und Gesängen über die Brücke. Ob ich wollte oder nicht: es hat mir jedesmal Eindruck gemacht, und jedesmal sagte ich mir mit Verzweiflung, dann müsse es auf andere, weniger kritisch veranlagte Menschen erst recht Eindruck machen.

Noch ganz wenige Tage vor unserm *dies ater,* dem 13. Februar 1945, zogen sie so über die Brücke, in guter Haltung, mit lautem Singen. Es klang ein wenig anders als die Marschlieder, die die Bayern im ersten Weltkrieg gesungen hatten, etwas abgehackter, gebellter, unmelodischer —, aber das Militärische hatten die Nazis ja immer und in allen Punkten übertrieben, und so marschierte und sang da unten noch immer ihre alte Ordnung und Zuversicht. Wie lange war es her, daß Stalingrad gefallen, daß Mussolini gestürzt war, wie lange, daß die Feinde die deutschen Grenzen erreicht und überschritten hatten, wie lange, daß seine eigenen Generale den Führer hatten ermorden wollen — und immer noch marschierte und sang das da unten, und immer noch lebte die Legende vom Endsieg oder fügte sich doch alles dem Zwang, an sie zu glauben!

Ich kannte ein paar Texte, so was ich da und dort einmal aufgeschnappt hatte. Es war alles so roh, so armselig, gleich

weit von Kunst und Volkston entfernt — „Kameraden, die Rotfront und Reaktion erschossen, / Marschiern im Geist in unsern Reihen mit“: das ist die Poesie des Horst-Wessel-Liedes. Man muß sich die Zunge zerbrechen und Rätsel raten. Vielleicht sind Rotfront und Reaktion Nominative, und die erschossenen Kameraden sind im Geist der eben marschierenden „braunen Bataillone“ anwesend; vielleicht auch – das „neue deutsche Weihelied“, wie es im amtlichen Schulliederbuch heißt, ist bereits 1927 von Wessel gereimt worden –, vielleicht, und das käme der objektiven Wahrheit näher, sitzen die Kameraden einiger verübter Schießereien halber gefangen und marschieren im eigenen sehnsüchtigen Geist mit ihren SA-Freunden zusammen ... Wer von den Marschierenden, wer im Publikum würde wohl an solche grammatischen oder ästhetischen Dinge denken, wer sich wegen des Inhalts überhaupt Kopfschmerzen machen? Die Melodie und der Marschtritt, ein paar für sich bestehende Einzelwendungen oder Phrasen, die sich an die „heroischen Instinkte“ wenden: „Die Fahne hoch! ... Die Straße frei dem Sturmabteilungsmann! ... Bald flattern Hitlerfahnen ...“: genügt das nicht zum Hervorrufen der beabsichtigten Stimmung?
Mir kam unvermittelt die Erinnerung an die Zeit, da der deutschen Siegesgewißheit der erste Stoß versetzt worden war. Mit welcher Geschicklichkeit hatte die Goebbels-Propaganda es verstanden, die schwere und furchtbar bedeutungsvolle Niederlage fast in einen Sieg, jedenfalls in einen höchsten Triumph soldatischen Geistes umzuwandeln. Besonders einen Frontbericht hatte ich mir damals notiert; er lag natürlich längst wie alle alten Tagebuchblätter in Pirna draußen, stand mir aber deutlich vor Augen: auf die russische Lockung, sich zu ergeben, hatten ihm zufolge die Soldaten der vordersten Linien mit Sprechchören geantwortet, worin sie unerschütterliche Treue zu Hitler und ihrer Aufgabe bekräftigten.
Sprechchöre waren im Anfang der Bewegung stark im Schwange gewesen, sie waren während der Stalingrad-Katastrophe dort draußen neu aufgetaucht, sie waren im Inland kaum wieder laut geworden, nur Spruchbänder als schlummernde Noten erinnerten an sie. Ich habe mich oft gefragt, und es ging mir jetzt wieder durch den Kopf, wieso der Sprechchor stärker, brutaler wirkt als das gemeinsame Lied. Ich glaube, aus diesen Gründen: die Sprache ist Ausdruck

des Gedankens, der Sprechchor schlägt unmittelbar, mit nackter Faust, auf die Vernunft des Angerufenen ein und will sie unterjochen. Beim Lied ist die Melodie mildernde Hülle, die Vernunft wird auf dem Umweg über das Gefühl gewonnen. Auch wird das Lied der Marschierenden nicht eigentlich den Hörern am Straßenrand zugesungen; sie werden nur gefesselt vom Rauschen eines um seiner selbst willen strömenden Flusses. Und dieses Strömen, die Gemeinsamkeit der Marschmelodie, kommt leichter und natürlicher zustande als die Gemeinsamkeit eines Sprechchors: denn im Singen, in der Melodie findet sich Stimmung zu Stimmung, im gemeinsam gesprochenen Satz aber soll sich das Denken einer Gruppe zusammenfinden. Der Sprechchor ist künstlicher und einstudierter, er ist gewaltsamer werbend als der Gesang.
Die Nazis konnten ihn in Deutschland sehr bald nach dem Machtantritt aus dem Spiel lassen, sie brauchten ihn nicht mehr. (Für den kultischen Sprechchor, wie er auf Parteitagen und bei sonstigen feierlichen Gelegenheiten bisweilen verwendet wurde, gilt sicherlich im wesentlichen das gleiche wie für die Hacksätze der Demonstrationszüge: „Deutschland, erwache! Juda, verrecke! Führer, befiehl!" usw. usw.) —
Es stimmte mich so ganz besonders herab, daß man es nicht für nötig erachtete, irgendwie von den altbewährten rohen Liedern abzuweichen: weder die Beschwörung der Sprechchöre noch irgendwelches Zurückschrauben der maßlosen Prahlereien und Drohungen, in denen sich die Liedertexte ergingen, galt für notwendig. Nun war aus dem Blitzkrieg der Nervenkrieg und aus dem Sieg der Endsieg geworden, und nun war auch der letzte Großangriff ins Stocken geraten, und nun ... aber wozu immer wieder weiter aufzählen, was alles schon fehlgeschlagen war? Sie marschierten und sangen wie ehedem, und man nahm es hin wie ehedem, und nirgends in diesem schamlosen Gesinge war ein Nachgeben zu spüren, daraus sich leiseste Hoffnung schöpfen ließ ...
Und doch war solch ein Hoffnungszeichen vorhanden, das den Philologen beglückt hätte, wäre es ihm nur offenbar geworden. Aber diesen Trost durch eine einzige Silbe habe ich erst nachher erfahren, als es nur noch wissenschaftlichen Wert für mich hatte.
Es lohnt sich auszuholen.
Im ersten Weltkrieg wollten die Alliierten den deutschen

Eroberungswillen aus unserer Hymne „Deutschland über alles" herauslesen. Das war nicht gerecht, denn aus diesem „über alles in der Welt" spricht kein Expansionsgelüste, sondern nur die Wertschätzung des Gemüts, die der Patriot seinem Vaterland entgegenbringt. Peinlicher stand es um das Soldatenlied: „Siegreich woll'n wir Frankreich schlagen, Rußland und die ganze Welt." Immerhin wird man wirklichen Imperialismus auch hieraus nicht vollgültig beweisen: es ließe sich plädieren, dies sei ein ausgesprochenes Kriegslied; die es singen, fühlen sich als Vaterlandsverteidiger, sie wollen sich behaupten, indem sie die Gegner, so viele es auch seien, „siegreich schlagen" — von der Aneignung fremden Gebietes ist nicht die Rede.

Nun aber stelle man hiergegen eines der charakteristischsten Lieder des Dritten Reichs, das aus einer Sondersammlung schon 1934 in den „Singkamerad, Schulliederbuch der deutschen Jugend, herausgegeben von der Reichsamtsleitung des nationalsozialistischen Lehrerbundes", überging und damit also offizielle und allgemeine Bedeutung erhielt. „Es zittern die morschen Knochen / der Welt vor dem roten Krieg. / Wir haben den Schrecken gebrochen / für uns war's ein großer Sieg. / Wir werden weitermarschieren, / wenn alles in Scherben fällt, / denn heute gehört uns Deutschland / und morgen die ganze Welt." Das ist unmittelbar nach dem innerpolitischen Sieg im Schwang, nach dem Regierungsantritt des Führers also, der in jeder seiner Reden seinen Friedenswillen betont. Und doch ist gleich vom In-Scherben-Schlagen bis zur Eroberung der Welt die Rede. Und um die Unzweideutigkeit dieses Eroberungswillens ganz außer Zweifel zu stellen, wird in den folgenden beiden Strophen wiederholt, einmal, daß wir „die ganze Welt zu Hauf in Trümmern" schlagen werden, sodann, daß sich uns „Welten" (im Plural) vergeblich entgegenstemmen werden, und alle dreimal versichert der Refrain, daß uns morgen die ganze Welt gehören werde. Der Führer hielt eine Friedensrede um die andere, und seine Pimpfe und Hitlerjungen mußten jahraus, jahrein diesen verruchten Text singen. Ihn und die Nationalhymne von „deutscher Treue"...

Als ich im Herbst 1945 zum erstenmal öffentlich von der LTI sprach, wies ich auf den „Singkameraden" hin, der mir nun zugänglich geworden war, und zitierte das Lied von den zitternden morschen Knochen. Da trat nach dem Vortrag ein gekränkter Hörer an das Podium und sagte: „Warum zitieren Sie so Entscheidendes falsch, warum wollen Sie den Deutschen eine Weltgier nachsagen, die sie auch im Dritten Reich nicht besessen haben? Es ist in diesem Lied nicht die Rede davon, daß uns die Welt gehören solle." — „Kommen Sie morgen zu mir", erwiderte ich, „da können Sie das Schulliederbuch einsehen." — „Sie irren sich bestimmt, Herr Professor, ich bringe Ihnen den richtigen Text mit." Anderntags kam er, der „Singkamerad" — 6. Auflage 1936, bei Franz Eher, München, „vom Bayerischen Kultusministerium für den Schulgebrauch genehmigt und angelegentlich empfohlen"; aber das Vorwort ist datiert: Bayreuth, im Lenzing 1934" — Das Liederbuch also lag, an der richtigen Stelle aufgeschlagen, bereit. „Heute gehört uns Deutschland, und morgen die ganze Welt" — es ließ sich nicht daran deuteln ...

Doch, es ließ sich. Der Mann zeigte mir ein hübsches Miniaturliederheftchen, mit einem Faden am Knopfloch zu tragen. „Das deutsche Lied; Lieder der Bewegung, herausgegeben vom Winterhilfswerk des deutschen Volkes, 1942/43." Sämtliche Embleme des Nazismus: Hakenkreuz, SS-Rune usw., zierten den Umschlag, und unter den Liedern befanden sich auch die morschen Knochen, roh genug, aber doch retuschiert an der entscheidenden Stelle. Der Refrain lautete jetzt: „... und heute, da hört uns Deutschland, und morgen die ganze Welt."

Das klang unschuldiger.

Weil aber doch schon wirklich durch deutsche Raubgier eine Welt in Trümmern lag und weil es nun, im Stalingradwinter, gar nicht mehr nach „großem Sieg" für Deutschland aussah, so mußte die Retusche noch verstärkt und kommentiert werden. Eine vierte Strophe wurde angefügt, in der sich die Eroberer und Unterdrücker als Friedensfreunde und Freiheitskämpfer zu maskieren suchten und über böswillige Auslegung ihres ursprünglichen Liedes klagten. Die neue Strophe hieß: „Sie wollen das Lied nicht begreifen, sie denken an Knechtschaft und Krieg. / Derweil unsre Äcker reifen, du Fahne der Freiheit flieg! / Wir werden weitermarschieren, wenn alles in Scherben fällt. / Die Freiheit stand auf in Deutschland, und morgen gehört ihr die Welt!"

Welch eine Stirn war nötig zu solchem Umlügen des Tatsächlichen! Und welch eine Verzweiflung, um solche Lüge zu

wagen! Daß diese vierte Strophe noch irgendwie lebendig geworden sei, glaube ich nicht; sie ist viel zu verwickelt und undeutlich gegenüber der plumpen Simplizität der vorangehenden drei, deren ursprüngliche Wildheit sich ja doch nicht ganz verdecken läßt. Aber das Einziehen der Krallen, das schamhafte Fortlassen der ominösen Silbe scheint sich durchgesetzt zu haben.
Man muß sich das merken. Genau zwischen „gehören" und „hören" läuft der Grenzstrich im nazistischen Selbstbewußtsein. Der Ausfall dieser Silbe bedeutet, in Projektion auf die Ebene des nazistischen Liedes, Stalingrad.

XXXV

Die Wechselbrause

Nach der Beseitigung Röhms und dem kleinen Blutbad unter dessen Anhängern ließ sich der Führer von seinem Reichstag bescheinigen, daß er „rechtens" gehandelt habe. Ein betont altdeutscher Ausdruck. Aber den niedergeschlagenen Aufstand oder Aufruhr oder die Meuterei oder den Abfall der Röhmlinge, das also, wofür so viele deutsche Namen bereitstanden, nannte man Röhmrevolte. Sicherlich spielen dabei — Sprache, die für dich dichtet und denkt! — unbewußte oder halbbewußte Klangassoziationen mit, ähnlich wie beim Kapp-Putsch, wo sich die Assoziation freilich auch auf das Gedankliche, auf die Vokabel kaputt ausdehnen dürfte: dennoch bleibt es seltsam, daß in bezug auf den gleichen Gegenstand ohne Not einmal das stark betont deutsche, das andere Mal das stark betont fremdsprachliche Wort herangezogen wird. Genauso spricht man deutschtümelnd von Brauchtum, aber Nürnberg, die Stadt der Parteitage, ist offiziell der Vorort des „Traditionsgaues".

Einige Verdeutschungen gang und gäber Fremdwörter sind beliebt: man sagt Bestallung für Approbation, Entpflichtung für Emeritierung, und es ist *de rigueur,* Belange für Interessen zu sagen; „Humanität" steht in penetrant jüdisch-liberalistischem Geruch, deutsche Menschlichkeit ist etwas durchaus anderes. Dagegen kann man sich die Datierung „im Lenzing" nur im Zusammenhang mit Bayreuth, der Wagnerstadt, leisten — die altdeutschen Monatsnamen setzen sich allem Runengebrauch und Sieg-Heil-Geschrei zum Trotz in der allgemeinen Sprache nicht durch.

Die Gründe für die Einschränkung der sprachlichen Deutschtümelei streifte ich in der Gefolgschaftsreflexion. Diese Einschränkung kann aber von sich aus höchstens die Beibehaltung geläufiger Fremdwörter motivieren. Gelangt die LTI jedoch der vorangegangenen Epoche gegenüber zu einer Vermehrung und häufigeren Verwendung der Fremdwörter, so muß sich das wiederum aus besonderen Motiven herleiten. Beides aber, das

Mehr und das Häufiger, ist aufdringlich der Fall.
Der Führer schwelgt in jeder Rede, jedem Bulletin in zwei durchaus unnötigen und keineswegs überall verbreiteten und verstandenen Fremdwörtern: diskriminieren (er sagt regelmäßig „diskrimieren“) und diffamieren. Das salonfähige „diffamieren“ klingt in seinem Munde um so merkwürdiger, als er es sonst im Beschimpfen mit jedem betrunkenen Hausknecht aufnimmt, und zwar prinzipiell. In seiner Rede zum Winterhilfswerk 1942/43 — alle Wegmarken der LTI zählen auf Stalingrad zu oder von Stalingrad her — nennt er die Minister der Feindmächte „Schafsköpfe und Nullen, die man nicht voneinander unterscheiden kann“; im Weißen Hause regiere ein Geisteskranker, in London ein Verbrecher. Mit dem Blick auf sich selber stellt er dann fest, es gebe keine „sogenannte Bildung von früher mehr, nur noch die einzige Wertung des entschlossenen Kämpfers, des kühnen Mannes, der geeignet ist, Führer seines Volkes zu sein“. Aber was das Fremdwort anlangt, so macht er doch noch manche weitere und, wie gesagt, durch kein Fehlen eines deutschen Äquivalents notwendig bedingte Anleihe. Besonders ist er immer wieder der Garant (und nicht der Bürge) des Friedens oder der deutschen Freiheit oder der Selbständigkeit der kleinen Nationen oder all der anderen guten Dinge, die er verraten hat; immer wieder hat, was in irgendeiner Weise seine Führerglorie erhöht oder rückspiegelt, „säkulare“ Bedeutung, gelegentlich lockt ihn auch eine friderizianisch klingende Wendung, und er bedroht widerspenstige Beamte mit gemeiner Kassation, wo es doch die fristlose Entlassung oder im Hitlerischen Hausknechtsdeutsch der Hinauswurf oder das Fortjagen genausogut täten.
Natürlich wird das Rohmaterial der Hitlerworte durchweg von Goebbels poliert und zu vielfacher Schmuckverwendung fertiggemacht. Der Krieg bereicherte dann den nazistischen Fremdwortschatz sehr wesentlich.
Es läßt sich eine sehr einfache Regel für den vernünftigen Gebrauch von Fremdwörtern aufstellen. Sie muß etwa lauten: Benutze das Fremdwort nur da, wo du keinen vollgültigen und einfachen Ersatz im Deutschen dafür findest, in diesem Fall aber benutze es.
Die LTI verstößt nach beiden Seiten gegen diese Regel; bald (übrigens und aus angegebenem Grunde seltener) bedient sie sich approximativer Verdeutschungen, bald greift sie ohne Not

zum Fremdwort. Wenn sie dabei von Terror (Luftterror, Bombenterror, natürlich auch Gegenterror) und von Invasion spricht, so bewegt sie sich immerhin auf längst üblichem Pfad, aber die Invasoren sind neu, und die Aggressoren sind vollkommen überflüssig, und für liquidieren steht so entsetzlich vieles zur Verfügung: töten, morden, beseitigen, hinrichten usw. Auch das immerfort angewandte Kriegspotential wäre jeweils durch Rüstungsgrad und Rüstungsmöglichkeit leicht zu ersetzen gewesen. Hat man sich doch die größere Mühe gegeben, der Sünde des Defaitismus, nachdem man sie durch die Schreibweise Defätismus ein wenig deutsch geschminkt hatte, als „Wehrkraftzersetzung" den Hals für die Guillotine frei zu machen.

Was also sind die Gründe für diese hier nur mit einigen Beispielen belegte Vorliebe zum tönenden Fremdwort? Eben das Tönen, in erster Linie, und, wenn man den verschiedenen Motiven bis aufs letzte nachgeht, immer wieder das Tönen und das Übertönenwollen gewisser Unerwünschtheiten.

Hitler ist Autodidakt und nicht etwa halb-, sondern allerhöchstens zehntelgebildet. (Man muß den unerhörten Galimathias seiner Nürnberger Kulturreden lesen; grauenvoller als dieser Wust eines Karlchen Miesnick ist nur die Kriecherei, mit der das bewundernd hingenommen und zitiert wurde.) Er ist als Führer im selben Atem stolz auf seine Unbeschwertheit von der „sogenannten Bildung von früher" und stolz auf sein selbsterworbenes Wissen. Mit Fremdwörtern prunkt jeder Autodidakt, und irgendwie pflegen sie sich an ihm zu rächen.

Aber man täte dem Führer unrecht, wenn man seine Vorliebe für Fremdwörter nur aus Eitelkeit und Wissen um das eigene Manko erklärte. Was Hitler furchtbar genau kennt und in Rechnung stellt, ist stets die Psyche der nichtdenkenden und in Denkunfähigkeit zu erhaltenden Masse. Das Fremdwort imponiert, es imponiert um so mehr, je weniger es verstanden wird; in seinem Nichtbegriffenwerden beirrt und betäubt es, übertönt es eben das Denken. Schlechtmachen würde jedermann verstehen; diffamieren verstehen weniger, aber auf durchweg alle wirkt es feierlicher und stärker als schlechtmachen. (Man denke an die Wirkung der lateinischen Liturgie im katholischen Gottesdienst.)

Goebbels, der dem Volk aufs Maul zu sehen sein oberstes

Stilgebot nennt, weiß auch um diese Magie des Fremdwortes. Das Volk hört es gern und wendet es selber gern an. Und es erwartet es von seinem „Doktor“.

An diesen Titel aus Goebbels’ Anfangszeit: „Unser Doktor“ knüpft sich eine andere Erwägung. So häufig der Führer auch seine Mißachtung der Intelligenz, der Gebildeten, der Professoren usw. usw. betont — hinter all diesen Bezeichnungen und Spezifizierungen steckt immer der gleiche aus schlechtem Gewissen geborene Haß wider das Denken —, die NSDAP bedarf doch auch dieser gefährlichsten Volksschicht. Mit unserem Doktor und Propagandisten allein ist es nicht getan, man braucht auch den Philosophen Rosenberg, der sich im philosophischen und im Tiefenstil ergeht. Etwas vom Jargon der Philosophie und etwas popularisierte Philosophie wird auch unser Doktor in sein Programm aufnehmen; was läge z. B. einer politischen Partei, die sich schlechthin die Bewegung nennt, näher, als vom Wesen des Dynamischen zu reden und dem Wort Dynamik einen hohen Rang unter ihren gelehrten Worten einzuräumen?

Und es gibt im Bezirk der LTI nicht bloß gelehrte Fachbücher einerseits und auf der anderen Seite volkstümlich gehaltene Literatur, die nur mit einigen Bildungsspritzern als Schönheitspflästerchen geschmückt ist, sondern in allen ernsthaften Blättern (ich denke vor allem an das „Reich“ und die „DAZ“, die Erbin der „Frankfurter Zeitung“) findet man häufig Artikel in der geschwollensten Sprache des Tiefsinns, des pretiösen und geheimnisvollen Stils, der exklusiven Wichtigtuerei.

Ein Beispiel, fast aufs Geratewohl aus einer mannigfaltigen Überfülle herausgegriffen: Am 23. November 1944, zu sehr vorgerückter Stunde des Dritten Reichs also, findet die „DAZ“ noch reichlichen Raum für die Selbstanzeige eines wahrscheinlich frischgebackenen Doktors von Werder, der ein Buch geschrieben hat über die „Landflucht als seelische Wirklichkeit“. Was der Autor zu sagen hat, ist schon zahllose Male gesagt worden und läßt sich sehr einfach ausdrücken: Wer dem Abwandern der Landbevölkerung in die Stadt entgegenwirken will, kann das nicht durch bessere Löhne allein erreichen, sondern er muß seelische Faktoren in doppelter Hinsicht berücksichtigen, indem er einiges von den geistigen Anregungen und Vorteilen der Stadt an das Dorf heranbringt (durch

Film, Radio, Büchereien usw.) und indem er zum andern pädagogisch die inneren Vorzüge des Landlebens geltend macht. Der junge Autor nun und, was in diesem Fall wichtiger ist, Artikelschreiber bedient sich der Sprache seiner nazistischen Fachlehrer. Er betont die Notwendigkeit einer „Landvolkspsychologie" und doziert: „Der Mensch ist uns heute nicht mehr bloß ein Wirtschaftswesen, das für sich allein steht, sondern ein Wesen aus Leib und Seele, das einem Volke angehört und als Träger bestimmter rassenseelischer Anlagen handelt." Man müsse also „wirklichkeitsnahe Einsicht in den wahren Charakter der Landflucht" gewinnen. Die moderne Zivilisation „mit der ihr eigenen extremen Vorherrschaft des Verstandes und der Bewußtheit" zersetze die „ursprünglich geschlossene Lebensform des ländlichen Menschen", deren „natürliche Grundlage nun einmal in Instinkt und Gefühl, im Ursprünglichen und Unbewußten beruht". Die „Bodentreue" dieses ländlichen Menschen leide Schaden 1. durch „die Mechanisierung der ländlichen Arbeit und die Materialisierung, d. h. die radikale Verwirtschaftlichung ihrer Erzeugnisse, 2. durch die Isolierung und das Absterben des Brauchtums und der ländlichen Sitte, 3. durch die Versachlichung und nüchterne Verstädterung des sozialen Lebens auf dem Lande". So entstehe „jene psychologische Mangelkrankheit, als die man die Landflucht zu betrachten" habe, wenn man sie „als seelische Wirklichkeit" ernst nehme. Weshalb denn materielles Helfen ihr gegenüber nur „vordergründig" bleibe und seelische Heilmittel notwendig seien. Dazu gehörten neben Volkslied, Brauchtum usw. auch die „modernen Kulturmittel des Films und Rundfunks, falls man dort nur die Elemente der inneren Verstädterung ausschalte". In dieser Tonart geht es noch eine ganze Weile weiter. Ich nenne das den auf jede Disziplin der Wissenschaft, Philosophie und Kunst anwendbaren nazistischen Tiefenstil. Er ist nicht dem Volk vom Maul abgelesen, er kann und soll auch nicht vom Volk verstanden werden, er wird vielmehr den nach Absonderung strebenden Gebildeten ums Maul geschmiert.

Aber das Höchste und Charakteristischste der nazistischen Sprachkunst liegt nicht in solch getrennter Buchführung für Gebildete und Ungebildete, auch nicht bloß darin, daß man der Menge mit ein paar gelehrten Brocken imponiert. Sondern die eigentliche Leistung, und in ihr ist Goebbels unerreichter

Meister, besteht in der skrupellosen Mischung der heterogenen Stilelemente — nein, Mischung trifft nicht völlig zu —, in den schroffst antithetischen Sprüngen vom Gelehrten zum Proletenhaften, vom Nüchternen zum Ton des Predigers, vom kalt Rationalen zur Rührseligkeit der männlich verhaltenen Träne, von Fontanescher Schlichtheit, von Berlinischer Ruppigkeit zum Pathos des Gottesstreiters und Propheten. Das ist wie ein Hautreiz unter dem Wechsel kalter und heißer Dusche, genauso physisch wirkungsvoll; das Gefühl des Hörers (und Goebbels' Publikum ist immer Hörer, auch wenn es die Zeitungsaufsätze des Doktors liest) — das Gefühl kommt nie zur Ruhe, wird dauernd angezogen und abgestoßen, angezogen und abgestoßen, und für den kritischen Verstand bleibt keine Zeit zum Atemholen.

Im Januar 1944 las man Jubiläumsartikel zum zehnjährigen Bestehen der Dienststelle Rosenberg. Es sollte ein besonderer Hymnus auf Rosenberg, den Philosophen und Künder der reinen Lehre sein, der tiefer grabe und höher hinauf lange als Goebbels, dessen Amt nur der Massenpropaganda gelte. Aber in Wahrheit verkündeten diese Betrachtungen doch im wesentlicheren Maße den Ruhm unseres Doktors, denn aus allen Vergleichen und Abgrenzungen ging klar hervor, daß Rosenberg nur das eine Register der Tiefe, Goebbels dagegen dieses und alle anderen Register einer schallenden Orgel dazu beherrsche. (Und von einer philosophischen Originalität, die Rosenberg außer Vergleich gesetzt hätte, konnten selbst die größten Verehrer des „Mythus" guterdings nicht sprechen.)

Wenn man nach einem Vorbild für die Spannung des Goebbelsschen Stiles sucht, so mag man es annähernd in der mittelalterlichen Kirchenpredigt finden, wo sich ein vor nichts zurückschreckender Realismus und Verismus des Ausdrucks mit dem reinsten Pathos der Gebetserhebung verbindet. Aber dieser mittelalterliche Predigtstil quillt aus reiner Seele und wendet sich an ein naives Publikum, das er unmittelbar aus der Enge geistiger Begrenztheit in transzendente Bezirke erheben will. Goebbels dagegen geht raffiniert auf Betrug und Betäubung aus.

Als nach dem Attentat vom 20. Juli 1944 niemand mehr an der Stimmung und der Aufgeklärtheit des Publikums ernstlich zu zweifeln vermag, schreibt Goebbels im burschikosesten Ton: Nur „einige aus einer längst vergangenen Vergangenheit

übriggebliebene Pappis" könnten bezweifeln, daß der Nazismus „die größte, aber auch die einzige Rettungsmöglichkeit des deutschen Volkes" sei. Aus dem Elend zerbombter Städte macht er ein andermal mit einem einzigen Satz ein freundliches, in der LTI würde man sagen: ein volksnahes Alltagsidyll: „Aus Trümmern und Ruinen kokeln wieder die Ofenrohre, die neugierig ihre Nasen aus den Holzverschlägen herausstecken." Man bekommt geradezu Sehnsucht nach solch einem romantischen Quartier. Und zugleich soll man Sehnsucht nach dem Märtyrertum in sich aufblühen fühlen: Wir stehen im „heiligen Volkskrieg", wir stehen — der Gebildete muß miterfaßt werden, das Rosenbergregister darf nicht fehlen — in der „größten Krise der abendländischen Menschheit" und müssen unseren geschichtlichen „Auftrag" ausführen (wo denn Auftrag feierlicher ist als das abgegriffene Fremdwort Mission), und „unsere brennenden Städte sind Fanale am Wege zur Vollendung einer besseren Ordnung".
Ich zeigte in einer besonderen Skizze, welche Rolle der volkstümlichste Sport in diesem Wechselbrausensystem spielt. Die unflätigste Spannung des — um es wieder auf nazistisch zu sagen — totalitären Stils hat Goebbels wohl in seinem „Reich"-Artikel vom 6. November 1944 erreicht. Dort schrieb er, man müsse dafür sorgen, „daß die Nation fest auf den Beinen bleibt und niemals zu Boden geht", und gleich nach dem Boxbild hieß es dann weiter, das deutsche Volk führe diesen Krieg „wie ein Gottesgericht".
Aber vielleicht erscheint mir gerade dieser Passus, dem mancher ähnliche zur Seite zu stellen wäre, nur deshalb so ganz einzigartig, weil ich wiederholt aufs drastischste daran erinnert worden bin. Wer nämlich jetzt, von auswärts kommend, in der Wilhelmstraße auf der Zentralverwaltung für Wissenschaft zu tun hat, quartiert sich am bequemsten gegenüber im Adlon ein (oder in dem, was von den einstigen Herrlichkeiten dieses Berliner Hotels übriggeblieben ist). Dort geht der Blick aus den Fenstern des Speiseraumes gerade auf die zerstörte Villa des Propagandaministers, in der man seine Leiche aufgefunden hat. Schon ein halbes dutzendmal habe ich an diesen Fenstern gestanden, und immer wieder ist mir dort das Gottesgericht eingefallen, das er und gerade er heraufbeschworen und vor dessen allerletzter Szene er sich aus der Welt gestohlen hat.

XXXVI

Die Probe aufs Exempel

Am Morgen des 13. Februar 1945 kam der Befehl, die letzten in Dresden zurückgebliebenen Sternträger zu evakuieren. Bisher vor der Deportation bewahrt, weil sie in Mischehe lebten, waren sie nun dem sicheren Ende verfallen; man mußte sie unterwegs abtun, denn Auschwitz war längst in Feindeshand und Theresienstadt aufs schwerste bedroht.
Am Abend dieses 13. Februar brach die Katastrophe über Dresden herein: Die Bomben fielen, die Häuser stürzten, der Phosphor strömte, die brennenden Balken krachten auf arische und nichtarische Köpfe, und derselbe Feuersturm riß Jud und Christ in den Tod; wen aber von den etwa 70 Sternträgern diese Nacht verschonte, dem bedeutete sie Errettung, denn im allgemeinen Chaos konnte er der Gestapo entkommen.
Mir selber brachte die abenteuerliche Flucht eine stichhaltige Probe auf mein Philologenexempel: Alles, was ich bisher von der LTI, der gesprochenen zum mindesten, wußte, stammte aus dem engen Kreise etlicher Dresdener Judenhäuser und Fabriken, zusätzlich freilich der Dresdener Gestapo. Nun, während der letzten drei Kriegsmonate kamen wir durch so viele Städte und Dörfer Sachsens und Bayerns, berührten wir uns auf so vielen Bahnhöfen, in so vielen Baracken und Bunkern, und immer, immer wieder auf endlosen Landstraßen mit Menschen aus allen Landschaften, allen Ecken und Winkeln, allen Zentren Deutschlands, mit Menschen jeglichen Standes und Alters, jeder Bildung und Unbildung, jeder Denkart, jeden Grades im Hassen und — immer noch! — im gläubigen Verehren des Führers: Und alle, buchstäblich alle sprachen sie, bald in süddeutscher oder westlicher, bald in nord- oder ostdeutscher Tönung ein und dieselbe LTI, die ich zu Hause auf Sächsisch gehört hatte. Was ich meinen Notizen auf dieser Flucht hinzuzufügen hatte, waren nur Ergänzungen und Bestätigungen.
Drei Etappen zeichneten sich ab.
Die mittlere, drei Märzwochen umfassend — der Wald bekam

täglich intensiveren Frühlingsschimmer und sah doch weihnachtlich aus, denn alle Äste hingen voll, und überall blinkte der Boden von den Stanniolstreifen, durch deren Abwurf die feindlichen Geschwader das deutsche Suchgerät beirrten, und jeden Tag und jede Nacht rauschten sie über uns, oft gegen das benachbarte unglückliche Plauen —, die Falkensteiner Etappe zwang mir Ruhe zu einigem Studium auf.

Eine Ruhe des Gemüts allerdings war das nicht; im Gegenteil, mehr denn je zuvor diente mir jetzt das Studium der LTI als Balancierstange. Denn das erste und einzige neue nazistische Wort, dem ich hier begegnete, stand auf der Armbinde mancher Soldaten und hieß „Volksschädlingsbekämpfer". Es war sehr viel Gestapo eingesetzt und sehr viel Militärpolizei, denn es wimmelte von Urlaubern, die zu Deserteuren geworden waren, und von Zivilisten, die sich dem Dienst im Volkssturm entzogen. Gewiß, man sah mir wohl an, daß ich nicht mehr im wehrpflichtigen Alter stand, aber immerhin hieß doch das Volkssturmrätsel: Was hat Silber im Haar, Gold im Munde und Blei in den Gliedern? Auch bestand so relativ dicht bei Dresden die Gefahr, daß mich jemand erkannte, hatte ich doch fünfzehn Jahre auf meinem Katheder gestanden und immerfort Lehrer ausgebildet und da und dort im Lande Abiturientenexamina geleitet. Griff man mich aber auf, so blieb es wohl nicht bei meinem Tode, auch meine Frau, auch unser getreuer Freund hätten daran glauben müssen. Jeder Gang durch die Straßen, besonders jedes Betreten der Restaurants war eine Qual; sooft mich jemand mit nur einiger Aufmerksamkeit ansah, vermochte ich seinen Blick kaum ruhig auszuhalten. Hätten wir nicht ins absolute Nichts hinausgemußt, wir wären keinen Tag in diesem gefährlichen Schlupfwinkel geblieben. Aber dieses Hinterzimmer der „Apotheke am Adolf-Hitler-Platz", unter dessen Führerbild wir schliefen, war unser letztes Asyl, nachdem wir von unserer guten Agnes fortgemußt. So hielt ich mich nach Möglichkeit still im Zimmer, sofern wir nicht einsame Waldwege aufsuchten, und zwang mich zu jeder Lektüre, von der ich Förderung meiner LTI-Kenntnis erwarten konnte.

Vielmehr: ich las, was mir irgend unter die Augen kam, und sah überall die Spuren dieser Sprache. Sie war wahrhaft totalitär; hier in Falkenstein ging mir das mit besonderer Eindringlichkeit auf.

Ich fand auf Sch.s Schreibtisch ein kleines Buch, er sagte mir, es sei Ende der dreißiger Jahre erschienen: „Das ärztliche Teerezept, herausgegeben von der deutschen Apothekerschaft." Erst schien es mir ein komisches, dann ein tragikomisches, zuletzt ein wahrhaft tragisches Dokument. Denn es drückt nicht nur die häßlichste Kriecherei vor der herrschenden allgemeinen Doktrin in unverbindlichen Phrasen aus, sondern es macht einen unumgänglichen Protest, kaum daß er ausgesprochen, durch die servilste Abschwächung unwirksam und offenbart so die ganze ihrer selbst bewußte Verkommenheit einer wissenschaftlichen Zukunft. Ich notierte mir ein paar Sätze in extenso.
„Unverkennbar läßt sich in weitesten Kreisen unseres Volkes ein inneres Widerstreben gegen das Einnehmen chemotherapeutischer Präparate erkennen. Demgegenüber ist in jüngster Zeit der Wunsch nach Verordnung natürlicher Heilstoffe, die von Laboratorien und Fabrikbetrieben unberührt bleiben, erneut erwacht und gebilligt worden. Kräuter und Kräutergemische, die aus unseren Wiesen und Wäldern stammen, haben sicher für jeden auch etwas Vertrautes und Unverfälschtes. Ihre arzneiliche Verwendung bestätigt traditionelle Heilerfolge aus grauer Vorzeit, und der Gedanke der Verbundenheit von Blut und Boden stützt das Vertrauen zu heimischen Kräutern." Soweit überwiegt in diesen Ausführungen das komische Element, denn es ist komisch, wie hier die allgemeinen Schlagworte und Anschauungen des Nazismus in den wissenschaftlichen Spezialtext eingewirkt werden. Nun aber, nach dieser demütigen Verbeugung und captatio benevolentiae, kann man doch nicht umhin, sich im Geschäfts- und medizinischen Interesse zur Wehr zu setzen. Unter dem Deckmantel des germanischen Traditionalismus, der Naturnähe und des Antiintellektualismus, dazu mit „dem immer wieder verfangenden Gerede von der Giftigkeit chemischer Mittel" blüht das Kurpfuschertum, macht Geschäfte mit „kritiklos" zusammengebrauten deutschen Heiltees und treibt den chemischen Fabriken die Kunden und den Ärzten die Patienten ab. Doch wie sehr wird der Ausfall durch Entschuldigung, durch Nachgiebigkeit abgeschwächt, und wie tief ist die Reverenz, die der tapfere Autor noch einmal vor der Anschauung und dem Willen der regierenden Partei macht! Auch wir approbierten Pharmazeuten, Chemiker und Ärzte

verwenden ja heimische Heilkräuter, nur eben nicht ausschließlich und wahllos! Und jetzt „tritt der Wunsch der Ärzteschaft, die Therapie mit Kräutern und Tees weiter auszubauen, und das Bestreben, sich, wo immer angängig, den Wünschen und natürlichen Empfindungen des Volkes anzupassen, bei allen vorwärtsstrebenden Ärzten in Erscheinung. Die Therapie mit Kräutern und Tees, auch Phytotherapie genannt, ist nur ein Teil der medikamentösen Gesamttherapie, aber ein nicht zu unterschätzender Faktor, um sich das Vertrauen der Patienten zu erhalten und zu sichern. Das Vertrauen des Volkes zu seinen Ärzten, die sich stets eine exakte, pflichtbewußte und durch gutes Wissen getragene Arbeitsweise angelegen sein ließen, darf durch Unterstellungen obengenannter Art nicht erschüttert werden ..." Aus der anfänglichen Captatio ist eine kaum noch verhüllte Kapitulation geworden.

Ich fand Einzelhefte pharmazeutischer und medizinischer Zeitschriften, und überall stieß ich auf die gleiche Stilart und die gleichen Stilblüten. Ich notierte mir: „Gedenke der nordischen Mathematik, die im Anfang einmal der ‚Freiheitskampf' dem Kollegen Kowalewski nachsagte, dem ersten nazistischen Rektor unserer Technischen Hochschule, vergiß nicht, andere Zweige der Naturwissenschaften auf die LTI-Seuche zu untersuchen."

Aus der Naturwissenschaft kam ich auf mein eigenes Gebiet zurück, als mir Hans literarische Neuerscheinungen aus seiner Privatbibliothek brachte. (Er war noch immer wie vor dreißig Jahren der Mann der Geisteswissenschaft und Philosophie; Apothekerei und, da es sonst allzu viele Schikanen gekostet hätte, den Parteiknopf brauchte man nun einmal zum ruhigen Leben; aber natürlich: wenn es einem Freund zu helfen galt, mußte man schon etwas wagen und das ruhige Leben gefährden — nur eben: um der Politik im allgemeinen willen wäre das zuviel verlangt gewesen.) Er brachte mir ein neues Geschichtswerk und eine neue Literaturgeschichte; bei beiden durchaus ernsthaften Werken war aus der Auflagenziffer zu entnehmen, daß sie unter die privilegierten und entscheidend einflußreichen Lehrbücher rechneten. Ich studierte, ich kommentierte sie unter dem Gesichtspunkt der LTI. „Mit dem bloßen Verbot solcher Lektüre für die Allgemeinheit (notierte ich mir) wird es in Zukunft nicht getan sein; man muß den künftigen Lehrer auf Eigenart und Sünde der LTI genau hinweisen, ich zeichne Unterrichtsbeispiele für das Seminar eines Historikers und eines Germanisten auf."

Zuerst also Friedrich Stieves „Geschichte des deutschen Volkes". Das umfangreiche Buch erschien 1934 und erreichte bis 1942 die zwölfte Auflage. Seit dem Sommer 1939 (Vorwort zur neunten Auflage) waren die Ereignisse bis zur Einverleibung der Tschechoslowakei und Rückgewinnung des Memellandes dargestellt. Sollte noch eine spätere Auflage als diese erschienen sein (was ich für unwahrscheinlich halte), so dürfte sie doch kaum den weiteren Geschichtsablauf mit berücksichtigt haben; denn einen Monat vor dem Beginn des neuen Weltkrieges schließt der Autor mit dem Jubelruf, daß „der ganze unvergleichliche Aufschwung ohne das Vergießen eines einzigen Tropfen Blutes erreicht" worden sei, und mit dem furchtbar ominösen Vergleich, das Deutsche Reich rage nun „empor aus dem Strom der Zeit als ein Hort der Sammlung und Dauer, als eine schimmernde Verheißung für die Zukunft gleich den Bauten Adolf Hitlers". Die Druckerschwärze meines Exemplars kann noch kaum trocken gewesen sein, da begannen schon die ersten dieser Bauten, „die in ihrer wuchtigen, klar gegliederten Geschlossenheit Kraft und Ruhe sinnbildlich in leuchtender Einheit verkörpern" — („mach auf die architektonische Kraftprotzerei aufmerksam, auch sie ist LTI") —, unter den Bomben der feindlichen Flieger zu stürzen.

Stieves Buch ist wie ein guter Köder, sein Gift ist in unschuldige Brocken gewickelt. Unter den fünfhundert Druckseiten des Werkes finden sich lange Kapitel, die bei allem durchgehenden Pathos doch mit einer gewissen Ruhe und ohne gewaltsame Entstellungen des Stils und Inhalts abgefaßt sind, so daß also auch ein denkender Leser Zutrauen gewinnen könnte. Wo sich dann aber die Möglichkeit nazistischer Tönung ergibt, da werden auch alle Register der LTI gezogen. Alle — das ist hier nicht gleichbedeutend mit vielen; sie ist nun einmal arm, sie will und kann nicht anders als arm sein, und Verstärkung erzielt sie nur durch Wiederholen, durch Einhämmern des immer Gleichen.

In feierlichen Momenten positiver wie negativer Art muß natürlich das Blut herhalten. Wenn „sogar ein Goethe haltlose Ehrfurcht" vor Napoleon empfand, so war „die Stimme des

Blutes verkümmert"; wenn die Regierung Dollfuß sich gegen die österreichischen Nationalsozialisten wendet, so wendet sie sich gegen „die Stimme des Blutes"; und wenn dann Hitlertruppen in Österreich einmarschieren, so schlägt „endlich die Stunde des Blutes". Womit denn die alte Ostmark „zum ewigen Deutschland heimgefunden hat".

Ostmark, ewig und heimfinden: das sind an sich ganz neutrale Worte, die der deutschen Sprache viele Jahrhunderte vor dem Nazismus angehört haben und die ihr auch in aller Zukunft angehören werden. Und doch sind sie im Zusammenhang der LTI betont nazistische Worte, zu einem besonderen Register gehörig und charakteristisch und repräsentativ für eben dies Register. Ostmark für Österreich gesetzt: das repräsentiert die Bindung an die Tradition, die Ehrfurcht vor den Ahnen, auf die man sich zu Recht oder Unrecht beruft, deren Erbe zu wahren, deren Testament zu erfüllen man behauptet. Ewig: das weist in die gleiche Richtung; wir sind die Glieder einer aus grauester Vorzeit stammenden Kette, die durch uns hindurch weiterlaufen soll bis in die letzte Ferne, wir waren immer und werden immer sein. Ewig ist nur der stärkste Sonderfall des nazistischen Zahlensuperlativismus, der selber wiederum nur ein Sonderfall des allgemeinen LTI-Superlativismus ist. Und heimfinden: das ist einer der am frühesten anrüchig gewordenen Ausdrücke der Gefühlsbetonung, die ihrerseits von der Verherrlichung des Blutes herrührt und den Überschwang des Superlativs nach sich zieht.

Tradition und Dauer sind zwei dem Historiker allzu geläufige und maßgebende Begriffe, als daß sie den Stil des Geschichtsschreibers ganz besonders zu prägen vermöchten. Dagegen legitimiert sich Stieve geradezu als getreuer und orthodoxer Nationalist durch sein ständiges Aufgebot von Gefühlsworten.

„Unbändige" Kraft treibt die Zimbern und Teutonen, mit deren Einbruch in Italien diese Historie beginnt, „unbändiges" Begehren treibt die Germanen an, „mit dem Ganzen zu kämpfen"; „unbändige" Leidenschaft erklärt, macht verzeihlich, ja adelt die schlimmsten Zügellosigkeiten der Franken. Furor teutonicus wird als hoher Ruhmestitel der „urwüchsigen Kinder des Nordens" gewertet: „Welch kühner Glanz über ihrem Einherstürmen, das ohne Ahnung von der List der Umwelt, ganz auf die Macht des überströmenden

Empfindens eingestellt war, auf die Macht jenes inneren Schwunges, der sie vor Freude aufjauchzen ließ, wenn es an den Feind ging." Nur im Vorbeigehen weise ich auf das „eingestellt" hin, dessen technische Grundbedeutung schon vor dem Aufkommen der LTI einigermaßen verblaßt ist. Immerhin: etwas von der nazistischen Unempfindlichkeit gegen, oder der positiven Vorliebe für das schroffe Nebeneinander mechanistischer und affektiver Ausdrücke ist auch bei Stieve zu finden; von der NSDAP schreibt er: „Der Partei fiel die Aufgabe zu, der gewaltige Motor im Innern Deutschlands zu sein, der Motor der seelischen Aufrichtung, der Motor der tätigen Hingabe, der Motor der steten Erweckung im Sinne des neu geschaffenen Reichs."

Im allgemeinen aber ist Stieves Stil ausschließlich gekennzeichnet durch die einseitige Betonung des Gefühls, da er alles und jedes aus dieser glorifizierten und privilegierten Haupteigenschaft der Germanen ableitet.

Sie bestimmt die politische Gliederung, denn die Tüchtigkeit eines Führenden wird nach der Größe seiner Gefolgschaft bemessen, und die Gefolgschaft beruht „lediglich auf freiwilliger innerer Ergebenheit, und ihre Einrichtung ist also ein deutlicher Beweis dafür, welch starke Rolle das Gefühl bei den Germanen spielte".

Das Gefühl verleiht dem Germanen Phantasie, verleiht ihm religiöse Veranlagung, läßt ihn die Naturkräfte vergotten, macht ihn „erdnah", läßt ihn dem Intellekt mit Mißtrauen gegenüberstehen.

Das Gefühl treibt ihn ins Grenzenlose, und so ist die romantische Grundtendenz des germanischen Charakters gegeben.

Das Gefühl macht ihn zum Eroberer, schenkt ihm den „deutschen Glauben an den eigenen Beruf zur Weltherrschaft".

Das Vorwiegen des Gefühls bringt er aber auch mit sich, „daß hart bei der Gier nach Welt die Weltflucht lag", worauf denn bei allem Lebenskult und Aktivismus eine besondere Hinneigung zum Christentum beruht.

Sobald es ihm der Verlauf der Geschichte gestattet — und daß er es nicht auf gewaltsame Weise schon früher tut, unterscheidet ihn von den reinen Propagandisten seiner Partei —, führt Stieve als verzerrtes Gegenbild des Gefühlsmenschen den Juden ein, und von nun an häufen sich die spezifisch

nazistischen Wendungen, vielmehr sie werden in negativer Richtung ergänzt. „Zersetzung" ist jetzt ein zentrales Wort. Beim Jungen Deutschland hebt das an. „Zwei jüdische Dichter, Heine und Lion Baruch, nach seiner Taufe Ludwig Börne genannt", sind die ersten Demagogen aus den Reihen des „auserwählten" Volkes. (Ich halte auserwählt für das Wort, von dem aus die ironischen Anführungsstriche der LTI um sich greifen.) Der materialistische Geist des Zeitalters ist den Erbanlagen und den im Exil erworbenen Eigenschaften der fremden Rasse günstig und wird von ihr gefördert.
Nun kann sich das nazistische Vokabular entfalten: „niederreißende Kritik", „zerfasernder Intellekt", „tödliche Gleichmacherei", „Auflösung", „Unterhöhlung", „Entwurzelung", „Durchbrechung der nationalen Schranke"; „Marxismus" für Sozialismus, denn der wahre Sozialismus gehört dem Hitlertum, und der falsche muß als Irrlehre des Juden Karl Marx gekennzeichnet werden. (Der Jude Marx, der Jude Heine, nicht Marx oder Heine allein zu sagen, ist eine Sonderanwendung des stilistischen Einhämmerns, das schon im antiken Epitheton ornans auftritt.)
Die Niederlage im ersten Weltkrieg bringt dieser Sparte der LTI Verstärkung: jetzt ist die Rede von „teuflischen Giften der Zersetzung", von „roten Hetzern" ...
Die dritte Steigerung ergibt sich aus der Kampfstellung gegen Bolschewismus und Kommunismus: die „finsteren Horden" der Rotfrontbataillone tauchen auf.
Und endlich — Krönung des Gesamtwerkes und Gipfelung der stilistischen Leistung, volles Werk der nazistischen Sprachorgel: der Retter, der unbekannte Soldat, der Mann aus Großdeutschland, der Führer erscheint. Jetzt versammeln sich alle Schlagworte beider Richtungen auf engem Raum. Und die furchtbare Prostituierung der Evangeliensprache im Dienste der LTI macht den Beschluß: „Durch die hinreißende Kraft seines eigenen Glaubens vermochte der Mann an der Spitze den am Boden liegenden Kranken mit dem uralten Zauberwort ‚Stehe auf und wandle' zu entflammen." —
Ich nannte die LTI arm. Aber wie reich erscheint sie bei Stieve im Vergleich mit Walther Lindens Sprachkunst in seiner „Geschichte der deutschen Literatur" vom Jahre 1937, die man gewiß als repräsentativ ansprechen kann; denn sie ist in dem volkstümlichen Reclamverlag erschienen, sie hat es bei

reichlichen 500 Seiten auf vier Auflagen gebracht, sie faßt die vorschriftsmäßigen und überall verbreiteten Literatururteile der Hitlerzeit in so vorschriftsmäßiger Formulierung zusammen, daß sie bestimmt ein wesentliches Handbuch der Schüler und Studierenden gebildet hat. Ihr zu seinem Glück noch vor dem Zusammenbruch des Dritten Reichs verstorbener Verfasser war in den zwanziger Jahren der Herausgeber einer durchaus wissenschaftlichen „Zeitschrift für Deutschkunde", in der ich selber einige meiner Studien veröffentlichte. Er hat dann gründlich umgelernt, er hat sich dieses Umlernen freilich besonders bequem gemacht, indem er alles aus einem Punkte erklärte und mit nicht viel mehr als zwei, meist gekoppelt auftretenden und von der LTI fast identifizierten (sie selber würde sagen: gleichgeschalteten) Worten ausdrückte.

Jede Strömung, jedes Werk, jeder Autor ist entweder „volkhaft" und „arthaft" oder ist es nicht; und wem Linden dies Prädikat abstreitet, dem hat er damit den ethischen und ästhetischen Wert gleichermaßen, ja jede Existenzberechtigung abgestritten. Abschnitt für Abschnitt, manchmal fast Seite für Seite, ist das immer wieder der Fall.

„Im Rittertum wird zum zweiten Male nach der germanischen Heldendichtung der Fürstenhallen eine schöpferische arteigene Hochkultur geboren."

„Der Humanismus ist außerhalb Italiens zum Gegensatz des Volkstümlichen und Arteigenen geworden."

„Erst das achtzehnte Jahrhundert hat den erworbenen Seelen- und Sinnesreichtum in die organische Einheit und Ganzheit neuen arteigenen Lebens übergeleitet: in die volkhafte Wiedergeburt der Deutschen Bewegung seit 1750."

Leibniz ist „ein deutschgesinnter arthafter Weltdenker". (Seine Nachfolger „überfremden seine Lehre".)

Klopstocks „germanisch-arthaftes Alleinheitsgefühl".

Winckelmanns Deutung der hellenischen Antike „hat zwei artverbundene indogermanische Völker zusammengeführt".

Im Götz von Berlichingen unterliegen „bodenentstammte Volksart, heimisches Recht der neuen auf sklavische Unterwürfigkeit gegründeten volksfremden Ordnung", die sich durchsetzt „mit dem artfremden römischen Rechte..."

„Löb Baruch (Ludwig Börne)" und, gleichfalls getaufter Jude, „Jolson (Friedrich Ludwig Stahl)" sind beide, der Liberale wie der Konservative, gleich schuldig an der Aufgabe des „ger-

manischen Ordnungsgedankens", an der „Entfernung vom arthaften Staatsdenken".
Uhlands „volkshafte Lyrik und Balladik" trägt bei „zur Wiedererweckung des Artbewußtseins".
„Im reifen Realismus siegt das arthaft-germanische Empfinden noch einmal über den französischen Esprit und die jüdisch-liberale Tagesliteratur."
Wilhelm Raabe kämpft gegen „die Entseelung des deutschen Volkes unter artfremden Einflüssen".
Mit Fontanes Romanen endet „der Realismus, eine arthaft deutsche Bewegung"; Paul de Lagarde ist um „eine arthaft deutsche Religion" bemüht; Houston Stewart Chamberlain ist noch „artechter" als der Rembrandtdeutsche, er bringt dem deutschen Volke „arteigene Geistesheroen" wieder nahe, weckt „die germanische Lebensschau wieder zur gestaltenden völkischen Macht"; dieser ganze Verbrauch drängt sich auf knapp sechzig Zeilen zusammen, und dabei habe ich noch die „nervöse Entartung" und den „Kampf zwischen Oberflächenliteratur und ewiger arthafter Dichtung" übersehen und das Bemühen, „ein arthaftes Geistesleben zu gründen und so die volkhafte Kultur zu verwurzeln".
Mit Bartels und Lienhard beginnt um 1900 „die volkhafte Gegenströmung". Kommt man dann zu den „großen Wegbereitern volkhafter Dichtung", zu Dietrich Eckart und all den anderen, die dem Nationalsozialismus unmittelbar verbunden sind, so ist es kein Wunder, wenn nun erst recht alles unaufhörlich um volk- und blut- und arthaft kreist. —
Spiel auf der einen, der volkstümlichsten Saite der LTI! Ich habe es lange vor der Lektüre dieser nazistischen Literaturgeschichte und wahrhaft de profundis klingen hören. „Du artvergessenes Weib!" sagte Clemens der Schläger bei jeder Haussuchung zu meiner Frau, und Weser der Spucker setzte hinzu: „Weißt du nicht, daß schon im Talmud steht, ‚eine Fremde ist weniger wert als eine Hure'?" Das wiederholt sich jedesmal wörtlich wie ein Botenauftrag im Homer. „Du artvergessenes Weib! Weißt du nicht..."
Immer wieder in diesen Jahren, und während der Falkensteiner Wochen mit besonderer Intensität, habe ich mir die gleiche Frage vorgelegt und kann sie bis heute nicht beantworten: Wie war es möglich, daß die Gebildeten einen solchen Verrat an aller Bildung, aller Kultur, aller Menschlichkeit verübten?

Der Schläger und der Spucker, das waren primitive Bestien (trotzdem sie Offiziersrang bekleideten); so etwas muß man erdulden, bis man es totschlagen kann. Doch man braucht sich nicht den Kopf darüber zu zerbrechen. Aber ein studierter Mann wie dieser Literarhistoriker! Und hinter ihm taucht mir die Menge der Literaten, der Dichter, der Journalisten, die Menge der Akademiker auf. Verrat, wohin der Blick reicht.
Da schreibt ein Ulitz die Geschichte eines gequälten jüdischen Abiturienten und widmet sie seinem Freunde Stefan Zweig, und dann, im Augenblick der höchsten Judennot, zeichnet er das Zerrbild eines jüdischen Wucherers, um seinen Eifer für die herrschende Richtung zu beweisen. Da weiß ein Dwinger in seinem Roman aus russischer Gefangenschaft und russischer Revolution nicht das geringste von jüdischem Haupteinfluß und jüdischer Grausamkeit; vielmehr berichten die beiden einzigen Judenerwähnungen der gesamten Trilogie von menschenfreundlichen Taten, einmal einer Jüdin, das andere Mal eines jüdischen Kaufmanns; und dann, in der Hitler-Ära, taucht der blutrünstige jüdische Kommissar auf. Da entdeckt der Sächsische Witzbold Hans Reimann — das fand ich in einem Aufsatz der früher durchaus niveauhaltenden Velhagen-und-Klasing-Hefte (Jahrgang 1944) — die Eigenheiten der Juden im allgemeinen und ihres Witzes im besonderen: „Der Glaube der Juden ist Aberglaube, ihr Tempel ein Klublokal und ihr Gott ein allmächtiger Warenhausbesitzer ... Die Neigung zum Übersteigern wuchert dermaßen im jüdischen Hirn, daß es oft schwerfällt, zwischen Ausgeburten morscher Intellektualität und plattfüßiger Blödelei zu unterscheiden." (Beachte die Wechselbrause auf engstem Raum: morsche Intellektualität und plattfüßige Blödelei!)
Ich deute nur an, was ich in diesen Falkensteiner Tagen durcheinanderlas. Interessanter vielleicht als dieser immer wiederholte und immer gleich unbegreifliche Sturz in den Verrat, erklärlicher wenigstens und tragischer — denn geistige Erkrankungen und plötzliches Verbrechertum sind an sich noch nichts Tragisches — ist das halb schuldlose In-den-Verrat-Gleiten, wie es sich etwa an Ina Seidel beobachten läßt, die reinen Herzens den romantischen Hang hinunterwandelt und beim späten hymnischen Glückwunsch für den deutschen Messias Adolf Hitler, den schon über und über mit Blut besudelten, anlangt. Aber das kann ich nicht in meinem Notiz-

buch abtun, das muß ich einmal gründlich studieren...
Auch einem guten alten Bekannten aus den Zeiten des ersten Weltkrieges begegnete ich unter den Verrätern — er hat einmal unter den deutschen politischen Journalisten bei Freunden und Gegnern einen angesehenen Namen gehabt: Paul Harms. Ich erinnere mich unserer stundenlangen Diskussionen im Café Merkur, dem damaligen Leipziger Literatencafé. Harms war gerade vom „Berliner Tageblatt" zu den „Leipziger Neuesten Nachrichten" um einige Striche von links nach rechts abgebogen, aber er war kein Hetzer, und jede Verbohrtheit lag ihm fern. Und er war durchaus reinlich, und er hatte viel gelernt und besaß einen klaren Kopf. Und er wußte, was es Gräßliches um den Krieg bedeutet, und den Wahnsinn deutscher Weltunterjochungspläne wußte er sehr genau an den Kräften der entgegenstehenden Mächte abzuschätzen. Ich hatte dann viele Jahre nichts mehr von ihm gehört, ich hatte, in mein Fach vergraben, die Zeitungslektüre auf das heimische Blatt beschränkt. Den Achtzig näher als den Siebzig, mußte Harms, wenn er überhaupt noch lebte, längst im Ruhestand leben. Und nun sah ich die „Leipziger Neuesten" wieder. Und alle drei, vier Tage darin einen politischen Artikel mit dem alten Signum P. H. Aber es war kein „Paul Harms" mehr, es war nur eine von den vielen hundert Variationen, die der Goebbelssche Wochentext durch alle Wochentage in allen großdeutschen Blättern erfuhr, es war das Weltjudentum und die Steppe, es war der britische Verrat an Europa, es war das für die Freiheit des Abendlandes und der Welt selbstlos kämpfende Germanentum, es war die ganze LTI — und mir die Probe aufs Exempel. Eine traurige Probe für mich, weil eben diese Zeilen mit persönlicher Stimme zu mir sprachen, mit einem vertrauten Tonfall hinter den aus diesem Munde unerwarteten, im übrigen aber gleichfalls und allzu vertrauten Worten. Als ich dann im darauffolgenden Sommer erfuhr, daß Harms wenige Tage vor dem Einzug der Russen in Zehlendorf gestorben war, empfand ich das fast als eine Erleichterung; er war wirklich in letzter Minute, wie der fromme Ausdruck lautet, dem irdischen Richter entrückt worden.
Und nicht nur aus Büchern und Blättern, auch nicht nur im flüchtigen Wortaustausch während der qualvollen Aufenthalte im Restaurant, drang die LTI auf mich ein: das gute Bürgertum meiner pharmazeutischen Umgebung sprach sie durch-

weg. Unser Freund, mit vorschreitenden Jahren allzu geneigt, die Dinge des Tages, selbst die gräßlichsten, mit einer gewissen leicht verächtlichen Nachsicht, als unwichtig dem Ewigen — ich glaube wahrhaftig, er sagte: „den ewigen Belangen" gegenüber — zu betrachten, nahm sich nicht die Mühe, dem giftigen Jargon auszuweichen; und für seine töchterliche Helferin war es kein Jargon, sondern immer noch die Sprache des Glaubens, in dem sie aufgewachsen war und in dem sie niemand zu erschüttern vermocht hätte, selbst wenn ihm ein solches Wagnis in den Sinn gekommen wäre. Auch die junge litauische Apothekerin —, aber von ihr habe ich schon im „Jüdischen Krieg" berichtet.

Und einmal während eines großen Alarms — die Fittiche des Todes rauschten wieder, aus der Phrasenstarre ins Wirkliche zurückgerufen, dicht über den Dächern des geduckten Städtchens, und gleich darauf krachten die Bomben auf Plauen — hielt sich der Bezirkstierarzt bei uns auf. Er war ein redseliger Mann, aber kein Schwätzer, er galt für sehr tüchtig, er galt auch für gutmütig, und er suchte die Beängstigung der vom Alarm überraschten Kunden durch Ablenken zu mildern. Er erzählte von der neuen Waffe, nein, von den neuen Waffen, die nun fertig seien und die gewiß im April ins Spiel kommen und das Spiel entscheiden würden. „Das Einmann-Flugzeug, das geht noch weit über V 2, das wird bestimmt mit den größten Bombengeschwadern fertig; es fliegt so phantastisch schnell, daß es nur nach hinten schießen kann, denn es ist schneller als das Geschoß, und es bringt die feindlichen Bomber zum Absturz, ehe sie ihre Bomben abladen können; die letzten Versuche sind jetzt abgeschlossen, und die Serienfabrikation ist schon im Gange." Wirklich! Das erzählte er genau so, wie ich es hier mitteile, und es war dem Ton seiner Stimme anzuhören, daß er das Märchen glaubte, und es war den Gesichtern der Hörer anzusehen, daß sie dem Märchenerzähler Glauben schenkten — wenigstens auf Stunden.

„Hältst du den Mann für einen bewußten Lügner", fragte ich unsern Freund nachher, „und bist du selber wenigstens ganz davon überzeugt, daß er Märchen verbreitet?" — „Nein", antwortete mir Hans, „er ist ein ehrlicher Mann, er hat sicher von dieser Waffe sprechen hören — und warum auch sollte nicht etwas Wahres daran sein? Und warum auch sollen sich die Leute nicht damit trösten?"

Anderntags zeigte er mir den eben eingetroffenen Brief eines seiner Freunde, der als Oberstudiendirektor irgendwo im Hamburgischen amtierte: der werde mir besser gefallen als der Tierarzt gestern, es sei ein firmer Philosoph und reiner Idealist, ganz an die Ideen der Humanität hingegeben und durchaus kein Hitlerverehrer. Ich habe vergessen zu berichten, daß der Tierarzt gestern nicht nur von der Wunderwaffe, sondern auch mit gleicher Gläubigkeit von der wiederholt beobachteten Erscheinung geredet hatte, wonach von gänzlich eingestürzten Häusern nur „die Wand mit dem Hitlerbild" stehengeblieben sei. Der philosophische und antinazistische Freund aus dem Hamburgischen also glaubte an keine Waffe und keine Legende mehr und äußerte sich sehr hoffnungslos. „Aber (schrieb er) man möchte bei aller Hoffnungslosigkeit der Lage doch noch an eine Wende, an ein Wunder glauben, denn unmöglich können unsere Kultur und unser Idealismus dem Ansturm des vereinten Materialismus der Welt unterliegen!"
„Fehlt nur der Ansturm der Steppe!" sagte ich. „Aber findest du nicht, daß dein Freund ziemlich weitgehend einverstanden ist mit dem gegenwärtigen Deutschland? Wenn einer schon auf die Wende zu Hitlers Ungunsten hofft —, die Wende ist ein sehr beliebtes Kunstwort der Hitlerei!"...

*

Der bürgerliche Bezirk der Falkensteiner Apotheke ist auf der Landkarte unserer Flucht von zwei bäuerlichen Gebieten begrenzt. Zuerst nämlich hatten wir uns in das wendische Dorf Piskowitz bei Kamenz gewandt. Dort lebte als verwitwete Bäuerin mit ihren zwei Kindern unsere getreue Agnes, die uns mehrere Jahre gedient und uns später regelmäßig Nachfolgerinnen aus ihrer Gegend gesandt hatte, wenn eines der Mädchen heiratete. Es war vollkommen sicher, daß sie uns herzlich aufnehmen, es war höchst wahrscheinlich, daß weder sie noch irgend jemand im Dorfe etwas von meinem Betroffensein durch die Nürnberger Gesetze wissen würde. Wir wollten es ihr jetzt zur Vorsicht mitteilen, sie würde dann um so sorgfältiger auf unsere Sicherheit achten. Wenn nicht ein ganz besonderes Unglück ins Spiel kam, mußten wir in der Abgeschiedenheit des Nestes untertauchen können. Zumal,

wie wir genau wußten, die Bevölkerung stark antinazistisch war. Wenn es ihr frommer Katholizismus allein nicht tat, so immunisierte sie bestimmt ihr Wendentum: Diese Menschen hingen an ihrer slawischen Sprache, deren sie der Nazismus im Kult und Religionsunterricht berauben wollte, sie fühlten sich den slawischen Völkern verwandt und durch die germanische Selbstvergottung der Nazis gekränkt — das hatten wir von Agnes und ihren Nachfolgerinnen oft genug gehört. Und dann: die Russen standen bei Görlitz; bald würden sie in Piskowitz sein, oder es würde uns gelingen, zu ihnen hinüberzukommen.
Mein Optimismus wurzelte in dem Hochgefühl der märchenhaften Errettung, dazu auch in dem glühenden Schutthaufen, als den wir Dresden verlassen hatten, denn unter dem Eindruck dieser Vernichtung hielten wir das Kriegsende für unmittelbar bevorstehend. Mein Optimismus erhielt den ersten Stoß, ja schlug ins Gegenteil um, als der Ortsvorsteher — meine Papiere waren natürlich „verbrannt" — mich fragte, ob ich mit irgendwelchen Nichtariern verwandt sei. Es kostete mich die größte Anstrengung, ein gleichgültiges „Nein" herauszubringen, ich glaubte mich beargwohnt. Nachher erfuhr ich, daß es sich um eine obligate Frage gehandelt hatte, und tatsächlich blieb der Mann die ganze Zeit über ohne Argwohn. Ich selber aber hatte von da an, und in Falkenstein wurde das Gefühl noch peinigender, und aufgehört hat es erst an dem Tage, da uns die Amerikaner in Bayern einschluckten, immer, bald lauter, bald leiser, das gräßliche Zischeln und Flüstern im Ohr, das ich 1915 kennenlernte, wenn die Garbe der Maschinengewehre über den Liegenden hinfegte, und das mir mehr zugesetzt hat als das ehrliche Krachen der Granaten. Es war nicht die Bombe und nicht der Tiefflieger, es war auch gar nicht der Tod, wovor ich mich ängstigte — nur immer die Gestapo. Nur immer die Furcht, es könnte einer hinter mir gehen, es könnte mir einer entgegenkommen, es könnte mich zu Hause einer erwarten, der mich holen wollte. („Holen!" Jetzt spreche ich auch schon in dieser Sprache!) Nur nicht in die Hände meiner Feinde fallen! war täglicher Stoßseufzer.
In Piskowitz aber fanden sich auch immer wieder ruhige Stunden, denn hier war eine stille Welt für sich, und diese Welt war durchaus antinazistisch, und selbst von dem Ortsvorsteher

hatte ich den Eindruck, daß er schon gern ein wenig von seiner Partei und Regierung abgerückt wäre.
Eingedrungen war die nazistische Staatslehre natürlich auch hier. Auf dem winzigen Schreibtisch in der allgemeinen Wohnstube des kleinen Fachwerkhauses lagen zwischen Rechnungen, Familienbriefen und einigen Kuverts und Briefbogen die Schulbücher der Kinder.
Vor allem der deutsche Schulatlas, den Philipp Bouhler, der Mann der Reichskanzlei, mit faksimilierter Unterschrift im September 1942 für die Gesamtheit der deutschen Schulen herausgegeben hat und der bis ins letzte Dorf verbreitet wurde. Die ganze Hybris dieser Veranstaltung wird erst deutlich, wenn man das späte Datum berücksichtigt: Schon ist der erträumte deutsche Sieg zur Unmöglichkeit geworden, schon kann es nur noch darum gehen, die volle Niederlage zu vermeiden, da gibt man den Kindern ein Kartenwerk in die Hand, worin „Großdeutschland als Lebensraum" das „Generalgouvernement mit Warschau und dem Distrikt Lemberg", das „Reichskommissariat Ostland" und das „Reichskommissariat Ukraine" umfaßt, worin die Tschechoslowakei als „Protektorat Böhmen und Mähren" und „Sudetenland" durch besondere Farbe als unmittelbarer Reichsbesitz bezeichnet werden, worin die deutschen Städte mit ihren nazistischen Ehrentiteln prunken, neben der Hauptstadt der Bewegung und der Stadt der Parteitage auch „Graz, die Stadt der Volkserhebung", „Stuttgart, Stadt der Auslandsdeutschen", „Reichserbhofgericht Celle" usw., worin es statt Jugoslawiens ein „Gebiet des Militärbefehlshabers Serbien" gibt, worin eine Karte die nazistischen Gaue darstellt, eine andere die deutschen Kolonien, und nirgends auf diesem Blatt selber, nur winzig klein am unteren Rande befindet sich die (wohlgemerkt eingeklammerte) Notiz: „Unter Mandatsverwaltung." Wie muß heute die Welt in einem Kopfe aussehen, dem alles das in früher und widerstandsloser Kindheit farbig eingeprägt wurde!
Neben dem Atlas, der sprachlich ein reiches Sondervokabular der LTI bedeutet, gab es ein deutsches Rechenbuch, dessen Aufgaben dem „Versailler Diktat" und der „Arbeitsbeschaffung durch den Führer" entnommen waren, und ein deutsches Lesebuch, in dem sentimentale Anekdoten die Tier- und Kinderliebe eines väterlichen Adolf Hitler verherrlichten.
Aber im gleichen engen Raum gab es auch Gegengifte. Da war

die Heiligenecke, ihr Gekreuzigter war (wie fast alle Kruzifixe an den Dorfstraßen) wendisch beschriftet, und ebenso lag dort eine wendische Bibel. Wäre diese Betonung der eigenen Sprache nicht gewesen, so weiß ich nicht, ob man den Katholizismus allein als völlig sicheres Gegengift hätte gelten lassen können. Die Hauptlektüre nämlich, die ich außer der Bibel und den Schulbüchern im Hause fand, bestand in einem sehr zerlesenen dicken Folioband der „Stadt Gottes". Das war eine illustrierte „Zeitschrift für das katholische Volk" aus den Jahren 1893/94. Sie war sehr reich an Ausfällen gegen die „verjudete Loge", gegen „freisinnige und sozialdemokratische Judenknechte", sie verteidigte Ahlwardts Sache, solange es irgend möglich war, und rückte erst im allerletzten Augenblick von ihm ab. Von Rassenantisemitismus freilich wußte sie nichts — immerhin ging es mir doch wieder einmal auf, wie zielsicher demagogisch (oder um es in seiner Sprache zu sagen), wie volksnah der Führer gehandelt hatte, als er aus dem Judentum die Klammer um die Vielzahl der ihm feindlichen Faktoren machte.

Aber ich war kaum berechtigt, von katholischem Antisemitismus der neunziger Jahre auf eine gleiche Stellungnahme im gegenwärtigen Zeitpunkt zu schließen. Wer es ernst nahm mit dem katholischen Glauben, der stand jetzt dicht neben den Juden in gleicher Todfeindschaft wider Hitler.

Und übrigens: die Hausbibliothek verfügte über noch einen, ebenfalls alten, dicken und zerlesenen Band, und auch von dessen politischer Stellungnahme war durchaus kein Rückschluß auf die gegenwärtige Gesinnung der Hausinsassen zu ziehen. Der verstorbene Bauer war ein großer Bienenzüchter gewesen, und dies letzte Werk im Hause war ein Jahrbuch der Bienenzucht von dem Baron August von Berlepsch. Der Autor, der seine Einleitung in Coburg unter dem 15. August 1868 datiert, ist offenbar nicht nur ein Fachmann, sondern darüber hinaus ein Moralist und denkender Staatsbürger gewesen. „Ich kenne viele Menschen (schreibt er), die, bevor sie Bienenzüchter waren, jede freie Stunde benutzten (ja sich wider Gebühr freie Stunden machten), um nach dem Wirtshause zu laufen, zu trinken, Karte zu spielen oder sich durch unsinnige politische Räsonnements zu echauffieren. Sobald sie Bienenzüchter geworden waren, blieben sie daheim bei ihren Familien, verbrachten an schönen Tagen ihre müßige

Zeit bei den Bienen oder lasen zur unfreundlichen Jahreszeit Bienenschriften, fertigten Bienenstöcke, besserten Bienenutensilien aus — kurz, liebten Haus und Arbeit. ‚Zu Hause bleiben', ja, das ist das Schibboleth eines guten Bürgers ..."
Darüber dachten Agnes und ihre Nachbarn und Nachbarinnen gänzlich anders. Denn jeden Abend war das, was wir die wendische Spinnstube nannten und worin eingeführt zu sein uns als herzlichster Vertrauensbeweis galt, sehr dicht besetzt. Man traf sich bei Agnes' Schwager, einem vielfältig interessierten Mann, der, nebenbei bemerkt, trotz Katholizismus und leidenschaftlichem Wendentum — „bis Rügen haben wir gesessen, so weit müßte eigentlich das Land unser sein!" — dem Stahlhelm bis zu seiner Überführung in die NSDAP, aber auch nur so lange, angehört hatte. In der warmen und geräumigen Wohnküche war Kommen und Gehen; Frauen saßen bei ihrer Handarbeit, Männer standen rauchend umher. Kinder liefen herein und heraus. Hauptperson war der stattliche Radioapparat, um den sich immer eine Gruppe drängte. Einer suchte die Stationen ab, andere machten Vorschläge, diskutierten eben Gehörtes, forderten auch wohl energisch Ruhe, wenn etwas Wichtiges durchkam oder bevorstand.
Als wir das erstemal hier eintraten, ging es ziemlich laut her und ohne besonderen Respekt für die Sendung. Wie entschuldigend sagte mir der Schwager: „Es ist bloß der Goebbels, den wir zwischendurch erwischt haben, der andere ist erst in zehn Minuten fällig."
Ich habe den Doktor damals, am 28. Februar, zum letztenmal sprechen hören. Inhaltlich war es das gleiche wie in all seinen Reden und Artikeln der letzten Zeit: rohe Sportbilder und Endsieg und schlecht verhehlte Verzweiflung. Aber die Art seines Sprechens schien mir verändert. Er verzichtete auf Klanggliederung; sehr langsam, in starker, völlig gleichmäßiger Betonung, Takt um Takt, Pause um Pause, ließ er die einzelnen Worte fallen, wie ein Rammhammer fällt.
„Der andere": das war die allgemeine, zusammenfassende Bezeichnung für alle verbotenen Sendungen, für Beromünster, für London und Moskau (die in deutscher Sprache Nachrichten brachten), für den Soldatensender, den Freiheitssender, und was es sonst an Illegalem gab. Man wußte um all dies verpönte und mit Todesstrafe bedrohte Abhören genau Bescheid, kannte Zeit und Welle und Spezialität der einzelnen

Stationen und hielt uns für ziemlich weltfremd, daß wir noch so gar keinen Umgang mit diesem „anderen" gehabt hatten. Man kam auch gar nicht auf den Gedanken, das verbotene Hören vor uns zu verbergen oder es sonst mit besonderer Geheimnistuerei und Vorsicht zu umgeben. Durch unsere Agnes gehörten wir zum Dorf, und die Haltung des Dorfes war eine ganz einheitliche: alles wartete auf das sichere Ende der Hitlerei, alles wartete auf die Russen.

Die einzelnen Erfolge, die Maßnahmen und Pläne der Alliierten wurden durchgesprochen, selbst die Kinder hatten manches dazu zu sagen; sie waren ja nicht nur auf die Nachrichten des „anderen" angewiesen, sie brachten auch Neuigkeiten von draußen heim, denn hier regnete es nicht bloß, wie später in Falkenstein, Stanniol, das den noch schneehaltigen Tannen- und Kiefernwald weihnachtsechter bedeckte als den schon knospenden gemischten Bestand des Erzgebirges, sondern auch Flugblätter, die eifrig gesammelt und studiert wurden. Sie enthielten im wesentlichen dasselbe wie die Sendungen des „anderen": Aufrufe, sich loszusagen von der verbrecherischen und wahnsinnigen Regierung, die einen rettungslos verlorenen Krieg zur völligen Vernichtung Deutschlands weiterführen wolle. Man sagte den Kindern wohl, das Sammeln dieser Blätter sei streng verboten, aber es blieb beim bloßen Wiederholen des Verbotes, und alle Welt las begierig und zustimmend, was da geschrieben stand. Einmal kam Agnes' Juri mit einem offen geschwenkten Heftchen: „Das brauchen wir aber nicht zu verbrennen, das haben wir genauso in der Schule bekommen!" Es war eine Broschüre: „Goebbels' Kriegsartikel" mit einem typisch nazistischen Kriegerkopf (halb Adler, halb Rowdy) auf dem Umschlag. Links standen die Sätze, die man den Schülern eingeprägt hatte, rechts Punkt für Punkt ihre Widerlegung durch die Alliierten. Besonders ausführlich war aufklärende Antwort auf die Behauptung gegeben, der Krieg sei dem friedliebenden Führer „aufgezwungen" worden. (Der aufgezwungene Krieg zählt an hervorragender Stelle zu den stereotypen Wendungen der LTI.)

Es gab noch zwei andere Quellen, aus denen das Dorf sich über den Stand der Dinge belehrte: die jämmerlichen Trecks der flüchtenden schlesischen Landleute, denen man kurzen Zwischenaufenthalt im „Maidenlager", dem grüngestrichenen, weitläufigen Barackenbau des verflossenen weiblichen Arbeitsdienstes, gewährt hatte, und eine Anzahl bayerischer Artilleristen, die mit ihren Pferden, aber ohne ihre Geschütze, von der Front zurückgekommen waren und sich hier eine Weile verschnaufen durften.

Sehr seltsam mischte sich in diese ganz modernen Aufklärungen eine letzte, ganz anders geartete: man zitierte Bibelstellen — Agnes' alter, noch sehr rüstiger Vater sprach des langen und breiten von der Königin von Saba —, die mit Bestimmtheit den Einmarsch der Russen prophezeiten. Ich wollte erst diesen biblischen Einschlag der LTI für spezifisch dörflich halten, aber mir fiel beizeiten unsere Babisnauer Pappel ein, dazu die überall in Volk und Führerschaft verbreitete Vorliebe für Astrologie.

Bei alledem war die Stimmung in Piskowitz durchaus nicht verzweifelt. Man hatte bisher noch nicht sonderlich unter dem Krieg gelitten, nie war eine Bombe auf das unscheinbare Dorf gefallen, es besaß nicht einmal eine eigene Sirene; und wenn, was täglich und nächtlich wiederholt geschah, Alarm aus der Ferne ertönte, so ließ man sich nachts nicht im Schlafe stören, und tags sah man interessiert einem in rein ästhetischem Sinn immer wieder schönem Schauspiel zu: in ungeheurer Höhe zogen Schwärme fingerlanger silberner Pfeile, aus Wolken tretend, in Wolken verschwindend, am blauen Himmel. Dann erinnerte stets, buchstäblich stets einer der Zuschauer: „Und Hermann hat gesagt, er wolle Meier heißen, wenn ein feindlicher Flieger nach Deutschland hereinkäme!" Und ein anderer setzte hinzu: „Und Adolf hat die englischen Städte ausradieren wollen!" Wirklich, diese zwei Aussprüche perennierten gleichartig in Stadt und Land, während andere aktuelle Phrasen, Entgleisungen, Scherze sich mit einem Eintagsruhm begnügen mußten; und in ihm wiederum, ich meine im Aufstrahlen ihrer Glorie, gab es einen zeitlichen Unterschied zwischen Dorf und Stadt.

Wir hatten, wie die andern im Dorfe auch, Schweineschlachten; denn wenn man auch sonst keine Furcht vor den Russen hegte, so wollte man das gerade fällige Schwein doch lieber selbst aufessen als es den Befreiern überlassen. Der Fleischbeschauer mikroskopierte, der Schlächter und sein Gehilfe stopften Würste, Nachbarn kamen auf kurze Visite zum Begutachten und Vergleichen herüber, und dabei erzählte man im vollen Zimmer Witze und gab sich Rätsel auf. Da machte ich denn eine ähnliche Erfahrung wie im ersten Weltkrieg: dort hörte ich 1915 im flandrischen Dorf denselben Schlager *Sous les ponts de*

Paris singen, der mir zwei Jahre zuvor als modernste Saisonschöpfung in Paris begegnet und der inzwischen in der Hauptstadt von aktuelleren Chansons verdrängt worden war. Genauso vergnügten sich jetzt die Piskowitzer und ihr Fleischbeschauer an einem Rätsel, das man sich in Dresden und gewiß auch in allen deutschen Städten bald nach dem Anfang des Krieges mit Rußland zugeflüstert hatte: Was ist die Bedeutung der Zigarettenmarke Ramses? Antwort: Rußlands Armee macht schlapp Ende September. Aber von hinten nach vorn: sollte England siegen, muß Adolf 'raus! Man muß, notierte ich mir, solche Wanderungen nach Zeit, Raum und Sozialschicht untersuchen. Irgendwer hat mir erzählt, die Gestapo habe einmal in Berlin ein Gerücht ausgegeben und dann untersuchen lassen, in welcher Zeit und auf welchem Wege es bis München gelangt sei.

Ich machte das Schlachtfest in sehr deprimierter und, sosehr ich mich deshalb auch verlachte, in einigermaßen abergläubischer Stimmung mit. Das Schwein hatte schon eine Woche vorher geschlachtet werden sollen; damals standen die Alliierten 20 Kilometer vor Köln, und die Russen waren im Begriff, Breslau zu nehmen. Der mit Aufträgen überhäufte Schlächter hatte absagen müssen, und das Schwein war am Leben geblieben. Ich hatte mir ein Omen daran genommen; ich hatte mir gesagt: wenn das Schwein Köln und Breslau überlebt, dann erlebst du das Ende des Krieges und deiner Schlächter. Jetzt war mir das schöne Wellfleisch einigermaßen vergällt, denn Köln und Breslau hielten sich immer noch.

Zum Mittagbrot des nächsten Tages aßen wir wieder Schweinernes, da trat der Ortsvorsteher ein: eben war Befehl gekommen, den Ort bis zum Abend von allen Fremden frei zu machen, denn morgen schon würden Kampftruppen hier einquartiert; um fünf Uhr werde uns ein Wagen nach Kamenz schaffen, von wo ein Flüchtlingstransport in die Bayreuther Gegend abgehe. Damals, bei Schneeregen im offenen Leiterwagen zwischen Männern, Frauen und Kindern gedrängt stehend, glaubte ich uns schon in völlig trostloser Lage; aber erst drei Wochen später war unsere Situation wirklich trostlos. Denn in Kamenz konnten wir noch am Schalter angeben: „Ausgebombte zu privater Unterkunft nach Falkenstein", es gab wirklich noch jemanden, auf den wir hoffen durften; der jämmerliche, doch immerhin noch tröstliche Begriff des sterbenden Dritten Reichs, die „Auffangstelle", hatte auch für

uns noch Gültigkeit. Als wir dann aber auch aus Falkenstein fortmußten — Hans war gezwungen worden, zwei Pharmazeutinnen aus Dresden aufzunehmen, die dort studiert hatten, die mich sehr wohl kennen konnten; die Gefahr der Entdeckung war allzu groß und das Ende des Krieges noch immer nicht gekommen —, wo gab es da für uns eine sichere Auffangstelle? Überall war Gefahr des Entdecktwerdens.
Die nächsten zwölf Fluchttage waren übervoll von Strapazen, von Hunger, von Schlaf auf nacktem Steinboden einer Bahnhofshalle, von Bomben auf den fahrenden Zug, auf den Wartesaal, in dem es endlich ein Essen geben sollte, von nächtlichem Wandern die zerstörte Bahnstrecke entlang, vom Waten in Bächen neben zerschmetterten Brücken, vom Kauern in Bunkern, von Schwitzen, von Frieren und Zittern in durchnäßtem Fußzeug, von Schußgarbengeknatter der Tieflieger — aber schlimmer als alles das und unbarmherzig pausenlos quälte die Angst vor Kontrolle, vor Verhaftung. Geld und Hilfsmittel hatte uns Hans reichlich mitgegeben, aber das Gift, um das ich ihn für den äußersten Notfall so dringend gebeten — „Laß uns nicht in die Hand unserer Feinde fallen, sie sind hundertmal grausamer als jeder Tod!" —, das Gift hatte er uns verweigert.
Endlich waren wir so weit von unserem Dresden entfernt, endlich waren die Lähmung und die Zerrissenheit Deutschlands so weit vorgeschritten, endlich stand das endgültige Ende des Dritten Reichs so unmittelbar vor der Tür, daß die Angst vor der Entdeckung zur Ruhe kam. In dem Dorfe Unterbernbach bei Aichach, wohin man uns als Flüchtlinge gewiesen hatte und wo seltsamerweise keine Sachsen, nur Schlesier und Berliner untergebracht waren, hatten wir nur noch wie alle übrigen Einwohner die ständigen Tieflieger zu fürchten und den Tag, an dem die auf Augsburg vordringenden Amerikaner uns überrollen würden. Ich glaube, „überrollen" ist der letzte heeressprachliche Neuausdruck, dem ich begegnet bin. Sicher hängt er mit der Vorherrschaft der motorisierten Truppen zusammen.
Im August 1939 hatten wir in Dresden mit angesehen, wie das Heer würdelos heimlich zusammengeholt worden war; jetzt sahen wir es würdelos heimlich versickern. Von der zerfallenden Front bröckelten Grüppchen und einzelne ab, kamen aus den Wäldern geschlichen, schlichen durchs Dorf, suchten

Essen, suchten Zivilkleidung, suchten Ruhe für eine Nacht. Dabei glaubten einige unter ihnen noch immer an den Sieg. Andere waren durchaus überzeugt, daß es überall zu Ende ging, aber aufgelöste Brocken der einstigen Siegersprache mischten sich doch noch in ihre Reden.

Unter den hier einquartierten Flüchtlingen aber und unter den Ortsansässigen gab es niemanden mehr, der noch im geringsten an den Sieg oder den Fortbestand der Hitlerherrschaft geglaubt hätte. In der vollkommenen und erbitterten Verurteilung des Nazismus glichen die Bauern von Unterbernbach haargenau den Bauern von Piskowitz. Nur daß die Wenden diese Feindschaft von Anfang an bezeigt hatten, die bayerischen Bauern aber hatten im Beginn auf ihren Führer geschworen. Er hatte ihnen anfangs so vieles versprochen, er hatte ihnen sogar einige Versprechungen gehalten. Doch nun regnete es schon so lange Enttäuschungen und nichts als Enttäuschungen. Die Unterbernbacher hätten in die wendische Spinnstube, die Piskowitzer nach Unterbernbach kommen können: man hätte sich dem Klang nach nicht verstanden, selbst wenn die Piskowitzer (was sie untereinander nie taten) durchweg deutsch gesprochen hätten, aber gesinnungsmäßig wäre man sehr rasch einig gewesen: das Dritte Reich lehnten sie alle ab.

Ich fand unter den Bauern von Unterbernbach große moralische Unterschiede und notierte mir reuig: „Sage nie wieder Der Bauer oder Der bayerische Bauer, denke immer an Den Polen, an Den Juden!“ Der Ortsbauernführer, der längst von seiner Liebe zur Partei abgekommen war, aber seinen Posten nicht hatte aufgeben dürfen, glich in seiner immerwährenden Hilfsbereitschaft und Wohltätigkeit für jeden Flüchtling in Zivil und Uniform haargenau einem Exemplum der Güte, wie es in der Sonntagspredigt des Pfarrers gezeichnet wurde — (Notiz zur Predigt am 22. April: *Stet Crux dum volvitur orbis.* Ganz unangreifbar zeitlos, und doch solche Abrechnung mit den Nazis! Sonderaufgabe: die Predigt im Dritten Reich, das Verhüllen und Aussprechen, die Verwandtschaft mit dem Stil der Enzyklopädie.) — Und auf der anderen Seite der Kerl, dem wir für die erste Nacht zugewiesen waren und der uns das Wasser zum Waschen verweigerte; die Pumpe im Stall sei entzwei (eine Lüge, wie sich nachher herausstellte), und wir sollten schauen, daß wir in Schwung kämen. — Und zwischen diesen beiden Extremen so viele Abstufungen; darunter unsere

Wirtsleute, dem üblen Extrem näher als dem guten.
Aber im Gebrauch der LTI war es durchweg dasselbe: sie schimpften auf den Nazismus und taten es in seinen Redeformen. Überall, hoffnungsfreudig und hoffnungslos, ernsthaft oder spöttisch, war von der Wende die Rede, jeder setzte sich fanatisch für etwas ein usw. usw. Und natürlich erörterten alle den letzten Aufruf des Führers an die Ostfront und zitierten daraus die „zahllosen neuen Einheiten" und die Bolschewiken, die eure „alten Männer und Kinder ermordet, eure Frauen und Mädchen zu Kasernenhuren erniedrigt haben — der Rest marschiert nach Sibirien".
Nein, soviel es auch in diesen letzten Kriegstagen (und nachher auf der Rückwanderung) zu erleben gab — wirklich zu erleben und nicht bloß im verlogenen Wortsinn des Hitlerregimes —, für die LTI fand ich keinen Zusatz mehr und nirgends eine Abweichung von dem, was ich in der Enge unseres Leidensbezirks so lange an ihr studiert hatte. Sie ist wirklich total gewesen, sie hat in vollkommener Einheitlichkeit ihr ganzes Großdeutschland erfaßt und verseucht.
Nur zwei sichtbare Symbole ihres Herrschaftsendes sind hier noch zu verzeichnen.
Am 28. April gingen den ganzen Tag wilde Gerüchte über die unmittelbare Nähe der Amerikaner; gegen Abend marschierte ab und zog aus, was noch an Truppeneinheiten im und beim Dorf gelegen hatte, vor allem HJ, verwilderte Jungen eher als Soldaten, dazu ein höherer Stab, der das schöne moderne Amtshaus am südlichen Ortseingang innegehabt hatte. In der Nacht gab es eine Stunde lang schweres Artilleriefeuer, Granaten heulten über das Dorf weg. Am anderen Morgen lag auf dem Abort, in zwei Stücke zerrissen, ein kunstvoll in Schwarz und Rot beschriftetes Dokument und blieb dort mehrere Stunden liegen, da es zu dick war für seine neue Bestimmung. Es war eine unserem Wirt gehörige Eidesurkunde. Sie bezeugte, daß „Tyroller Michel auf dem Königlichen Platz in München vor dem Stellvertreter des Führers, Rudolf Heß" geschworen habe, „dem Führer Adolf Hitler und den von ihm eingesetzten Unterführern bedingungslosen Gehorsam zu leisten. München, ausgefertigt innerhalb des Traditionsgaues, am 26. April 1936."
Es kamen noch ein paar unheimliche Mittagsstunden, vom Waldrand her krachte es hin und wieder, manchmal hörte man

das Pfeifen naher Gewehrkugeln, irgendwo mußte noch scharmützelt werden. Dann sah man auf einer Landstraße, die an unserem Ort vorbeiführte, einen sehr langen Zug von Panzern und Automobilen — wir waren überrollt.
Anderntags riet uns der gute Flamensbeck, dem wir wieder einmal unser Wohn- und Eßleid klagten, ins frei gewordene Amtshaus überzusiedeln. Ein Eisenofen; auf dem sich das Frühstück kochen ließe, stünde in den meisten Zimmern, Tannennudeln zum Heizen fänden wir im Walde, und zum Mittagessen für uns würde es bei ihm reichen. Noch am gleichen Nachmittag feierten wir den Einzug in unsere neue Behausung. Sie bereitete uns außer anderen Annehmlichkeiten eine ganz besondere Freude. Eine volle Woche lang brauchten wir uns um Tannennudeln und Reisig nicht zu sorgen, wir besaßen besseres Heizmaterial. In diesem Hause nämlich hatte in besseren Nazizeiten HJ und mancherlei ähnliches Volk gewohnt, und alle Räume waren gestopft voll gewesen von schön gerahmten Hitlerbildern, von Wandsprüchen der Bewegung, von Fahnen, von hölzernen Hakenkreuzen. Alles das und das große Hakenkreuz über dem Tor und den Stürmerkasten aus dem Hausflur hatte man entfernt und auf den Boden geschafft, wo es einen riesigen wirren Haufen bildete. Neben dem Bodenraum lag die helle Dachstube, die wir uns ausgewählt hatten und in der wir noch etliche Wochen zubrachten. Die ganze erste Woche habe ich hier mit Hitlerbildern, mit Hitlerrahmen und Hakenkreuzen und Hakenkreuzfahnentuch und immer wieder mit Hitlerbildern geheizt, es war mir immer wieder eine Seligkeit.
Als dann das letzte Bild verfeuert war, sollte der Stürmerkasten daran glauben. Aber er war aus schweren, dicken Brettern gezimmert, mit Fußtritten und Brachialgewalt schaffte ich es nicht. Ich fand im Haus ein kleines Handbeil und eine kleine Fuchsschwanzsäge. Ich versuchte es mit dem Beil, ich versuchte es mit der Säge. Aber der Rahmen widerstand. Das Holz war allzu dick und fest, und nach all dem Vorangegangenen vertrug mein Herz nicht mehr große Anstrengungen. „Laß uns lieber Nudeln im Walde sammeln", sagte meine Frau, „das ist vergnüglicher und gesünder." So gingen wir zu anderem Heizmaterial über, und der Stürmerkasten blieb unversehrt. Manchmal, wenn ich heute Briefe aus Bayern erhalte, muß ich daran zurückdenken …

„*Wejen Ausdrücken*“

Ein Nachwort

Nun der Druck von uns genommen und es nur noch eine Frage der Zeit war, wann ich wieder zu meinem Beruf würde zurückkehren können, begann mich die Frage zu beschäftigen, welcher Arbeit ich mich zuerst zuwenden sollte. Damals hatten sie mir mein Achtzehntes Jahrhundert aus der Hand genommen. Das und die Tagebücher hatte meine Frau zu unserer Freundin nach Pirna gerettet; vielleicht hatte die Freundin, vielleicht hatten die Manuskripte überlebt — es bestand sogar einige Hoffnung für diese Annahme, denn eine Klinik erfährt immerhin nach Möglichkeit Schonung, und von sehr großen Bombenzerstörungen in Pirna war nichts bekannt. Aber wo würde ich gleich das nötige Bibliotheksmaterial hernehmen können, um an meinen Franzosen weiterzuarbeiten? Und dann: ich war so erfüllt von den Dingen der Hitlerzeit, die mich in mancher Hinsicht umgeschaffen hatte. Vielleicht hatte vordem auch ich zu oft DER Deutsche gedacht und DER Franzose, statt an die Mannigfaltigkeit der Deutschen und Franzosen zu denken? Vielleicht war es Luxus und Egoismus gewesen, sich nur in die Wissenschaft zu vergraben und der leidigen Politik aus dem Wege zu gehen? Es stand manches Fragezeichen in meinen Tagebüchern, es stand manche Beobachtung, manches Erlebnis darin, woraus sich dies und das lernen ließ. Vielleicht sollte ich mich zuerst mit dem befassen, was ich in den Leidensjahren aufgespeichert hatte? Oder war das ein Plan der Eitelkeit, der Wichtigtuerei? Sooft ich hierüber nachdachte, beim Sammeln der Tannennudeln, beim Rasten auf dem gefüllten Rucksack, immer tauchten in meiner Erinnerung zwei Menschen auf, die mich zwischen wechselnden Entschlüssen hin und her zerrten.
Zuerst war Käthchen Saras tragikomische Gestalt da, die anfangs ganz komische und noch zuletzt, als ihr Schicksal schon völlig ins Tragische geglitten war, von einer leisen Komik umhüllte. Sie hieß wirklich Käthchen, so stand ihr Name im Verzeichnis des Standesamts und auf dem

Taufschein, dem sie durch ein ständig an der Halskette getragenes Kreuzchen dem aufgezwungenen Judenstern und Sarabeisatz gegenüber ostentative Treue hielt. Und so ganz unpassend war der zärtliche Kindername nicht einmal für die Sechzigjährige mit dem etwas verfetteten Herzen, denn sie lachte und weinte so rasch, und so rasch hintereinander, wie ein Kind, dessen Gedächtnis einer leicht abwischbaren Schiefertafel gleicht. Zwei böse Jahre haben wir zwangsweise mit Käthchen Sara die Wohnung geteilt, und mindestens einmal an jedem Tag stürmte sie, ohne anzuklopfen, in unser Zimmer, und an manchem Sonntagmorgen saß sie auch wohl schon, wenn wir erwachten, in unserem Bett, und immer hieß es: „Schreiben Sie auf — das müssen Sie aufschreiben!" Und dann folgte, mit gleichem Affekt vorgetragen, die neueste Haussuchung, der neueste Selbstmord, die neueste Streichung einer Kartenration. Sie glaubte an mein Chronistenamt, und ihrem Kindersinn schien es sich so darzustellen, als würde kein anderer Chronist dieser Zeit auferstehen als eben nur ich, den sie so häufig am Schreibtisch sah.
Doch gleich nach Käthchens kindlich vereiferter Stimme hörte ich die halb mitleidige, halb spöttische des braven Stühler, mit dem wir durch eine neue Pferchung zusammengeführt wurden. Das geschah viel später, als Käthchen Sara schon längst für immer in Polen verschollen war. Auch Stühler hat die Erlösung nicht erlebt. Zwar durfte er im Lande bleiben und an einer gestapolos natürlichen Krankheit sterben, aber ein Opfer des Dritten Reichs ist auch er, denn ohne die vorangegangene Not hätte der jugendliche Mann mehr Widerstandskraft besessen. Und er hat mehr gelitten als das arme Käthchen, weil seine Seele keine Schiefertafel war und weil ihn die Sorge um Frau und Sohn, den Hochbegabten und durch die nazistische Gesetzgebung um jede Schulbildung Betrogenen, zerquälte. „Lassen Sie doch die Schreiberei und schlafen Sie lieber eine Stunde länger", hieß es immer wieder, wenn er mein allzu frühes Aufstehen bemerkt hatte; „Sie bringen sich durch Geschriebenes bloß in Gefahr. Und glauben Sie denn, daß Sie so Besonderes erleben? Wissen Sie nicht, daß aber tausend andere tausendmal Schlimmeres durchmachen? Und glauben Sie nicht, daß sich für alles dies Geschichtsschreiber in Menge finden werden? Leute mit besserem Material und besserem Überblick als dem Ihrigen? Was sehen, was merken denn Sie

in ihrer Enge hier? In die Fabrik laufen muß jeder, geprügelt werden viele, und vom Angespucktwerden macht man kein Aufhebens mehr ..." So ging das oft lange, wenn wir in freien Stunden in der Küche standen und beim Geschirrabtrocknen oder Gemüseputzen unseren Frauen halfen.

Ich ließ mich damals nicht irremachen, ich stand jeden Morgen um halb vier auf und hatte den vorigen Tag notiert, wenn die Fabrikarbeit begann. Ich sagte mir: du hörst mit deinen Ohren, und du hörst in den Alltag, gerade in den Alltag, in das Gewöhnliche und das Durchschnittliche, in das glanzlose Unheroische hinein ... Und dann: ich hielt ja meine Balancierstange, und sie hielt mich ...

Aber jetzt, wo die Gefahr vorüber war und ein neues Leben sich vor mir auftat, da fragte ich mich doch, womit ich es nun zuerst anfüllen sollte und ob es nicht Eitelkeit und Zeitvergeudung sein würde, wenn ich mich in die angeschwollenen Tagebücher versenkte. Und Käthchen und Stühler stritten um mich.

Bis mich ein Wort zum Entschluß brachte.

Unter den Flüchtlingen im Dorf befand sich auch eine Berliner Arbeiterin mit ihren zwei kleinen Töchtern. Ich weiß nicht, wie es sich fügte, daß wir noch vor dem Einmarsch der Amerikaner miteinander ins Gespräch kamen. Mir hat es im Vorübergehen schon ein paar Tage lang Vergnügen gemacht, sie mitten im oberbayerischen Land so unverfälschtes Berlinisch sprechen zu hören. Sie war zutunlich und spürte sofort in uns die politische Gesinnungsverwandtschaft. Sie erzählte uns bald, daß ihr Mann lange als Kommunist gesessen habe und jetzt bei einem Strafbataillon, Gott weiß wo, stehe, falls er überhaupt noch lebe. Und sie selber, berichtete sie mit Stolz, habe auch ein Jahr gebrummt und säße auch heute noch, wären nicht die Gefängnisse überfüllt gewesen und hätte man sie nicht als Arbeiterin gebraucht.

„Weswegen haben Sie denn gesessen?" fragte ich. „Na wejen Ausdrücken ..." (Sie hatte den Führer, die Symbole und die Einrichtungen des Dritten Reiches beleidigt.) Das war die Erleuchtung für mich. Bei diesem Wort sah ich klar. Wejen Ausdrücken. Deswegen und daherum würde ich meine Arbeit am Tagebuch aufnehmen. Die Balancierstange wollte ich aus der Masse des übrigen herauslösen und nur eben die Hände mitskizzieren, die sie hielten. So ist dies Buch zustande gekommen, aus Eitelkeit weniger, hoffe ich, als wejen Ausdrücken.

Inhalt